GUY DES CARS

Le grand monde
1. L'alliée

Éditions J'ai Lu

GUY DES CARS	ŒUVRES
L'OFFICIER SANS NOM	J'ai Lu
L'IMPURE	J'ai Lu
LA DEMOISELLE D'OPÉRA	J'ai Lu
LA DAME DU CIRQUE	J'ai Lu
CONTES BIZARRES	
LE CHATEAU DE LA JUIVE	J'ai Lu
LA BRUTE	J'ai Lu
LA CORRUPTRICE	J'ai Lu
LES FILLES DE JOIE	J'ai Lu
LA TRICHEUSE	J'ai Lu
AMOUR DE MA VIE	
L'AMOUR S'EN VA-T'EN-GUERRE	
CETTE ÉTRANGE TENDRESSE	J'ai Lu
LA MAUDITE	J'ai Lu
LA CATHÉDRALE DE HAINE	J'ai Lu
LE BOULEVARD DES ILLUSIONS	
LES SEPT FEMMES	J'ai Lu
LE GRAND MONDE	J'ai Lu
SANG D'AFRIQUE	J'ai Lu
DE CAPE ET DE PLUME	
DE TOUTES LES COULEURS	
L'HABITUDE D'AMOUR	J'ai Lu
LA VIE SECRÈTE DE DOROTHÉE GYNDT	
LA RÉVOLTÉE	
LA VIPÈRE	
LE TRAIN DU PÈRE NOEL	
L'ENTREMETTEUSE	
UNE CERTAINE DAME	
L'INSOLENCE DE SA BEAUTÉ	

En vente dans les meilleures librairies

Le grand monde

1. L'alliée

GUY DES CARS

Toutes les nuits, c'était la même chose.

L'immense salle ne désemplissait pas et semblait, malgré ses dimensions, être trop exiguë pour contenir la foule qui avait pris d'assaut les tables entourant la piste où une autre foule se berçait d'illusions de danse... Les orchestres se relayaient sans interruption pour déverser sur le flot humain les plus récents succès de Broadway.

Quelqu'un, qui aurait été transporté brusquement dans ces lieux, aurait été incapable de réaliser où il se trouvait. La décoration, sottement prétentieuse, rappelait celle de n'importe quel dancing dans n'importe quelle grande ville. L'observateur aurait seulement pu deviner qu'il était en Extrême-Orient, la majorité de la clientèle étant de race jaune et la race blanche n'étant presque exclusivement composée que d'Américains.

Le personnel, poli et silencieux, était jaune lui aussi mais les garçons aux yeux bridés étaient vêtus de *spencers* blancs « à l'européenne ». On pouvait se croire aussi bien à Singapour que dans le quartier chinois de San Francisco, dans une vaste maison accueillante de Hong-kong ou dans un night-club de Manille : cela sentait l'Asie modernisée, internationalisée, dépouillée de son authenticité.

Il y avait enfin — et c'était peut-être ce que l'on

remarquait le plus dans la salle — les *taxi-girls*... Assises sur de hauts tabourets alignés devant le bar, elles étaient à la fois attirantes et distantes pour toute une meute de mâles pleins d'espoirs. Car il y avait un peu de tout dans la faune qui peuplait la salle : jeunes officiers en civil, diplomates en rupture de protocole, commerçants...

Taxi-girls qui n'hésitaient pas à danser entre elles pour attirer le client. Ondulantes et bavardes, elles glissaient, pleines de dédain affecté, comme des reines effleurant d'un regard vide les hommes aux yeux fixes. Elles se ressemblaient tellement que le choix était difficile : toutes les chevelures étaient brunes, toutes les peaux mates safranées, tous les yeux en forme d'amande, tous les nez courts et légèrement épatés. La seule possibilité de distinguer les unes des autres ces jolies filles d'Extrême-Orient était le numéro en chiffre romain que chacune d'elles portait, fixé bien en évidence au-dessus du sein gauche, et qui allait du 1 au 40.

Quarante créatures séduisantes et étiquetées qui se montraient toujours prêtes à obéir aux ordres de la *taï-pan*. Celle-ci, étrange femme-capitaine sans âge, circulait entre les tables, un carnet de tickets à la main, telle une receveuse d'autobus. D'un regard expert — elle a tout vu, elle connaît tout, la *taï-pan!* — elle jugeait immédiatement la qualité des clients : puisqu'il y avait diverses qualités de filles, parmi les quarante, il importait de ne pas les déprécier en les « appareillant » au-dessous de leur condition.

Quelle femme d'affaires avisée, cette *taï-pan!* Elle savait défendre à la fois ses intérêts personnels et ceux de ses administrées. Le ticket, qui valait deux cents piastres, donnait droit en principe, à une danse ou à une conversation généralement limitée à « oui » ou à « non ». Et il était presque impossible pour un nouveau venu de lier plus ample connaissance avec une *taxi-girl*. Ceci parce que la fille ne dépendait de personne et qu'elle était parfaitement libre d'accepter ou de refuser. Enfin les *taxi-girls* étaient très cotées sur le marché : elles se devaient donc de soutenir leur réputation, qui se comptait au nombre de leurs robes ou à l'importance de leurs bijoux. Elles étaient presque contraintes d'appliquer une stratégie complexe où la coquetterie alternait avec la minauderie.

L'enseigne du dancing était française : ce qui arrive souvent dans le monde quand il s'agit d'un établissement de plaisir. N'y a-t-il pas des dizaines de *Moulin-Rouge* en Europe centrale et de *Café de Paris* dans les pays anglo-saxons ? L'enseigne, cette fois, faisait preuve de plus d'originalité : *Le Grand Monde*... Le visiteur, contemplant la salle et la clientèle, aurait sans doute trouvé plus judicieux de modifier le nom de la maison : *Au Carrefour du Monde* n'aurait-il pas mieux convenu ? N'était-on pas à un carrefour où, sur un fond sonore de blues et de mambos, deux civilisations se rencontraient, s'épiaient, se mêlaient ?

Et cependant ! N'importe qui, ayant vécu ou séjourné dans le sud du Viêt-Nam, aurait pu dire en entendant seulement prononcer le nom de l'établissement :

« Il n'y a qu'un seul authentique *Grand Monde* de par le monde ! Il se trouve à Cholon, ce grand faubourg de Saigon. »

Cholon, cœur industriel et commercial, gigantesque agglomération, grouillante de plus de six cent mille Chinois qui ramassent, usinent et vendent le riz. Cholon, énorme capharnaüm où le travail et la misère côtoient avec indifférence le plaisir et la jouissance.

La nuit, Cholon se transforme en une gigantesque usine à plaisirs tarifés. Une foule immense, en voitures américaines aux couleurs criardes, en cyclo-pousse ou à pied, grouille dans les rues étroites, ruisselantes de néon agressif. Cholon se montre alors brutale et sensuelle. Elle frappe au visage. On y vend et on y achète de tout : des chaussettes incroyablement bariolées, de la corne de rhinocéros, des sourires, des danses, des chants de femmes, des réputations et des petits garçons.

Les restaurants y happent des Chinois, obèses et bruyants, qui vont se repaître de mets aphrodisiaques. Des Chinoises passent en pousse, dignes et parées, racées, leur fin visage de poupée impassible et secret, fermé sur on ne sait quel vide...

Voici le boucher chinois, rabelaisien, jovial, son triple ventre tombant en vastes plis sur un nombril obscène. Il vante ses flèches de lard rose, ses canards réduits par quelque mystérieuse opération à l'épaisseur d'une feuille de papier à cigarette, ses énormes cochons laqués qui ressemblent à des divinités barbares...

Le Cholon qui travaille le jour dort déjà derrière ses barreaux épais : des milliers de petites lampes à opium sont allumées. Le Cholon qui vit la nuit commence ses opérations multiples. Tout un peuple de mendiants mutilés et incroyablement sales, de jeunes garçons suspects, de proxénètes et d'intermédiaires entrent en scène, sous l'œil indifférent de milliers de Bouddhas en simili-bronze.

Dans cette chaîne nocturne de joies faciles, *Le Grand Monde* occupait une place de choix. Ne groupait-il pas, sous son enseigne prometteuse, des salles de jeux frisant le tripot, des bars à tous les prix pour toutes les bourses, une salle de spectacle où venait triompher périodiquement l'admirable troupe de l'Opéra de Pékin, des cabinets particuliers où l'on traitait des affaires en brassant des millions, des salles de repos où des masseuses expertes faisaient glousser de plaisir les clients pendant que des chanteuses ou « petites fleurs » préparaient les pipes d'opium, le dancing enfin avec ses *taxi-girls?*

D'abord créé pour le seul délassement des riches marchands chinois, l'établissement avait vu affluer les premiers Vietnamiens, enrichis à leur tour, et surtout les colons français qui voulaient y retrouver l'atmosphère des nuits de la Métropole. Sans doute était-ce là, de leur part, une erreur mais la direction du *Grand Monde* sut se montrer compréhensive aux désirs de ces Blancs qu'elle méprisait profondément mais qui savaient si bien répandre les piastres. Aux Français, considérés comme des vaincus après le coup de force japonais de 1945, succédèrent autour des tables du *Grand Monde* les officiers du Mikado : ce furent les heures les plus noires de l'établissement. Les Japonais, se sachant aussi haïs au Viêt-Nam qu'en Chine, s'y conduisirent en « occupants » auxquels tout était dû, surtout le respect. Les piastres furent remplacées par des yens d'occupation que les commerçants chinois n'acceptèrent que par contrainte. Leur répulsion pour cette monnaie devint même si vive qu'ils en arrivèrent à regretter le franc cependant déjà déprécié.

Puis ce fut à nouveau pour *Le Grand Monde* la pléthore avec la réoccupation de Saigon et du Viêt-Nam, après la capitulation japonaise, par les troupes du général Leclerc. Le Français retrouva un prestige qui ne dura guère et qui s'effondra brutalement avec le bombardement de Haïphong le 24 novembre 1946. *Le Grand Monde* connut alors des alternances de hauts et de bas : recettes folles quand les troupes françaises du corps expéditionnaire ressentaient le besoin de s'y délasser, catastrophiques à chaque fois qu'un attentat volontairement spectaculaire du Viêt-Minh jetait la consternation à Saigon. Les choses allèrent ainsi jusqu'à l'armistice, signé le 21 juillet 1954 à Genève et scindant l'ancien Viêt-Nam en deux blocs idéologiques opposés, par une ligne de démarcation qui se trouve aujourd'hui encore à proximité du 18e parallèle. Au nord, c'est le Viêt-Minh communiste avec Hanoï pour capitale; au sud, c'est le Viêt-Nam nationaliste transformé en une République dont le gouvernement s'est installé à Saigon.

Saigon, devenue capitale, ne pouvait que grandir, gonflant sa population de tous les riches réfugiés du nord qui fuyaient le communisme. Cholon bénéficia de cet afflux nouveau de clientèle et surtout de gros capitaux. Seulement la monnaie tant convoitée par les commerçants chinois avait encore changé. C'était le dollar, cette fois, qui balayait tout : piastres et francs.

Le Grand Monde sut s'adapter, avec une prodigieuse célérité, aux nouvelles circonstances : le dollar y devint roi en même temps que la clientèle blanche s'y américanisait. Il n'était plus question de militaires mais de civils américains appartenant tous à des « missions » économiques, commerciales, culturelles même! Invasion d'allure pacifique, dont le but « officiel » était l'aide généreuse à une population sous-développée. La seule question que l'on pouvait se poser était de se demander si les Vietnamiens, comme beaucoup d'autres peuples avant eux, tenaient tellement à cette aide. Les commerçants chinois, eux, étaient contents parce qu'ils continuaient à gagner beaucoup d'argent... Les Chinois ne sont-ils pas nés sages ?

Les entraîneuses du *Grand Monde* se transformèrent en *taxi-girls* et les nuits du dancing furent comme imprégnées d'une atmosphère américano-chinoise qui semblait devoir détrôner pour longtemps l'exotisme dolent de l'antique Viêt-Nam. Ce dut être cette toute première impression que ressentirent les deux clients blancs qui pénétrèrent, aux environs de minuit, dans l'établissement, un certain soir de 1955...

Clients qui se dirigèrent, précédés par toute l'obséquiosité de « Monsieur Sun », vers la seule table encore inoccupée du dancing. Tout en les conduisant dans le dédale de consommateurs assis, M. Sun ne cessait de se retourner en répétant :

— Sincèrement, monsieur Martin, c'est une très grande joie pour moi de vous revoir avec votre ami... Voilà si longtemps que vous n'êtes venu! Il est vrai qu'après tous ces événements...

Comme M. Sun s'exprimait en français, on pouvait supposer que M. Martin l'était. Mais ce dernier ne sembla prêter aucune attention aux marques de politesse du Chinois, préférant s'occuper de son compagnon qu'il guidait et qui le suivait, la main droite appuyée sur son épaule, et auquel il disait avec une grande douceur :

— Attention... Il y a une table à droite... Une à gauche... Nous arrivons...

Quand ils furent assis, M. Sun reprit :

— Ici vous serez très bien... Que prendrez-vous, monsieur Martin ? Nous avons un excellent champagne.

— Deux whiskies, avec de l'eau plate.

M. Sun s'était déjà éloigné. Ce fut ce moment que choisit « l'ami » pour confier à celui qui lui avait servi de guide :

— Je n'aime pas du tout la voix de ce bonhomme... Qui est-ce ?

— M. Sun, l'un des directeurs du *Grand Monde* : ils sont trois associés.

— Tous Chinois ?

— Tous !

— Celui-ci parle très bien le français mais vous n'avez pas idée comme sa voix de fausset m'a paru désagréable... Elle pue la traîtrise !

— Croyez-vous ? C'est cependant le plus serviable des hommes...

— Il l'est trop ! Comment est-il physiquement ?

— Admirablement habillé, vêtu avec une recherche que ne désavouerait pas un élégant de notre vieille Europe ! En somme, un monsieur impeccable.

— Je vous parle du physique...

— Grand... Quant au visage, il reflète son âme !

— Qu'a-t-elle d'extraordinaire ?

— Elle est chinoise ! Tout ce qu'il y a de mieux dans le genre puisqu'on ne peut rien en deviner !

11

— C'est bien ainsi que je me le représentais.

— Savez-vous, mon cher Jacques, que vous êtes terrible, et presque inquiétant, dans les jugements lapidaires que vous portez sur les autres depuis que vous ne pouvez plus les voir? Personne ne trouve grâce devant vous! Les voix seraient-elles à ce point révélatrices?

— Elles le sont... La vôtre par exemple n'avait jamais attiré particulièrement mon attention pendant les mois où j'ai pu vous voir mais, à dater de mon accident, quand il ne m'est plus resté que la possibilité de vous entendre, elle a commencé à m'intéresser... Je me souviens très bien : son timbre particulier m'a frappé la première fois où vous êtes venu me rendre visite à l'hôpital... Vous ne vous êtes jamais douté de ce que j'ai pensé, ce jour-là, après votre départ?

— Parlez, puisque nous sommes sur le chapitre des confidences.

— Je me suis dit : « Ce Serge Martin a la chance d'avoir un aspect physique qui étonne et qui passionne dès le premier abord... C'est pourquoi on néglige de s'occuper de sa voix... Mais quand on ne peut plus le voir et seulement l'entendre, on découvre que cette voix est assez extraordinaire, ambiguë même : trop suave pour ne dire que la vérité, trop désabusée aussi pour ne pas camoufler un scepticisme féroce. » Et j'en suis arrivé à me demander si vous étiez vraiment pour moi l'ami que vous prétendiez être ou, au contraire, mon pire ennemi.

Il y eut un silence avant que ne vînt la réponse :

— Ce doute me surprend de votre part... Mais depuis cette visite à l'hôpital, auriez-vous rectifié votre jugement?

— Sincèrement, je ne sais plus que penser de vous!

— Dans ce cas, mon petit Jacques, continuez à penser ce que vous voudrez... Vous me permettez quand même de continuer à vous appeler « mon petit Jacques », ne serait-ce qu'à cause de notre grande différence d'âge?

L'aveugle ne répondit pas.

— Ils viennent de changer d'orchestre, finit par remarquer Serge avec le désir évident de modifier complètement le sujet de la conversation.

— Vous n'aviez pas besoin de me le signaler : je m'en suis déjà aperçu à la façon dont jouent les nouveaux musiciens... Ils sont meilleurs... La salle est pleine, n'est-ce pas ?

— Archicomble!

L'homme s'était tu brusquement.

—- Qu'est-ce qu'il vous arrive ? demanda son compagnon.

— Il m'arrive une chose assez surprenante : si incroyable que cela puisse vous paraître, puisque vous avez eu la chance ou le malheur de connaître mon physique, j'ai très nettement l'impression d'avoir fait une touche!

L'aveugle sourit :

— Après tout, ça ne m'étonne pas! Savez-vous que, si vous voulez vous en donner la peine, vous pouvez avoir du charme ?

— Malgré mes cheveux blancs?

— A cause de vos cheveux blancs!

— Et mon visage raviné sur lequel peuvent se lire des années de colonies?

— Nous ne sommes plus « aux colonies », mon cher ami, mais dans la République indépendante du Viêt-Nam...

— J'ai une fâcheuse tendance à l'oublier... Pour moi ce sera toujours une colonie mais c'est vous qui devez avoir raison : il est préférable que mon opinion reste strictement confidentielle! Si je l'exprimais un peu trop haut, nous risquerions de connaître de nouveaux ennuis...

— Cette touche, ça continue ?

— Ça continue... Elle est véritablement ravissante!

— Blanche ?

— Vous ne voudriez pas! C'est une Asiatique, du meilleur cru...

— Vietnamienne?

— J'opinerais plutôt pour une Chinoise, tout au moins d'origine. Elle a un port et une finesse qui ne peuvent venir que du nord, pas loin de la frontière du Yunnan... A moins que ce ne soit l'une de ces splendides créatures, de souche paysanne, que l'on trouve dans les montagnes de la région de Thakheh... De toute façon la réussite est complète!

— Vous m'intriguez... C'est bien la première fois, depuis que nous nous connaissons, que je vous sens intéressé par une femme!

Il y eut un moment de silence avant que la voix désabusée ne poursuivît :

— Et je vais vous dire quelque chose qui va encore plus vous étonner : cette jeune beauté, qui est actuellement sur la piste de danse aux bras d'un quelconque cavalier américain, ramène ostensiblement son regard lumineux, dans lequel passent toutes les audaces de la terre, vers notre table à chaque fois que le mambo le lui permet... Seulement je ne sais plus très bien si c'est moi ou vous qu'elle regarde.

— Vous êtes fou?

— Comment pourrait-elle deviner que vous êtes aveugle si elle ne nous a pas vus arriver? Vous avez les yeux grand ouverts et ils n'ont rien perdu de leur beauté...

— Vous me faites des compliments maintenant?

— Puisque vous avez bien voulu me donner une opinion très franche sur ma voix, permettez-moi à mon tour, à titre de revanche, de vous dire ce que je pense de votre regard... Eh bien! il est tout simplement admirable de limpidité et de franchise! Vous voyez que moi, je suis gentil... Il est d'un bleu qui est un véritable bleu, ce qui est très rare... Il ne tire ni sur le gris, ni sur le glauque, ni sur le vert : il est pur... Et il s'harmonise à merveille avec toute la

14

blondeur de votre peau et de vos cheveux... Ce qui est agréable, c'est qu'il n'y a dans tout cela aucune féminité... Allons! Ne faites pas le modeste : vous savez très bien que vous êtes joli garçon et, quoique vous ne m'en ayez jamais rien dit, je suis persuadé que vos conquêtes féminines ont dû être innombrables!

— Tout cela est bien fini maintenant...

— Tout peut recommencer au contraire! La preuve : plus j'observe la belle Chinoise et plus j'ai la conviction que ce n'est pas moi qui l'intéresse, mais vous... Ce en quoi je l'approuve! Je ne suis plus qu'un vieux bonhomme usé, tandis que vous... Vous rayonnez encore de toute la force jeune! Cela vous amuserait-il que nous invitions la charmante personne à notre table, ne serait-ce que pour savoir si ma psychologie n'est pas en défaut?

— Mais puisque vous m'avez dit qu'elle était déjà en mains?

— Elle est *taxi-girl*... Avec ce genre de créature, on doit facilement pouvoir s'entendre : ce n'est qu'une question de numéro et de tickets... Attendez-moi : je vais faire du charme à la *taï-pan*.

Il avait déjà quitté la table où il revint deux minutes plus tard en disant :

— C'est fait. Tâtez ce petit carnet où le même numéro est imprimé sur tous les tickets... le 7, un chiffre porte-bonheur! J'ai repéré que c'était celui que notre beauté porte épinglé au-dessus du sein... Six tickets! Comme chacun d'eux correspond à la durée d'une danse, nous allons pouvoir offrir à notre nouvelle amie six danses assises qu'elle passera bien gentiment à notre table pour nous permettre de faire plus ample connaissance... La *taï-pan*, qui a tout de l'entremetteuse, va se faire un plaisir de nous l'envoyer quand elle aura terminé son mambo avec l'Américain...

Dès que l'orchestre eut changé de rythme, Jacques sentit

une présence nouvelle auprès de la table. Les présentations furent faites en vietnamien par l'homme aux cheveux blancs.

— Mon grand ami Jacques et moi Serge...

— On m'appelle Maï, répondit la jeune femme dans le plus pur des français.

— Mademoiselle Maï, que pouvons-nous vous offrir?

— Je ne déteste pas le whisky, moi non plus...

— Vous avez raison.

Elle s'était assise pendant que Serge Martin continuait :

— Et ne craignons pas de parler français, puisque vous y tenez.

— Vous pourriez même dire que cela me fait plaisir...

— En auriez-vous déjà assez de ne plus entendre ici qu'un anglais américanisé?

— J'ai fait toutes mes études dans un couvent de Sœurs françaises à Hué.

— Je me doutais un peu que vous ne pouviez nous venir que d'une capitale raffinée... Eh bien! mon cher Jacques, on est silencieux? Que pensez-vous de la voix de notre charmante invitée?

— Elle est très douce, répondit l'aveugle.

— Vous trouvez, monsieur Fernet? demanda vivement la jeune femme.

— Vous me connaissez donc?

— Qui ne connaît dans le Sud-Viêt-Nam Jacques Fernet, le peintre de nos rizières? J'ai même acheté à la galerie de Saigon, où vous aviez fait votre exposition, l'un de vos tableaux.

— Ah? Lequel?

— Celui qui représente le cap Saint-Jacques à l'entrée de la rivière.

— Votre choix a été excellent, affirma Serge Martin.

Cette toile est non seulement l'une des plus typiques de la manière de notre ami, mais aussi l'une des plus révélatrices...

— Que voulez-vous dire? demanda la jeune femme.

— Jacques Fernet et moi nous nous comprenons...

— Vous aussi, monsieur Martin, dit-elle, je vous connais depuis longtemps... Qui ne sait, à Saigon, que vous êtes l'un des plus grands experts qui soient en laques vietnamiennes et chinoises?

— Et comme tous les habitants de cette région, vous m'appelez « l'antiquaire »?

— Quelle appellation pourrait mieux vous convenir?

— Charmante petite Maï, il ne faut rien exagérer! Je m'y connais un peu en meubles mais très mal en porcelaines ou en potiches... Je ne suis tout au plus qu'un bricoleur... Et vous? Peut-on savoir ce qui vous a conduite à exercer cette profession de *taxi-girl?*

— Mon amour de la danse et la nécessité absolue de gagner de l'argent.

— Cette deuxième raison me paraît plus valable : étant donné l'affluence d'amateurs et d'admirateurs, j'ai en effet l'impression que la profession doit être plutôt lucrative... Mais quand vous me dites que vous agissez aussi par amour de la danse, permettez-moi d'émettre quelques doutes! Sincèrement, vous pensez qu'une telle passion puisse être satisfaite dans cette cohue permanente qui envahit la piste et où les gens ne peuvent guère que piétiner?

— Je sens que vous ne devez pas beaucoup aimer danser, monsieur Martin?

— Pas dans ces conditions, je l'avoue... Et ce n'est plus de mon âge! Ce serait plutôt de celui de notre ami...

— Vous ne voulez pas danser? demanda-t-elle gentiment à l'aveugle.

— Je vous remercie, répondit Jacques avant d'ajouter, non sans une certaine mélancolie : Si c'est encore de mon âge, comme veut bien le dire Serge, ce n'est malheureusement plus très indiqué! Un homme qui danse sans voir, cela a quelque chose de ridicule et d'affligeant... Et je n'ai nullement l'intention de continuer à être un objet de pitié! L'ère de la commisération et des paroles de consolation est maintenant terminée pour moi... Je l'ai connue pendant les six premiers mois qui ont suivi mon accident, mais je me suis bien juré que c'était terminé! Je ne veux plus qu'on me plaigne, vous comprenez, mademoiselle?

— Très bien et je vous approuve... Seulement je tiens à vous dire que quand j'ai appris l'ignoble attentat dont vous avez été la victime, j'ai été indignée comme tous les honnêtes gens de notre pays.

— Une fois de plus je vous remercie et parlons d'autre chose, voulez-vous? Je ne suis pas venu ici pour entendre ressasser des mots dont j'ai pris l'horreur, mais uniquement pour me distraire si c'est possible! Dites-vous que l'on peut très bien se passer de voir et que je suis un homme comme les autres!

— C'est pourquoi je me suis permis de vous demander si vous n'aimeriez pas danser.

L'aveugle se leva brusquement en disant, agacé :

— Après tout vous avez raison : dansons!

Elle vint se blottir contre lui. Il l'enlaça, dominant la frêle silhouette, et ils ne furent plus qu'un couple, perdu au milieu des autres, sur la piste...

L'antiquaire était resté solitaire. A chaque fois que la danse ramenait le couple de Jacques et de la *taxi-girl* devant sa table, il ne pouvait s'empêcher de dissimuler un vague sourire sur ses lèvres désabusées où se lisait plus souvent le mépris que l'indulgence. Ce soir il semblait enclin à l'indulgence : la vision de la jolie Vietnamienne et du Français le ravissait. Le contraste de cette fille brune à la peau mate et du garçon blond aux yeux bleus n'était-il pas saisissant? Vraiment c'étaient deux races — et, à travers elles, deux civilisations opposées — qui s'affrontaient en se frôlant... C'était aussi la curiosité de l'Occident, avide d'aventure, face à face avec le mystère éternel de l'Orient.

L'aventure? Ne s'était-elle pas terminée pour ce garçon de quarante ans le jour où ses yeux avaient cessé de voir? Le mystère de l'Orient? Bien qu'elle affirmât avoir appris le français dans une école de Sœurs françaises à Hué, cette jeune beauté était-elle véritablement, authentiquement, vietnamienne? Le vieil homme avait la conviction intime qu'il y avait, dans les ascendants proches de celle qui se faisait appeler Maï, mais dont le nom véritable devait être composé d'au moins quatre syllabes, beaucoup plus de Chine que de Viêt-Nam. Et il ne pouvait s'empêcher de se remémorer ces strophes, psalmodiées le jour de la Fête des Eaux, et qui chantent quelques-unes des différences existant entre la femme française et la femme vietnamienne :

« Vos femmes sont belles, O Français! Leur teint est blanc et c'est beau; mais leur nez est long et celui de nos femmes est court. Aya!

« Les Vietnamiennes sont amoureuses toute la journée. On dit que les Françaises ne le sont que le soir. Aya!

« Les Français se saluent en se donnant la main et nous chérissons nos épouses en leur reniflant le visage ou en caressant leurs seins... cela dépend de l'heure. Aya!

« Mais toutes, que vous soyez françaises ou vietnamiennes, vous êtes rusées, ô femmes, quand vous nous sentez amoureux... Vous nous prendrez tout notre argent mais nous vous prendrons pour épouses et vous ferez cuire le riz de vos maris... Vous êtes rusées mais vous deviendrez grosses et vous allaiterez vos enfants... Vous êtes rusées mais nous serons les maîtres de maison et vous serez nos servantes... Vous êtes rusées mais vous nous aimerez. Aya! »

Le poème évoqué lui fit paraître le temps court pendant que, sur la piste, les danses se succédaient pour le couple, épuisant la réserve de tickets... Quand ils revinrent enfin à la table, l'antiquaire dit :

— Savez-vous, mon cher, que vous êtes excellent danseur ? Vous auriez tort de ne pas persévérer... Quant à vous, belle amie, comment me permettrais-je de vous faire des compliments alors qu'il n'y a qu'à vous regarder pour comprendre qu'en effet vous êtes une passionnée de danse : vous vous identifiez avec elle... Comme j'aimerais vous voir, vous et vos charmantes compagnes, qui n'êtes, hélas ! ici que *taxi-girls,* débarrassées de ces robes courtes qui rappellent trop notre civilisation !

— Vraiment, monsieur Martin ? dit la jeune femme avant de demander en souriant : Comment, selon vous, devrions-nous être vêtues ?

— Comme ces jeunes filles à marier qui émergent des ténèbres laotiennes et qui vont s'asseoir en ligne, près de la pagode, dès que la lune fait briller les clochetons dorés des temples bouddhiques de Luang-Prabang...

— Continuez, je vous en prie ! supplia-t-elle.

— Votre taille serait prise dans une longue robe de soie verte, bleue ou rouge, à large bande d'or... Une écharpe, de soie elle aussi, aux couleurs tendres, couvrirait et moulerait votre poitrine, laissant nue une épaule, une seule... Sur l'autre, éclatante dans le clair-obscur, glisserait furtivement, comme une caresse timide, un rayon de lune... La caresse brûlante viendrait alors du regard des garçons musclés qui — après avoir fait le tour de la pagode en chantant dans la nuit et en s'accompagnant de gongs, de khènes, de tambourins, de clochettes et de violons — s'approcheraient de vous en poussant un cri strident, si aigu que toutes les filles à marier en frémiraient de plaisir...

— Comme vous semblez nous connaître ! Depuis combien de temps vivez-vous parmi nous ?

— Jeune femme, je ne le sais plus moi-même... J'ai dû toujours appartenir au Viêt-Nam bien que je sois né en France... Je vous dois une confession que je n'avais même pas jugé utile de faire à notre ami avant cet instant : si j'ai tout pris, pour la ressemblance, de mon père français qui fut un colon des temps héroïques, je ne puis ignorer ma mère qui était née à Saigon... Je ne l'ai pas connue puisqu'elle est morte en me donnant la vie mais je lui devrai toujours mon âme qui ne peut s'évader de l'emprise mystérieuse de vos poèmes et de vos coutumes...

— Vous nous aimez donc ?

— Comment pourrais-je vous détester ?

— Mon cher, dit l'aveugle qui était resté silencieux depuis son retour à la table, je ne vous ai jamais connu aussi lyrique ! Que vous arrive-t-il ce soir ?

— Il faut croire que c'est l'ambiance du *Grand Monde,* mais je n'en suis pas très sûr ! Attribuons plutôt cette métamorphose à la présence souriante qui a bien voulu illuminer notre soirée... Aimeriez-vous danser encore ?

— Non, répondit Jacques. Je crois que nous ferions mieux de rentrer à Saigon et de rendre à Maï sa liberté.

— Mais, dit-elle vivement, c'est une merveilleuse soirée pour moi !

— J'ai la conviction que nous nous reverrons, dit Jacques. Merci encore de toute votre gentillesse et surtout de votre compréhension...

Il s'était levé, disant à son compagnon :

— Nous partons ?

— Comme il vous plaira, répondit le vieil homme rêveur en se levant à son tour avec regret.

— Permettez-moi, demanda la *taxi-girl* à Jacques, de vous donner la main pour vous conduire jusqu'à la porte ?

— Je vous remercie mais je préfère que mon ami soit mon guide. Depuis le temps, lui et moi avons acquis une certaine pratique pour déambuler! Il passe devant et je le suis, le plus discrètement possible, en plaçant ma main droite sur son épaule... Ainsi on ne remarque pas trop mon infirmité... Si vous le remplaciez, jolie comme vous devez l'être, cela évoquerait trop, pour la clientèle de ce dancing, une vision que je déteste : celle de la belle infirmière auprès de son grand blessé! A bientôt!

— Au revoir, petite Maï, dit avec bonhomie l'antiquaire.

Pendant qu'ils s'éloignaient, sans paraître gênés dans leur marche assez insolite et réussissant presque à passer inaperçus dans la foule, les yeux noirs et brillants de la jeune femme, qui donnaient toujours l'impression d'être embués de larmes, furent traversés par une lueur étrange où passa l'angoisse.

Quelques minutes plus tard, les deux hommes roulaient, dans la vieille Chevrolet de Serge Martin, sur la large avenue qui relie Cholon à Saigon. Un moment, ils restèrent silencieux : Martin paraissait entièrement accaparé par la conduite de la voiture tandis que l'aveugle semblait perdu dans la contemplation d'une toile imaginaire qu'il ne pourrait plus jamais peindre.

Ce ne fut que quand ils atteignirent les portes de la capitale que le vieil homme dit, sans paraître attacher la moindre importance à ses paroles, simplement comme quelqu'un qui veut rompre un silence se prolongeant trop :

— Elle était véritablement charmante, cette jeune femme... Peut-être un peu trop loquace, à votre gré, pendant qu'elle dansait?

— Elle m'a appris des choses intéressantes...

— Vraiment? Peut-on les connaître?

— Pas avant que vous ne me l'ayez décrite...

— Vous y tenez? Eh bien, cher ami, je ne vous apprendrai pas, puisque vous l'avez enlacée pour danser, qu'elle avait la taille fine et qu'elle était anormalement grande pour une femme d'Extrême-Orient : ce qui confirme ma conviction qu'elle a beaucoup plus de sang chinois que vietnamien. Il n'y a que dans la Chine de l'Est où l'on trouve de telles créatures. Quant au visage, je puis vous affirmer qu'il est l'un des plus purs que j'aie rencontrés dans ce pays depuis cinquante années que j'y vis! C'est une fille de race et, comme je le lui ai fait comprendre, je ne m'habituerai jamais à l'idée qu'elle se contente de n'être qu'une *taxi-girl* dans un dancing de Cholon! Il y a là quelque chose qui m'exaspère et qui m'intrigue... Sa présence numérotée a un côté indécent... Ce n'est pas qu'elle fasse preuve de la moindre impudeur, mais elle n'est pas à sa place. On aurait même l'impression qu'elle ne devrait pas être au milieu des quarante jolies filles qui exercent cependant la même profession : elle les surclasse trop.

— C'est bien ainsi que je me la représentais...

— Permettez-moi de vous dire que, quand vous dansiez, vous faisiez un couple prestigieux, ne serait-ce que par les contrastes... D'ailleurs vous paraissiez l'écouter avec beaucoup d'attention?

— Il y avait de quoi!

— Que vous a-t-elle donc raconté d'aussi passionnant?

— Mille et une choses et parmi elles une sorte de prédiction...

— Cette exquise créature ajouterait-elle à son incomparable féminité le don de voyance?

— Ce serait à le croire, répondit Jacques avant d'ajouter, très calme : Elle m'a prédit que, si je ne prenais pas de sérieuses précautions, je serais assassiné dès que paraîtrait la prochaine lune...

Il y eut à nouveau un silence avant que « l'antiquaire » ne se décidât à dire :

— Voilà en effet une prédiction qui me semble constituer à elle seule tout un programme!

— Elle a d'ailleurs été suivie d'un avertissement qui s'est résumé à ceci : « Méfiez-vous du boy qui vous sert de guide actuellement. »

— De Kim ? Cet excellent et dévoué Kim ?

— Lui-même...

— J'avoue que vous me surprenez... S'il existe au monde quelqu'un en qui je puis avoir confiance, c'est bien ce brave Kim, qui est à mon service depuis plus de sept années ! La belle pythonisse aurait-elle poussé le souci de vous éclairer jusqu'à vous apporter quelques précisions sur le genre de méfiance que vous deviez pratiquer à l'égard de mon boy ?

— Elle m'a simplement fait comprendre qu'il était mon ennemi et qu'il fallait le considérer comme tel.

— Que vous a-t-elle dit sur moi ?

— Rien.

— Alors là, franchement, vous m'étonnez !

— Ah ! si ! Je crois me souvenir l'avoir entendue dire, entre deux danses : « C'est dommage que vous ne puissiez pas voir votre ami en ce moment... Seul à sa table, il paraît aussi béat que s'il était dans la contemplation de Bouddha. »

— C'est tout ?

— En ce qui vous concerne, oui.

— Eh bien, c'est plutôt gentil... Ce n'est pas comme pour ce pauvre Kim ! Dites-moi : auriez-vous, par hasard, pris la peine de demander à votre charmante cavalière d'où elle tenait d'aussi précieux renseignements ?

— Je m'en suis bien gardé !

— Et pourquoi ?

— Parce que je n'attache aucune importance aux prédictions... Que voulez-vous que mes ennemis, si j'en ai vraiment encore, puissent faire de pire que de me faire perdre la vue ?

— Il y a la vie, cher ami... Et qui dit « assassinat »...

— Je reste sceptique.

— Sans doute est-ce pour pouvoir vous annoncer toutes ces bonnes nouvelles que la charmante enfant vous a presque mis au défi de l'inviter à danser, malgré votre infirmité ?

— C'est exact : elle me l'a avoué.

Après un moment de réflexion, l'homme aux cheveux blancs finit par conclure :

— Au fond, c'est vous qui devez avoir raison... Je serais assez enclin à penser que notre jolie *taxi-girl* a voulu se donner une importance, d'assez mauvais goût reconnaissons-le, en vous annonçant des choses pour le moins surprenantes... Toutefois, s'il y avait quand même une certaine part de vérité dans ses prophéties, un détail m'ennuierait...

— Lequel ?

— Mon cher, elle vous a bien dit que vous risquiez d'être assassiné avant la nouvelle lune ?

— Et alors ?

— Alors... Savez-vous quand elle revient, la nouvelle lune ?

— Je m'en moque éperdument depuis que je n'ai plus la possibilité de contempler ce satellite !

— Vous auriez tort de faire preuve d'une telle négligence ! Parce qu'enfin la nouvelle lune brillera demain soir : ce qui, si nous nous fions à la jolie fille, ne vous laisserait plus que quelques heures à vivre...

La Chevrolet avait viré à droite pour pénétrer dans un parc entourant une demeure au style assez indéfinissable. L'aspect extérieur, avec une galerie circulaire faisant tout le tour de la maison, l'unique étage, le toit à peine incliné et surtout les murs en bois — dont le revêtement de peinture blanche avait été délavé par les pluies torrentielles qui, à la même période bien déterminée de l'année, transforment la Cochinchine en un vaste marécage — tout cela évoquait la villa spacieuse, certainement confortable mais construite dans le « style colonial » le plus banal.

Par contre, dès que l'on avait pénétré à l'intérieur, on demeurait confondu par la prodigieuse accumulation de meubles, de bibelots et d'objets de toutes sortes. Collection hétéroclite allant du « Bouddha tout en jade » et de la « Kouannin tout en ivoire », destinés à faire la joie du touriste de bonne volonté, jusqu'à un extraordinaire masque de pierre qui se présentait — dans ce curieux mélange de richesses et de pacotille de bazar — comme une énigme troublante, comme un défi, comme une question menaçante posée au seuil du rêve.

Placées sur de légers socles, encadrant le masque de pierre dont nul n'avait sans doute encore découvert l'origine, deux musiciennes T'ang, vieilles figurines de terre cuite, semblaient continuer à animer de leur musique un peu mélancolique les morts en leurs tombes abandonnées. Ne disaient-elles pas, à leur menue échelle, la grandeur de leur époque et de sa plastique, le raffinement aussi de ce haut moyen âge chinois, unique moment d'équilibre entre le geste historique et le plus souple intellectualité ? Comment le visiteur de ce musée, presque ignoré, caché à la porte de Saigon, aurait-il pu échapper au sortilège de telles silhouettes et ne pas en devenir, comme leur étrange propriétaire, lui aussi amoureux ?

La prédilection marquée du vieil homme pour la céramique chinoise apparaissait très nette. N'était-ce pas là, de sa part, un crime de lèse-majesté envers les deux grands sommets de l'art du Viêt-Nam : les bronzes hiératiques et les peintures d'infinis ? Ses préférences devaient certainement aller à cette porcelaine Ming où un fantastique dragon d'un rouge ardent s'enroulait, puis rejaillissait en un noir profond qui parfois s'éclairait d'un jaune impérial. Il devait chérir aussi ce grand « bleu et blanc »

Ming également et d'une subtile harmonie où l'artiste avait su obtenir, en une seule cuisson, un blanc parfait pour le corps, bleuté au col et au pied : ce qui représentait un tour de force technique sans égal.

Mais ce qui émerveillait le plus dans la vaste pièce du rez-de-chaussée, qui tenait lieu à la fois de salle de réception et de «living-room», étaient — fixés au mur, face à l'entrée — d'admirables panneaux de laque contant d'un pinceau ferme et délicat une prodigieuse histoire que le profane pouvait interpréter de cent façons différentes, sans jamais découvrir la véritable légende. Panneaux de rêve où le visage de chaque petit personnage était fait d'une incrustation d'ivoire. Sans que le maître de maison ait même besoin de le souligner, on sentait que ce paravent était la pièce maîtresse de toute la collection : c'était pourquoi il avait été placé, bien en évidence, face à l'entrée.

Telle apparaissait la demeure de ce Serge Martin dont on comprenait mieux qu'il ait été surnommé par tous « l'antiquaire ».

Dès que les deux amis s'y retrouvèrent, son propriétaire demanda :

— Que diriez-vous d'un dernier scotch avant de regagner nos chambres ?

— Volontiers...

Serge Martin frappa sur un gong, dont la résonance se répercuta dans toute la demeure, avant d'ajouter :

— J'ai l'impression que servi par Kim, après l'avertissement que vous venez de recevoir à son sujet, ce drink aura pour vous une saveur assez particulière...

— Vous ne pensez tout de même pas qu'il sera empoisonné ?

— Si votre verre l'était, mon cher, le mien le serait aussi... Nous aurions alors la petite consolation de terminer ensemble notre passage sur cette terre...

27

Sans qu'il eût reçu le moindre ordre de son maître, le boy venait d'apparaître, poli et muet, portant un plateau sur lequel se trouvait le whisky, une bouteille d'eau minérale et deux verres. Il en était toujours ainsi quand l'antiquaire frappait sur le gong : Kim apportait exactement ce que le maître désirait sans que ce dernier eût cependant prononcé une seule parole. Le boy devait deviner les désirs à la façon dont résonnait le gong. Le vieil homme ne faisait cependant qu'effleurer de la main la lourde plaque de bronze cuivré et cela une seule fois, pas deux... Sans doute savait-il faire passer dans ce geste toutes les nuances qui précisaient l'ordre ? Jamais — Jacques l'avait remarqué bien davantage depuis qu'il ne voyait plus et que son ouïe avait acquis une acuité extraordinaire — jamais la résonance du gong n'était tout à fait la même... La variante des tonalités était infinie, à peine perceptible pour une oreille normale, mais suffisante pour celle d'un Kim.

Pendant les quelques instants où le boy fut dans le salon, les deux amis restèrent silencieux. Son maître l'observait dans l'espoir de déceler sur son visage un indice prouvant qu'il cachait un secret. Mais l'Annamite resta impassible, anonyme comme tous les boys asiatiques qui servent les Blancs pendant des vies entières sans qu'il soit jamais possible de savoir s'ils les vénèrent ou s'ils les haïssent. On n'entendait pas Kim quand il entrait dans une pièce, on ne l'entendait pas davantage quand il en ressortait : ses pas, légers et menus, semblaient glisser sur les nattes en paille de riz. Comme il n'était nulle part et partout à la fois dans la demeure, on finissait par ne même plus prêter attention à sa présence ou à son absence. Il y avait en lui le mystère des petits personnages, aux visages ivoirés, qui peuplaient depuis des siècles les panneaux du paravent chinois.

Après son départ, Serge et Jacques prirent chacun un verre. Le maître de maison les remplit en demandant à son hôte :

— Du Perrier?

— Naturellement.

— Je suis toujours étonné que vous n'en soyez pas dégoûté après ce qui vous est arrivé?

— Cher ami, les farces les plus sinistres ne réussissent qu'une fois...

— Sans doute, mais croyez-moi : vous devriez m'imiter... C'est beaucoup plus sain de boire le whisky pur, comme le font les vrais Anglais!

— Votre conseil aurait été plus judicieux il y a six mois! Aujourd'hui, il arrive un peu tard...

Après avoir choqué son verre contre celui de l'aveugle, l'homme aux cheveux blancs dit :

— Permettez-moi cependant de goûter ce breuvage le premier... Après ce que vous a annoncé notre belle amie du *Grand Monde*, je me dois, en qualité de maître de maison, de prendre les premiers risques...

Il but lentement avant de dire :

— Ce whisky a son goût habituel... Pour le moment, la menace paraît écartée! Buvons donc à votre bonne et longue santé!

Jacques l'imita avant de répondre, le verre en main :

— On dirait vraiment que ce que m'a raconté cette fille vous inquiète plus que moi?

— Rien ne peut plus me tourmenter dans ce pays où la peur s'est installée depuis longtemps à l'état permanent comme si elle faisait partie intégrante de l'atmosphère, de la topographie, du réveil, du coucher, des nuits surtout... Mais je tiens aussi à conserver quelques amis de votre qualité : j'en ai si peu! Et à mon âge, cela risque de ne pas s'améliorer! C'est ce seul souci qui m'incite à continuer à me demander pourquoi la charmante *taxi-girl* N° 7, qui nous a semblé ne pas être sotte, a éprouvé le curieux besoin de vous faire de telles révélations.

— Oublions-la, voulez-vous?

— Je le voudrais mais je suis bien obligé de me souvenir que lorsque vous êtes arrivé au Viêt-Nam, que vous ignoriez complètement voici près d'un an, vous avez été placé par le destin sous ma sauvegarde.

— Vous êtes bien sûr que ce fut l'œuvre du destin?

— Disons : d'un destin organisé...

— Et quelle sauvegarde! Je dois reconnaître que vous avez su vous montrer pour moi un authentique ange gardien!

— J'aurais dû faire mieux... Si j'avais été plus attentif, peut-être aurais-je pu éviter le regrettable « accident »? Voilà une faute que je me reprocherai toujours!

— N'ayez pas de remords! N'importe qui, à notre place, serait tombé dans le piège...

— La seule leçon que j'ai pu tirer, au lendemain de cette triste aventure, a été qu'à l'avenir je ne devrais plus m'éloigner de vous d'un centimètre, ni vous quitter pendant une fraction de seconde!

— Pendant ces six derniers mois, on peut dire que vous vous en êtes scrupuleusement tenu à cette ligne de conduite!

— Je sais qu'à certains moments je vous agace. Je comprends aussi ce que ma présence continuelle à vos côtés peut avoir d'horripilant pour vous! Mais puis-je agir autrement?

— Vous l'auriez certainement pu, après l'attentat, quand je vous ai demandé de me faire rapatrier en France?

— Hélas! Ce n'est pas moi qui commande, mais ce « destin » dont vous sentez tout aussi bien que moi la puissance très secrète!

— Il aurait mieux valu pour moi que je ne lise jamais une certaine annonce dans un journal financier...

— En général, celles qui passent dans ce genre de journaux sont des plus sérieuses... Reconnaissez quand même qu'en fin de compte, sur le plan monétaire, l'opération se révèle plutôt bénéfique pour vous! D'après ce que vous m'avez dit, vous êtes maintenant à la tête d'un capital des plus substantiels qui vous attend bien sagement en France?

— Je préférerais de beaucoup ne pas posséder un centime et avoir conservé la vue!

— Vous verrez que l'argent finira par arranger les choses... Maintenant, nous devrions aller dormir...

Après avoir gravi l'escalier en bois, ils se retrouvèrent chacun dans leur chambre de l'unique étage. Les deux pièces étaient contiguës, reliées par une porte de communication.

Quand l'aveugle fut au lit, son hôte frappa à cette porte en demandant à travers la cloison :

— Puis-je entrer?

— Même si je vous l'interdisais, vous viendriez quand même! répondit Jacques avant d'ajouter dès que l'antiquaire fut dans la chambre : Pourquoi diable éprouvez-vous, chaque soir, le besoin de me demander l'autorisation d'entrer?

— Par discrétion!

— Savez-vous que toute cette sollicitude ne m'émeut guère?

— Elle continuera pourtant... Et je vous trouve ingrat! Vous n'aimez donc pas que je vienne ainsi, chaque soir, presque vous border comme si vous n'étiez encore qu'un tout petit enfant?

— Je sens que bientôt vous me raconterez de belles histoires pour que je m'endorme vite!

— Pas d'histoires... Celle que vous avez eu la gentillesse de me narrer après notre sortie du *Grand Monde* est beaucoup trop passionnante pour que vous ne vous endormiez pas en y pensant! Et précisément, parce que je crains qu'elle ne gêne trop votre sommeil, je vais me permettre de vous citer un très vieux proverbe typiquement vietnamien : « *Ne te dispute pas avec les femmes, ne les écoute pas toujours, ne commerce pas avec les fonctionnaires, n'aie pas de procès avec les Chinois! Dors!... Ne te fie point au ciel, ne te fie point aux étoiles, ne te fie point à la fille qui prétend ne pas avoir d'amoureux, ne te fie point à ta mère qui prétend n'avoir pas de dettes! Dors...* » C'est tout, mon cher... Sur ce, bonne nuit !

— Bonsoir...

Au moment où le vieil homme allait pénétrer dans l'autre chambre, Jacques lui dit à nouveau, de son lit :

— Pourquoi aussi avez-vous la rage de laisser ouverte, pendant toute la nuit, cette porte de communication ? Comme si je n'étais plus capable de me défendre s'il arrivait quelque chose ?

— Il n'arrivera rien, soyez tranquille ! Seulement, ce n'est pas le soir où l'on vous a appris — à tort ou à raison — que vous couriez certains risques, que je fermerai la porte ! A demain...

Jacques l'entendit, comme chaque soir, aller et venir pendant quelques minutes dans la pièce voisine, puis se mettre au lit. Il y eut cependant une légère différence avec les soirées précédentes : l'ouïe développée de l'aveugle lui fit nettement percevoir un déclic caractéristique et il cria, par la porte restée ouverte :

— Vous dormez maintenant avec votre carabine à répétition à portée de la main ?

— Eh oui ! J'ai l'impression qu'elle sera pour moi — et par voie de conséquence pour vous aussi — la plus sûre des compagnes de la nuit pendant toute la durée de la nouvelle lune ! Dormez !

Ce fut le silence.

Jacques ne dormait pas : il n'en avait aucune envie. Trop de pensées le hantaient, trop de visages aussi qu'il n'avait pas vus mais qu'il s'efforçait d'imaginer : celui de M. Sun, le directeur obséquieux du *Grand Monde* et dont la voix mielleuse exprimait toute la fourberie de la terre; celui de la *taxi-girl* qui se faisait appeler Maï et dont la voix était douce, trop câline peut-être?

Il en revoyait maintenant d'autres qu'il avait connus avant de perdre la vue : Kim, le boy servile dont l'éternel mutisme avait quelque chose d'angoissant; Serge Martin, anguleux, raviné, coloré, marqué par un demi-siècle de vie coloniale... C'était ce visage-là surtout qui l'intriguait cette nuit; que cachait-il sous l'épaisse chevelure blanche, sous la barbe taillée en pointe qui lui donnait une apparence méphistophélique, derrière des yeux dont la couleur indéfinie pouvait aller du vert glauque de la baie de Haïphong au gris sinistre des eaux du Mékong? Après tout, que savait-il de cet homme qui se faisait identifier sur les papiers officiels comme étant Serge Martin mais qui ne se prénommait sans doute pas Serge et ne s'appelait sûrement pas Martin! Un nom choisi banal à souhait... Pourquoi d'ailleurs cet étrange personnage aurait-il dévoilé sa véritable identité quand lui-même, Jacques Fernet, n'était pas Jacques Fernet? Pourquoi aussi serait-il réellement antiquaire quand lui-même n'était qu'un faux peintre?

Cette nuit, plus encore que les précédentes, l'homme aux yeux éteints sentait que tout était faux, que tout était truqué, que tout était diaboliquement « fabriqué » autour de lui. Plus que jamais, étendu sur ce lit où n'importe qui pouvait venir l'assassiner sans qu'il pût même avoir une réaction, il prenait conscience de son effroyable impuissance, de sa solitude, de son inutilité surtout... Condamné à attendre passivement le bon vouloir ou les ordres de gens qu'il ne connaissait qu'à peine, ou même pas du tout, il n'était plus qu'une épave que l'on dirige, que l'on exhibe dans un pays dont il sentait l'hostilité grandissante.

Une épave? Le plus étrange n'était-il pas qu'il ne fût venu

dans cet Extrême-Orient qu'à cause d'une épave, d'une vraie... N'était-ce pas fantastique et à peine imaginable ? Et il se retrouvait, allongé sur un lit dans une maison isolée des faubourgs de Saigon, avec pour tout allié et pour tout défenseur un homme âgé, qui, lui, ne se fiait plus qu'à une carabine... « L'antiquaire » était pourtant courageux, calme, réfléchi, adroit, rusé, retors même... S'il comptait maintenant sur une arme à feu, c'était qu'il devait être réellement inquiet. Jamais « le peintre » ne l'avait connu ainsi jusqu'à cette soirée. Sans vouloir trop l'avouer, Serge Martin devait croire à la véracité de ce qu'avait murmuré à voix basse, entre deux danses, la jeune femme... Et s'il avait une telle conviction, on pouvait l'avoir aussi car jamais, depuis qu'ils se connaissaient, le vieil homme ne s'était encore trompé.

Le faux Jacques Fernet n'avait pas peur : ce sentiment lui avait toujours été étranger. Mais il se reprochait avec amertume de s'être laissé entraîner, presque en néophyte, dans l'aventure... Malgré lui, il ne put s'empêcher, comme cela lui arrivait presque toutes les nuits avant de s'endormir, de la revivre en mémoire, cette aventure. Ce soir — était-ce parce qu'il sentait qu'un nouveau danger approchait ? — il voulut se la remémorer complètement, sans en oublier le plus petit détail. Confusément, il sentait que ce ne serait qu'au prix de cet effort qu'il parviendrait peut-être à découvrir enfin pourquoi il se trouvait dans une nuit éternelle ? Quand il saurait, peut-être parviendrait-il alors à s'arracher à la torpeur envahissante ?

... Elle avait commencé, l'aventure, un an plus tôt, de la façon la plus banale qui fût, à Paris...

Ce matin-là, il avait été à la fois surpris et heureux de trouver dans son courrier une lettre dactylographiée dont il n'espérait plus la venue. Lettre cependant laconique, à en-tête de la C.I.R.M., dont il se souvenait par cœur :

Monsieur,

En réponse à votre demande, nous vous prions d'avoir l'obligeance de vouloir bien vous présenter à notre Siège Social, muni de la présente convocation, mercredi prochain à 14 heures précises.

Dans l'attente de votre visite, nous vous prions, Monsieur, d'agréer l'expression de nos salutations distinguées.

Et c'était paraphé d'une signature illisible, précédant la mention « Président-Directeur général ».

Il s'était aussitôt précipité auprès de la seule personne qui comptait pour lui et avec qui il vivait depuis toujours. Celle-ci lui avait alors dit en souriant :

— Tu vois que tu avais tort de te décourager. J'étais certaine que l'on te répondrait!

Le mercredi, il pénétrait dans les bureaux de la C.I.R.M. au deuxième étage d'un building de la rue Saint-Lazare. Sous quatre initiales, la C.I.R.M. cachait la Compagnie Internationale de Récupération de Métaux à laquelle il avait écrit, deux mois plus tôt, après avoir lu, dans un journal économique et financier, une annonce ainsi libellée : « Recherchons ingénieur diplômé du Génie Maritime, libre de tout engagement, et n'ayant pas dépassé 45 ans pour situation importante. Prière d'adresser toutes références par écrit et de ne se présenter que sur convocation formelle. » L'annonce était suivie du nom et de l'adresse du siège social de la Compagnie.

Son premier soin, après cette lecture, avait été de demander à quelques ingénieurs de ses amis ce qu'ils pensaient de la C.I.R.M. Toutes les réponses s'étaient résumées à ces mots :

— Grosse affaire, très sérieuse.

Dès lors, il ne risquait rien à poser sa candidature au poste proposé : ne répondait-il pas exactement aux conditions de base exigées ? Il était sorti troisième de l'École du Génie Maritime, il pouvait se rendre immédiatement libre de tout engagement si la situation offerte était nettement supérieure à celle qu'il avait actuellement ; enfin il atteignait à peine la quarantaine.

Il avait écrit, joignant à la lettre les références demandées. Plus par coquetterie que par orgueil, il avait même signalé qu'il parlait le russe et qu'il était également diplômé de l'Institut des Hautes Études Orientales pour trois langues : le japonais, le vietnamien et le cambodgien. Passionné d'Extrême-Orient, à chaque fois que sa profession d'ingénieur lui en avait laissé le loisir, il s'était plongé dans une connaissance de plus en plus approfondie de ces langues qui le fascinaient infiniment plus que les langues latines. Souvent il avait songé faire sa carrière en Extrême-Orient mais, à chaque fois, une considération d'ordre strictement familial l'avait fait hésiter. Et il n'était resté en France qu'avec regret.

Mais il était convaincu que le fait de posséder un tel diplôme ne serait d'aucun poids dans la décision finale d'une C.I.R.M. si, par chance, elle voulait bien fixer son choix sur lui.

Sa lettre expédiée, il n'avait plus eu qu'à attendre. Au bout de trois semaines, n'ayant pas reçu de réponse, il comprit que sa candidature n'avait pas été retenue et, après deux mois, il ne pensait même plus à l'annonce lue par hasard dans le journal financier. Aussi était-il assez anxieux pendant l'attente dans le vestibule de la Compagnie. Il y était arrivé exactement à l'heure indiquée sur la convocation et ce fut avec une certaine satisfaction qu'il put constater être seul à faire antichambre. Quelques minutes passèrent avant que l'huissier, devant qui il avait rempli une fiche, ne lui dît, après avoir reçu un appel téléphonique intérieur :

— M. le Président vous attend.

Il avait été introduit dans un bureau austère et dont les murs étaient uniquement tapissés d'immenses cartes marines. Deux hommes l'accueillirent en se levant : le plus jeune, qui pouvait avoir la cinquantaine et qui ne donnait pas l'impression d'être français, se tenait derrière une large table sur laquelle était posée un seul dossier; le plus âgé, d'une carrure massive, les cheveux taillés en brosse, avait largement dépassé la soixantaine. Il occupait une chaise placée à la gauche de la table et orientée face aux visiteurs éventuels.

— Nous sommes enchantés de faire votre connaissance, dit l'homme debout derrière la table. (Puis il se nomma :) Mathias Ekko, président... C'est moi qui vous ai écrit... (Et présenta enfin le second personnage :) M. Adrien, l'un de nos conseillers... Je vous en prie, cher monsieur, asseyez-vous !

Dès que l'ingénieur se fut installé dans l'un des deux fauteuils de cuir placés devant la table, le « Président » commença d'une voix calme, où perçait un léger accent étranger et où, de temps en temps, roulaient les r. Son visiteur pensa aussitôt qu'il avait affaire à un homme d'origine méditerranéenne :

— Cher monsieur, nous sommes bien d'accord : vous êtes M. Pierre Burtin, ingénieur du Génie Maritime, travaillant actuellement pour la Société des Forges et Chantiers de la Loire ?

— C'est exact : je suis détaché depuis un an au bureau d'études de Paris.

— Puis-je vous poser une question préliminaire à laquelle d'ailleurs vous n'êtes pas obligé de répondre... Pourquoi voulez-vous quitter une société où vous avez en somme une situation assez intéressante ?

— Je la trouve insuffisante au point de vue des émoluments et surtout sans aucun avenir pour moi. Ayant quarante ans, il me faudrait attendre au moins cinq années avant de gravir l'échelon qui me permettrait de devenir ingénieur en chef. Actuellement je dois me contenter de jouer les rôles d'adjoint, ce qui ne me convient pas et qui ne cadre pas avec mon rang de sortie du Génie maritime.

— Vous étiez troisième, je crois ? Ce qui est plus qu'honorable et donne déjà une première idée de vos capacités... Parce qu'il nous faut, cher monsieur, un homme de très grande valeur, à tous les points de vue : technique, culturelle et morale...

— Morale ? J'avoue ne pas bien comprendre.

— Suivez-moi : vous devez vous douter que si nous avons attendu deux mois avant de vous convoquer, c'est uniquement parce que, entre-temps, nous avons pris quelques renseignements complémentaires sur vous... Je suis sûr que vous ne vous en formaliserez pas, quand vous saurez que nous avons agi de même pour les trente candidats qui ont répondu à notre annonce en nous adressant, comme vous l'avez fait, leurs références... Il nous a donc fallu faire un tri sérieux et, de candidat en candidat, nous sommes arrivés à la conclusion que vous étiez de loin l'homme qui répondait le mieux à ce que nous espérions de lui...

— Que m'offrez-vous ?

— Financièrement ? Je vois avec plaisir que vous êtes un homme direct et pratique... Eh bien, disons que vous gagnerez dix fois ce que vous recevez dans votre situation actuelle, avec un contrat d'essai d'une durée minimum de trois années, renouvelable par tacite reconduction, à moins d'une dénonciation de l'une des parties contractantes sur un préavis de six mois.

— Vous savez donc ce que je gagne aux Forges et Chantiers de la Loire ?

— Nous le savons...

— Dans ce cas, je reconnais que l'offre mérite d'être prise en considération... Mais qu'allez-vous me demander en échange ?

— Simplement d'utiliser au mieux votre compétence... Ah ! une autre question qui nous intéresse au plus haut point : vous avez bien indiqué, n'est-ce pas, sur votre réponse, que vous étiez diplômé de l'Institut des Hautes Études Orientales ?

— C'est la vérité.

— Nous n'en doutons pas. Quelles langues cependant parlez-vous ?

— Le japonais, le vietnamien et le cambodgien...

— Entendons-nous bien : vous estimez que ces trois langues n'ont plus pour vous aucun mystère ?

— Peut-être le japonais écrit dans sa formule abrégée m'embarrasserait-il, mais, s'il le fallait, je pense qu'après quelques semaines de pratique, tout irait bien...

— Le chinois ne vous a jamais tenté ?

— Si ! Seulement j'avoue avoir reculé devant sa difficulté... D'autant plus qu'il est assez difficile de bien le comprendre et de bien le parler si l'on s'est d'abord lancé sur le japonais... Je connais tout de même un certain nombre de mots chinois mais vous savez aussi bien que moi ce que l'on disait autrefois : « Un homme ne peut devenir mandarin que s'il connaît au moins deux mille mots chinois. » Et deux mille mots, ce n'est pas, hélas, toute la langue ! Admettons que mon vocabulaire se réduise à un millier de mots usuels.

— C'est déjà un début qui pourrait, le cas échéant, vous servir...

— Parce qu'il s'agirait d'aller en Chine ?

— Pas exactement... Vous savez le russe aussi, je crois ?

— Couramment... Mais là je n'ai pas grand mérite. J'ai eu la chance de pouvoir le parler dès ma plus tendre enfance : ma mère est née à Saint-Pétersbourg.

— Réfugiée sans doute ?

— Oui, en 1919 elle a réussi à fuir l'enfer de la révolution.

— Mais vous êtes né à Paris ?

— Mon père était français.

— Vous n'avez jamais été en Russie ?

— Jamais... Sincèrement, monsieur, vous m'intriguez ! De quoi s'agit-il ?

Le président fit une courte pause puis répondit :

— Avant de vous donner de plus amples précisions, il nous faut, cher monsieur Burtin, vous poser une autre question... un peu plus délicate, celle-ci : vous avez omis de mentionner dans vos références — et nous avons tout lieu de penser que vous n'avez agi là que guidé par un sentiment de discrétion qui est tout à votre honneur — que vous avez brillamment servi votre pays pendant la dernière guerre mondiale ?

— Je n'ai pas fait la guerre, répondit avec calme l'ingénieur. J'ai été réformé.

— Comprenons-nous bien, cher monsieur : vous avez en effet été réformé...

Avant de poursuivre, le président jeta un regard sur une fiche qu'il venait de sortir d'un tiroir de son bureau.

— Vous avez été réformé par décision du gouvernement français de Londres le 4 janvier 1942 alors que vous aviez réussi à rejoindre les forces de la France Libre et que vous vouliez contracter un engagement dans une unité combattante de la Marine. Est-ce exact ?

Burtin regarda avec ahurissement son interlocuteur, qui souriait. Son regard se posa ensuite sur le visage du « conseiller », toujours assis à côté du bureau et qui n'avait pas encore prononcé une seule parole : le gros homme restait impassible. Devant ce double mutisme, l'ingénieur finit par dire :

— Je commence à m'apercevoir qu'en effet vous vous êtes bien renseignés sur mon compte...

— Vous avez été réformé pour insuffisance pulmonaire...
Normalement, bâti comme vous l'êtes, une pareille décision
aurait dû vous rendre fou de rage, mais il n'en fut rien...
Cette réforme fut décidée à la suite d'un accord secret
fait entre vous et les autorités supérieures...

— Vos informations me paraissent de plus en plus
détaillées!

— Et vous avez été affecté à un autre service qui ne
nécessitait nullement, de votre part, le port de l'uniforme...
Disons, si vous le voulez bien, un service encore plus
secret que votre accord et où vous avez rendu, jusqu'à la fin
des hostilités, d'inestimables services tout en sachant rester
un agent anonyme sous le dossier 2 884.

— Vous connaissez même cette précisìon?

— Nous la connaissons... Votre devoir accompli, vous
êtes retourné à la vie civile, où vos diplômes et vos connaissances vous ont permis de retrouver très rapidement un
emploi aux Chantiers de la Loire où vous êtes toujours...
Seulement, vous avez l'impression d'y végéter et, en cela,
vous n'êtes pas complètement dans l'erreur. Vous êtes
encore jeune, ambitieux — ce qui est tout à votre honneur
— vous cherchez mieux, beaucoup mieux! Nous sommes
prêts à vous offrir cette situation!... Vous n'avez pas, je
pense, d'attache familiale qui vous contraigne à rester à
Paris, ou tout au moins en France?

— Puisque vous êtes si bien renseigné, vous pourriez
peut-être me parler aussi de ma famille?

— Elle se résume à madame votre mère avec qui vous
habitez dans un petit appartement de la rue Vaneau.
Monsieur votre père, qui était comme vous ingénieur, est
mort alors que vous étiez encore très jeune. Vous êtes
fils unique et toujours célibataire.

— Cela vous ennuie?

— Cela nous enchante, au contraire! Vous êtes donc un

homme totalement libre de son activité... **Je le répète : vous êtes celui qui nous convient.**

— Alors, abordons enfin le fond du problème : qu'attendez-vous de moi?

— Deux choses : que vous nous apportiez vos connaissances techniques et que vous redeveniez le patriote que vous avez su être quand il le fallait...

— Ce qui veut dire?

— Qu'il s'agirait pour vous d'avoir officiellement une très belle situation civile et « confidentiellement » — je préfère cet adverbe à « secrètement » qui risque toujours d'être un peu trop révélateur — de continuer à servir votre pays...

— Mon pays? Ce n'est donc pas le même que le vôtre, cher monsieur Ekko?

— C'est le même depuis dix années. Je suis né citoyen hellénique... Seulement, tout aussi bien que vous, il m'est arrivé de rendre quelques services à la France. Et votre pays, qui a toujours su se montrer généreux à l'égard de ses vrais amis, a su le reconnaître en m'accordant la nationalité française. C'est donc en ma qualité de citoyen français que je vous demande si vous accepteriez de jouer un double rôle?

— Je ne vous cache pas que j'aurais préféré qu'une semblable demande me fût formulée par quelqu'un dont les origines françaises seraient un peu moins récentes...

Le Grec blêmit mais sut cependant conserver assez de maîtrise pour répondre :

— Je comprends ce sentiment... Vos désirs vont être immédiatement exaucés : monsieur...

Il venait de désigner le gros homme qui était resté assis, silencieux :

— Monsieur va sûrement se faire un plaisir de me remplacer...

— Monsieur Burtin, dit d'une voix rude celui qui avait été présenté comme étant le « conseiller », je vous connais depuis longtemps... Vous ne semblez pas vous douter que, pendant quatre années, vous avez sinon servi, du moins « opéré » sous mes ordres... Pendant toute la période de votre existence où vous avez appartenu à un Service de Renseignement, vous étiez en effet fiché sous le numéro 2 884... Et vous n'avez pas été sans savoir, à cette époque, que vous dépendiez indirectement d'un supérieur hiérarchique, étiqueté comme vous sous un numéro qui était le 192 mais que les sympathiques membres, disons de notre « organisation », avaient pris la détestable habitude de surnommer plus communément « la vieille chouette ». Cette « vieille chouette », alias N° 192, c'était moi...

Pendant quelques secondes, l'étonnement dont l'ingénieur avait fait preuve en écoutant l'énoncé de certaines de ses activités passées, fit place à la stupeur. Et il ne put que répéter :

— C'était vous?

— Pour vous éviter une perte de temps en doutes justifiés, je vous demande de jeter simplement un coup d'œil sur cette pièce d'identité...

Le gros homme avait exhibé une carte, sur laquelle Pierre Burtin put lire : « *Colonel Sicard, de l'État-Major général de l'Armée, détaché au Service Spécial des Renseignements Généraux.* »

Après un court silence, pendant lequel Burtin tourna et retourna la pièce d'identité dans ses mains, l'homme demanda :

— La photographie vous paraît-elle ressembler suffisamment au bonhomme que vous avez devant vous? Je reconnais qu'elle n'a rien d'une œuvre d'art mais, enfin, ces photos des services anthropométriques ont au moins le mérite d'être assez exactes.

Pendant que Burtin lui rendait la pièce, il poursuivit :

— Donc, sans me connaître parce qu'il n'y avait aucune nécessité urgente à cela, vous avez servi sous mes ordres... Et certains jours, vous avez dû me détester en vous disant : « Quelle est donc cette vieille chouette qui me confie des missions aussi impossibles ? On voit bien qu'il n'est pas à ma place ! » C'est bien cela, n'est-ce pas ? Je dois dire que vous vous êtes acquitté à merveille de toutes ces missions et que vous nous avez rendu d'inestimables services... Spécialement quand, ayant été incorporé en 1942 à Londres dans notre organisation, nous avons profité de ce que le gouvernement de Vichy — avec lequel nous étions alors quelque peu en froid — continuait à entretenir des relations diplomatiques suivies avec les Japonais... Vous vous souvenez avoir été renvoyé alors, par nos soins, en France d'où vous êtes reparti, le plus facilement du monde, pour l'Empire du Soleil Levant où vos connaissances linguistiques vous ont permis de mener à bien un travail délicat qui fut, non seulement couronné de succès, mais apprécié à sa juste valeur aussi bien par nos Services que par ceux de nos alliés... La guerre finie, vous êtes retourné à la vie civile comme je l'ai fait moi-même, mais j'espérais toujours qu'un hasard de la vie nous permettrait de nous rencontrer un jour pour que je puisse vous donner enfin la poignée de main que l'on ne réserve qu'à ceux que l'on estime... Ce hasard s'est produit... Me permettez-vous de mettre enfin mon souhait à exécution ?

L'homme s'était levé, tendant franchement la main.

Burtin eut une courte hésitation avant de se lever à son tour, mais finalement, poussé par une sorte d'instinct, il accomplit le geste d'amitié. Et pendant que leurs mains restaient liées, les deux hommes se dévisagèrent. Le regard que le garçon aux yeux bleus avait devant lui était net, traversé même par des lueurs de chaleur, qui contrastaient avec l'impassibilité voulue du personnage jusqu'à cet instant. Il sembla qu'une amitié spontanée, mais solide, se scellait brusquement entre deux êtres qui jusqu'à cette minute n'avaient toujours été, l'un pour l'autre, malgré une collaboration secrète de plusieurs années, que des numéros anonymes : ils se voyaient, ils se trouvaient... Dès lors, celui qui s'était présenté comme étant le président de la C.I.R.M. passa presque au second plan : pour un Pierre Burtin, ce personnage au teint olivâtre et au français encore incertain ne parut plus être qu'un comparse. L'autre, au contraire, celui qui avait attendu longtemps avant de se révéler et de tendre la main, devenait le véritable chef : ce qu'il était déjà à l'époque où il envoyait des ordres sans jamais se montrer. Et l'ingénieur dit dans un élan sincère à cet officier devant lequel il se sentait à nouveau l'âme d'un soldat de l'armée secrète :

— Merci, mon colonel.

— Mon petit, ne me remerciez pas trop vite! Peut-être que, bientôt, vous regretterez d'avoir enfin fait ma connaissance! Sur ce, maintenant que la glace est rompue, asseyons-nous et bavardons...

Ce fut avec l'esprit détendu que Pierre Burtin écouta son nouvel interlocuteur :

— Mon cher 2 884, avant toutes choses, je tiens d'abord à vous affirmer que ce que notre ami Mathias Ekko vous a laissé entendre, non pas pour se mettre en valeur mais uniquement pour vous rassurer, sur les activités qu'il a eues au service de notre pays, qui est maintenant le sien, est très au-dessous de la réalité. Vous avez devant vous l'un de ces étrangers qui ont su pratiquer à la lettre le vieux dicton qui veut que « tout homme ait deux patries : la sienne et la France ». Je vous le dis avec la même fierté que j'ai eue à lui parler de vous avant votre arrivée... Vous comprendrez aussi que le jour où votre candidature s'est présentée, sous la forme d'une réponse à une petite annonce d'allure assez anodine, j'ai tout de suite pensé que mon choix serait vite fait! Néanmoins, j'ai pris soin d'éplucher soigneusement les autres candidatures... Certaines étaient de qualité, mais aucune, croyez-moi, ne cachait un garçon de votre trempe. Je ne puis donc que vous répéter ce que vous a déjà dit ce cher Président : vous êtes « notre » homme!

— Je crains fort que vous ne surestimiez mes possibilités... Je n'ai plus vingt-trois ans...

— Vous en avez quarante, la force de l'âge : vous êtes donc encore beaucoup plus apte!

— Mais peut-être n'ai-je plus le même enthousiasme?

— Des hommes comme vous ne le perdent jamais!

— Pourtant, vous avez déjà pu constater, par le début de cet entretien, qu'aujourd'hui je m'attache infiniment plus aux questions d'ordre matériel qu'aux idéologies! J'ai fait la guerre à ma manière, c'est exact, mais tout cela est bien fini pour moi et, mon Dieu, s'il le faut, d'autres plus jeunes et plus dynamiques, peuvent très bien remplacer les gens de ma génération. Il y a un temps pour tout...

— Mon petit 2 884, je n'aime pas du tout vous entendre parler ainsi! C'est un langage qui ne vous convient pas!

— Mais je ne suis pas le seul à être de cet avis! Vous-même, mon colonel, ne m'avez-vous pas fait comprendre que vous aussi, vous étiez rentré dans la vie civile?

— Moi, mon cher, c'est très différent! Je suis un vieux serviteur que l'on a remercié poliment — mais sûrement! — le jour où l'on a jugé qu'il avait atteint ce que nous redoutons tous dans l'armée : la limite d'âge! Je n'appartiens même plus au cadre de réserve! La vieille chouette n'est plus qu'une vieille baderne capable, tout au plus, comme vous l'a expliqué le président, de jouer de temps en temps « les conseillers », ce qui équivaut aux utilités...

— Dans ce cas, je ne comprends vraiment pas pourquoi vous semblez vouloir vous lancer à nouveau dans la bagarre puisque la situation que vous m'offrez paraît comporter une double activité?

— Vous touchez là mon point sensible! Regardez le président qui sourit... Eh oui, je l'avoue : depuis que j'ai pris ma retraite, j'enrage... J'ai, moi aussi, l'impression de piétiner, mais pas dans le même sens que vous, qui voulez et qui avez le droit de connaître la réussite matérielle! Non, je n'ai pas la moindre ambition d'ordre monétaire... Mes goûts sont modestes : j'ai un petit appartement dans le XVe, j'ai un chien, une collection de vieilles pipes et une femme de ménage acariâtre mais dévouée... Je suis célibataire comme vous : seulement, à mon âge, il me reste assez peu d'espoir de convoler! Tandis que vous, je suis sûr que vous y viendrez!

— Je n'y tiens pas...

— Madame votre mère n'est peut-être pas de cet avis?

— Elle ne m'en a jamais parlé mais j'ai l'impression qu'elle verrait d'un assez mauvais œil une autre femme qui chercherait à régner dans ma vie!

— C'est un peu le lot de toutes les mamans d'être ainsi tyranniques! C'est même la vraie raison pour laquelle elles nous font terriblement défaut quand nous les avons perdues!... Mais revenons à mon cas puisque vous m'avez interrogé : je suis donc seul, absolument! N'ayant pas de grands besoins, je pourrais très bien me contenter de la retraite mensuelle que le gouvernement veut bien m'allouer... Seulement, comme je vous l'ai dit, je piétine en ce sens qu'il m'arrive de tourner en rond chez moi en me répétant : « Mais bon sang, ma vieille chouette, qu'est-ce que tu fiches à jouer les petits-bourgeois quand l'aventure est toujours là, t'attendant à la porte? » Oui, c'est là mon unique besoin : l'aventure! Pas celle de ces explorateurs qui prolifèrent actuellement dans des proportions inquiétantes mais plutôt celle dont on ne parle pas à la Salle Pleyel et qui se cache... la vraie! Celle que nous avons connue, vous et moi. Osez dire que ce besoin-là ne vous chatouille pas, vous aussi, de temps en temps?

— Je ne sais plus...

— Vous savez très bien! Et vous savez également que, quand on a appartenu, comme nous deux, à un S.R., ce n'est pas si facile que cela de lui échapper complètement! Tôt ou tard, que nous le voulions ou non, des gens — que parfois nous n'avons jamais vus, comme cela a été le cas pour vous par rapport à moi — surgissent à l'improviste sur notre route devenue trop paisible en nous disant: « Dites donc, agent X, il ne faudrait pas trop vous endormir dans les délices de l'inactivité! Nous avons encore besoin de vous. Venez! »

» Et nous y retournons, un peu parce que la tentation est forte, beaucoup parce qu'on nous a appris — le jour où nous avons débuté dans la « profession » — que l'on ne cesse jamais de lui appartenir si l'on est encore en vie. Vous savez aussi bien que moi que les seuls agents qui pourraient aspirer à un repos définitif sont ceux qui sont « brûlés »: ce qui n'a jamais été votre cas! Personne, à l'exception de vos chefs directs ou indirects comme moi, ne vous a repéré pendant vos quatre années de travail. Vous êtes encore tout neuf, mon petit Burtin! Et nous irions même jusqu'à vous refaire une nouvelle virginité dans le métier, si c'était nécessaire!

— C'est sans doute pourquoi j'ai été convoqué par une compagnie civile?

— Il commence enfin à comprendre! On m'avait bien dit, quand vous étiez sous mes ordres, que vous aviez la tête dure!... C'est en effet la raison pour laquelle je vous parle dans ce bureau anonyme et non pas dans un autre bureau un peu trop connu par le chiffre qui le précède et où votre agréable silhouette pourrait être repérée... Il n'y a pas d'endroit où nous soyons plus épiés par nos adversaires que nos propres locaux!

— En somme, mon colonel, vous avez « rempilé »?

— Si vous voulez! Mais je l'ai fait de mon plein gré et pour une seule affaire bien déterminée qui m'intéresse... Vous aussi, elle vous passionnera! Seulement pour que vous nous soyez vraiment utile, il était indispensable de vous donner une couverture tout ce qu'il y a de plus officielle...

— La C.I.R.M ?

— La Compagnie Internationale de Récupération de Métaux dont l'aimable président, ici présent, a bien voulu mettre à notre disposition la remarquable organisation... Vous saisissez?

— Ça commence...

— En résumé, les conditions financières et de durée de contrat, que M. Ekko vous a énoncées, sont toujours valables : si vous y souscrivez, vous devenez l'un des nombreux ingénieurs ou techniciens qu'utilise cette très importante firme... Sans doute, vous êtes-vous renseigné, avant de nous écrire, pour savoir en quoi consistait l'activité principale de la compagnie?

— En effet...

— Et que vous a-t-on dit?

— Qu'elle répondait exactement à sa raison sociale en récupérant les aciers de toutes sortes un peu partout là où ils se trouvaient...

— Je ne voudrais tout de même pas, cher monsieur Burtin, dit le président d'une voix suave, que vous nous rangiez d'emblée dans la catégorie de ces individus assez douteux qui opèrent dans ce que l'on appelle communément « le marché de la ferraille »! N'oubliez pas que nous sommes cotés en Bourse et que nous ne travaillons qu'avec la Grande Industrie.

— Autrement dit, si vous êtes brocanteurs, vous savez

l'être sur une grande échelle! Et vous avez l'intention d'utiliser mes compétences d'ingénieur pour faire découper au chalumeau de vieilles carcasses métalliques ?

— Nous touchons au but, mon bon ami! s'écria le colonel. Quelles sont les plus belles carcasses ?

— S'il y en avait encore, ce seraient certainement celles des zeppelins!

— Comment un brillant troisième du Génie Maritime peut-il ne pas penser d'abord aux épaves qui dorment au fond des mers ?

— Il s'agirait d'en renflouer une ?

— Oui et non... Mais sachez que l'affaire pour laquelle j'ai « rempilé », selon votre aimable expression, se trouve dans un navire coulé. Autrement dit, « notre » destin est au fond de l'eau! Reconnaissez que votre compétence technique risque d'être sérieusement mise à contribution... Ça ne vous sourit pas ?

— Ce genre de travail pourrait rentrer en effet dans mes compétences.

— Alors vous acceptez notre offre ?

— En qualité d'ingénieur oui, mais en tant qu'agent de renseignement, je demande à réfléchir.

— Nous n'avons pas le temps d'attendre le résultat de vos réflexions! Les événements se précipitent depuis quelques jours... Vous ne ressortirez de ce bureau qu'après nous avoir répondu oui ou non. Si c'est oui, cela implique que vous acceptez de jouer un double rôle.

— Et si c'est non ?

— Nous serons contraints, à notre plus grand regret, de vous trouver immédiatement un remplaçant.

— Et je n'aurai plus qu'à repartir sans contrat et sans la mirifique « situation » que m'offre la C.I.R.M. ?

— Exactement!

— En somme, c'est un marché?

— Admettons... Mais je voudrais que vous vous mettiez bien dans la tête, mon cher Burtin, que la mission secrète ne serait que temporaire tandis que le contrat, vous assurant de confortables émoluments, continuerait à courir pendant trois années au moins...

— Qu'entendez-vous par « temporaire »?

— Quelques mois tout au plus au début de votre contrat... Ensuite vous pourrez jouir d'une paix royale! Et si cela peut vous faire plaisir, je puis même vous promettre que vous n'entendrez plus jamais parler de la vieille chouette!

— Mais je continuerai quand même à renflouer des épaves?

— Pas du tout! Vous reviendrez bien sagement à Paris où le président se fera une joie de vous attribuer un poste de tout premier plan à la direction générale de la compagnie... Qui sait même s'il ne vous proposera pas, ayant pu apprécier votre valeur pendant les premiers temps, de le seconder directement?

— Ce serait en effet dans mes projets, dit doucement Mathias Ekko.

— Avouez, reprit le colonel, que l'offre mérite d'être prise en considération. Voulez-vous que nous vous laissions quelques minutes de réflexion dans une pièce où vous serez seul?

— C'est inutile. Je ne pourrai vous donner une réponse que quand je saurai exactement ce qu'on attend de moi dans le domaine secret... De deux choses l'une : ou vous avez confiance et vous me dites tout, ou vous vous taisez et je m'en vais! Je tiens cependant à vous donner ma parole que, même si je refusais après vous avoir écoutés, j'oublierai immédiatement tout ce qui m'aura été révélé ici. Je pense, mon colonel, que vous avez été mieux placé que quiconque, pendant les années où vous avez été mon chef, pour savoir que ma parole valait quelque chose.

Il s'était exprimé avec fermeté : on sentait sa décision irrévocable. Les regards de ses interlocuteurs se concertèrent mais aucun mot ne fut échangé. Pendant quelques instants, le silence fut pesant. Le colonel et le président fixaient le garçon calme, qui ne paraissait nullement gêné par cet ultime examen. Finalement, l'officier dit :

— J'estime, Burtin, que nous pouvons avoir confiance en vous... Maintenant écoutez-moi : je vais vous exposer des faits, connus seulement par un très petit nombre d'agents de services secrets de quelques nations qui — dans cette affaire — ont toutes, même si elles furent alliées à une certaine époque, des intérêts diamétralement opposés. Cela signifie qu'en tant que Français nous devons faire « cavalier seul » et ne compter absolument pas sur l'aide éventuelle de nos confrères de l'*Intelligence Service* ou du *C.I.A.*.. Bien plus, nous devons même les considérer, sinon comme des ennemis, du moins comme nos plus dangereux adversaires...

Le gros homme fit une pause avec l'espoir de voir, sur le visage de son ex-subordonné, une expression de réel intérêt. Mais Burtin demeura de glace : ce qui, dans le fond, ne fut pas pour déplaire à son ancien chef. L'ingénieur civil prouvait là qu'il avait toujours l'étoffe de l'agent 2 884 prêt à tout entendre sans sourciller, à tout enregistrer avec calme pour en tirer profit quand le moment d'agir serait venu. Il restait confortablement enfoncé dans son fauteuil comme s'il n'écoutait qu'une belle histoire...

— Il y avait une fois, commença le colonel Sicard, un grand pays dont l'inquiétude était immense... Son principal allié venait d'être écrasé par un ennemi merveilleusement armé qui l'avait envahi en quelques semaines et contraint à déposer les armes... Le grand pays se retrouvait donc seul, ne pouvant encore compter sur l'appui d'un autre allié, qui se trouvait de l'autre côté des mers et n'était pas encore préparé à faire la guerre... Telle était, en juillet 1940, mon bon ami, la situation de l'Angleterre, privée de la France et attendant qu'un événement-choc décidât enfin les États-Unis à se dresser contre l'Allemagne. Bien qu'ils eussent raison de conserver une confiance sereine dans leur situation privilégiée d'insulaires, les Anglais surent se montrer prévoyants... Au cas où ils auraient, eux aussi, à subir une invasion, il leur paraissait urgent de mettre à l'abri d'attaques possibles un certain nombre de choses essentielles telles que la réserve d'or de la Banque d'Angleterre, les trésors de la Couronne et quelques documents qu'ils considéraient comme étant d'une valeur inestimable. Si l'or fut expédié au Canada, les documents furent répartis, un peu partout et dans le plus grand secret, en certains dominions de l'Empire où ils seraient plus en sûreté dans l'attente de jours meilleurs.

» Parmi ces documents, il s'en trouvait notamment un dont l'intérêt ne saurait vous échapper... Comme tout le monde, cher ami, vous avez entendu parler de l'uranium ?

L'ingénieur sourit avant de répondre :

— Comme tout le monde !

— De toute façon, je ne commettrai pas l'impair de raconter à un ingénieur la genèse de la découverte de la radio-activité de ce métal, précieux entre tous, par un certain Becquerel en 1896... Vous la connaissez certainement mieux que moi ! Vous admettrez cependant que si, aujourd'hui, l'uranium est entré dans le domaine courant, il fut un temps — pas si éloigné de nous — où il n'appartenait encore qu'au monde restreint des savants et des chercheurs. Parmi ceux-ci un Hollandais, dont le nom nous importe peu, revint un jour, triomphant, à Amsterdam après un long séjour en Indonésie. Ceci se passait en 1937...

» Ce personnage offrait avec vous la double analogie d'être un ingénieur et un homme pour qui les questions matérielles ne manquaient pas de saveur. Il pensait, avec raison d'ailleurs, apporter dans ses bagages un certain document qui pourrait faire rapidement de lui un homme riche. En bon patriote, il offrit d'abord, en échange d'une très sérieuse rétribution, le document au gouvernement de Sa Gracieuse Majesté la reine des Pays-Bas. Devant l'énormité du prix demandé et peut-être aussi parce que les autorités consultées ne virent pas la suite immédiate — n'oublions pas que les Hollandais sont des gens qui prennent toujours le temps de la réflexion — que l'on pourrait donner à l'acquisition d'un tel secret, notre bonhomme essuya un premier refus. Dépité et pressé de s'enrichir, il s'adressa aussitôt à une autre puissance, qu'il considérait à juste titre comme étant l'amie séculaire de la Hollande : l'Angleterre.

» Vous savez combien nos amis britanniques peuvent, quand il le faut, s'intéresser discrètement à tout ce qui risque d'accroître le prestige et la puissance de leur noble pays! Le marché fut conclu par l'intermédiaire d'un banquier avisé et le règlement effectué en substantiels sterlings qui, à cette époque, constituaient encore une monnaie appréciable. Le document émigra donc dans des archives ultra-confidentielles, de l'autre côté du Channel.

» En quoi consistait ce fameux document? Simplement en un tronçon de carte géographique précise où était indiqué l'emplacement de terres dont la teneur en uranium était tellement considérable que celui qui saurait se rendre acquéreur des lieux et pratiquer l'extraction du précieux métal pourrait devenir rapidement le maître absolu d'une ère atomique qui s'approchait à grands pas... La seule véritable difficulté, pour les nouveaux acquéreurs, était de se rendre sur place et surtout d'y amener le matériel technique nécessaire pour commencer l'exploitation en grand du gisement sans trop attirer l'attention des représentants qualifiés du gouvernement des Pays-Bas, ou même des indigènes indonésiens. Le problème était d'une telle complexité que les Anglais, avec leur ténacité coutumière, décidèrent de l'étudier sous toutes ses formes : ce qui demanda du temps. La déclaration de guerre de 1939 — suivie, neuf mois plus tard, de l'effondrement de la France — survint, bouleversant tous les projets!

» En quel point précis de l'immense archipel malais se trouve ce gisement prodigieux ? A Java ? à Sumatra ? à Madoura ? à Bali ? à Lombok ? à Soumbava ? à Timoï ? aux Célèbes ? aux Moluques ? à Bornéo ? Seule la fameuse carte pourrait nous le dire! Car les choses n'ont toujours pas bougé, malgré les années écoulées, depuis la découverte du Hollandais... Les terrains riches d'uranium sont toujours en friche pour l'excellente raison que le document révélateur a disparu!

— Personne, depuis, n'a tenté de retrouver l'emplacement ?

— Je vous l'ai dit : ceux qui ont entendu parler de son existence sont très peu nombreux... Ce sont quelques Anglais et quelques agents de divers services secrets étrangers. Et aucun de ces individus n'a intérêt à attirer actuellement l'attention du gouvernement indonésien, qui a remplacé celui des Pays-Bas depuis 1950, par des recherches hasardeuses. Par contre, si le plan était retrouvé, celui qui l'aurait en main aurait beaucoup plus de facilités pour proposer éventuellement un accord d'exploitation aux dirigeants de Djakarta.

— Mais comment diable les Anglais ont-ils réussi à perdre un tel document ?

— Croyez bien qu'ils ne l'ont pas fait exprès! Au moment où ils allaient envoyer sur place une mission de techniciens pour étudier dans quelles conditions pourrait se faire non seulement l'achat éventuel des terrains, par personnes interposées, mais aussi leur exploitation, ce fut la déclaration de guerre. Nos alliés eurent alors mille autres problèmes plus urgents à résoudre... Du moins le pensèrent-ils : ce fut là, de leur part, une première erreur. S'ils avaient poursuivi leur plan initial, sans doute seraient-ils parvenus, avant les États-Unis, à mettre au point la première bombe atomique grâce à l'apport inestimable de l'immense gisement et peut-être aussi, par voie de consé-quence, le deuxième conflit mondial se serait-il terminé plus tôt ? Mais ça ne sert à rien d'épiloguer après coup, ni d'utiliser des « si »... Restons-en plutôt au fait qui nous intéresse : comment le plan a-t-il disparu ? Je peux vous répondre : à la suite de circonstances assez extraordinaires, mais toutes guidées par les événements... Tant que la France parut forte, l'Angleterre se considéra comme étant assurée de ne pas voir son île envahie; mais, à dater de la débâcle française, le souci de mettre à l'abri les réserves d'or et les documents essentiels devint la toute première hantise du gouvernement de Sa Majesté. Parmi ces documents se trouvait, bien entendu, le fameux plan. Il fut décidé qu'il serait immédiatement envoyé en Australie, où il serait mis à l'abri dans une cachette très sûre de Canberra, la capitale fédérale.

» Ce choix paraissait judicieux. N'était-il pas préférable, en effet, que le plan se trouvât dans l'hémisphère austral, entre l'Océan Indien et l'Océan Pacifique, donc moins éloigné de l'archipel indonésien ?

— Puis-je poser une question ?

— J'y répondrai volontiers.

— Bien que vous m'ayez fait comprendre que l'on ne peut découvrir le lieu exact du gisement qu'avec l'aide de ce plan, auriez-vous quand même — et par « vous » j'entends tous ceux qui se sont intéressés discrètement à la question — une vague idée de l'île où se trouverait l'uranium ? Parmi toutes celles que vous avez citées tout à l'heure, estimez-vous que ce serait plutôt Java que Bornéo par exemple?

— C'est en effet une question que tous les S.R. se sont posée. Le nôtre était presque arrivé à la conclusion, à la suite de différents recoupements, qu'il ne s'agissait ni de Java ni de Bornéo mais de la plus occidentale et de la plus grande des îles de la Sonde, Sumatra, dont le sol très riche a déjà livré d'importants gisements de houille et de pétrole... Mais ce n'est là qu'une hypothèse... Personnellement, je serais plutôt porté à croire que la découverte du Hollandais se trouverait dans une île d'infiniment moindre importance, située à l'est de Bornéo, peut-être les Célèbes.

— Qu'est-ce qui vous apporte cette conviction?

— Une idée comme ça!

— Mais enfin, il y a une chose que je ne m'explique pas : le fameux ingénieur hollandais doit être facile à retrouver, même si son plan est perdu?

— Eh non, cher Burtin! Il s'est produit un phénomène assez fréquent quand un service de renseignement devient acquéreur d'un document important. Celui qui le lui a cédé, pour des raisons d'ordre monétaire ou autres, disparaît plus vite qu'il ne l'aurait souhaité lui-même et avant même d'avoir pu bénéficier pleinement du fruit de la « négociation »... Notre Hollandais est mort subitement quelques mois après que les Anglais furent devenus propriétaires du plan... Je n'insiste pas : vous êtes déjà en train de tirer vos conclusions sur les causes véritables d'une disparition aussi prématurée! Et revenons, si vous le voulez bien, à la façon dont le plan s'est volatilisé! Je pense que ce sera l'un des points les plus importants de notre aimable conversation... Donc ce plan était à Canberra quand de nouveaux événements vinrent bouleverser cette fois la relative tranquillité de l'Australie... Après le 7 décembre 1941, date du désastre américain de Pearl Harbour, les Japonais ne perdirent pas de temps. Ils commencèrent à occuper, avec une foudroyante rapidité, le plus d'îles et d'îlots du Pacifique sud et de l'Océan Indien qu'ils purent. Parmi ces conquêtes, ils eurent soin de ne pas oublier les Indes Néerlandaises qui tombèrent sous leur contrôle de 1942 à 1945.

» Il n'y avait aucune raison pour que leurs services de renseignement, qui sont très habiles, ne connussent pas aussi bien que les nôtres l'existence de la fameuse découverte du Hollandais! Malheureusement pour eux et heureusement pour les alliés d'alors, le fameux plan se trouvait à Canberra... Ceci, les Japonais le savaient aussi! Et, pour peu que l'on se donnât la peine de jeter un regard sur une carte, on pouvait s'apercevoir que l'Australie n'était pas tellement éloignée des nouvelles conquêtes japonaises qui commençaient à l'encercler dangereusement... Le gouvernement britannique, toujours prudent, commença à s'inquiéter à nouveau : le fameux document ne pouvait plus rester sur le continent australien! Il fut décidé qu'il rejoindrait au Canada l'or de la Banque d'Angleterre. Rien ne prouvait, en effet, que l'Australie ne serait pas envahie, elle aussi, par le redoutable adversaire...

» Deux solutions se présentaient pour l'évacuation de ce plan qui, en fait, pouvait aisément se dissimuler dans une serviette anonyme ou même dans une poche : soit de l'expédier par la voie des airs, soit d'utiliser la voie maritime plus longue mais peut-être moins hasardeuse. N'oublions pas qu'à cette époque, qui se situe dans les premières semaines de 1942, l'aviation n'avait pas encore acquis les prodigieuses possibilités de vitesse et de rayon d'action qu'elle possède aujourd'hui! La prudence britannique finit par se rallier à une troisième solution : le plan serait photocopié à Canberra dans le plus grand mystère. Ceci, pour en posséder trois exemplaires au lieu d'un. Ce qui triplerait à la fois les chances de le conserver mais aussi de le perdre! Vous êtes bien d'accord avec moi sur ce point essentiel?

— Évidemment.

— Suivons maintenant l'étrange destinée des trois documents rigoureusement identiques... Le premier devait rester en Australie; le deuxième prendrait la voie des airs pour rallier, par étapes rapides, le Canada; le troisième enfin rejoindrait la même destination, mais par bateau... Ce fut alors que le merveilleux sens du « camouflage » de l'*Intelligence Service* entra, une fois de plus, en action. Très vite, mais avec une discrétion suffisante pour que l'information parût vraisemblable, nos alliés prirent des dispositions pour que quelques agents de services de renseignement étrangers, opérant dans les parages, pussent apprendre la sensationnelle nouvelle suivante : « Le document précieux va quitter l'Australie! » Les Anglais escomptaient — et ils ne se trompèrent pas — que parmi ces agents à l'affût, se trouveraient un ou deux espions du Mikado...

» En réalité, si le premier exemplaire resta en Australie, il quitta cependant Canberra et, après diverses pérégrinations voulues à travers le continent pour brouiller les pistes, il fut enfermé dans la cave très secrète d'une villa d'aspect paisible, située dans les faubourgs de Brisbane. Le propriétaire de la villa, qui exerçait officiellement la très digne profession de pasteur anglican mais qui en réalité appartenait à l'*Intelligence Service,* avait reçu l'ordre de ne détruire le document qu'en cas de brusque invasion japonaise et ceci sur un simple coup de téléphone spécial dont les termes anodins lui avaient été communiqués à l'avance. Laissons donc, pour l'instant, ce premier document là où il dort et occupons-nous du deuxième.

» Il fut confié au commandant de bord d'un avion militaire qui s'envola aussitôt pour Québec *via* Colombo, Karachi, Le Caire, Malte, Gibraltar et les Bermudes.

L'étape la plus délicate était de loin la première car il fallait éviter de survoler de trop près non seulement l'Indonésie, occupée par les Japonais, mais aussi Singapour qui venait de tomber également entre leurs mains à la suite des combats du 8 au 15 février 1942... Craintes justifiées puisque l'avion n'atteignit jamais la première escale de Ceylan et dut être considéré, au bout de huit jours, comme s'étant perdu « corps et biens », au-dessus de l'Océan Indien. A-t-il été abattu par la chasse japonaise ? A-t-il été détruit par une explosion en plein vol ? Nul ne le saura jamais, mais ce qui est certain, c'est qu'il a entraîné dans sa perte celle du deuxième exemplaire.

» Le troisième fut « officiellement » placé dans le coffre de bord d'un croiseur rapide qui appareilla une nuit, escorté de quatre destroyers, dans le plus grand mystère. Mystère que nos amis anglais surent organiser pour que les espions japonais en fussent discrètement informés. L'un d'eux, justement fier de sa découverte, ne craignit même pas de préciser par code radio chiffré à une escadre japonaise — qui croisait au large de la Nouvelle-Guinée — que le fameux document quittait l'Australie et se trouvait à bord du croiseur... Message qui fut intercepté, non sans une réelle satisfaction, par les services de détection de l'Amirauté britannique : l'escadre anglaise était bien armée, capable d'infliger de lourdes pertes à un adversaire éventuel et surtout le fameux document n'était pas à bord du croiseur ! Si l'on s'était donné tant de mal pour répandre cette croyance dans l'esprit de l'ennemi, c'était uniquement parce que le plan se trouvait sur un tout autre navire... Vous retrouvez là une méthode chère à la subtilité de l'*Intelligence Service* !

» Cet autre navire n'était qu'un modeste cargo, sans prétention aucune, qui avait appareillé tranquillement, sans tam-tam et sans la moindre escorte, à Port-Adélaïde, situé au sud de l'Australie. Pendant que les forces japonaises tenteraient d'attaquer le convoi « officiel », dans la Mer de Corail, le vieux cargo voguerait paisiblement dans l'Océan Indien! Une telle façon d'opérer peut paraître assez risquée, mais elle offrait quand même les plus grandes chances de réussite.

» Malheureusement pour nos alliés, les services de renseignement ennemis ne furent pas dupes! Vous savez aussi bien que moi, pour les avoir fréquentés de très près, que dans le domaine de l'espionnage, les Japonais sont passés maîtres... Vingt-quatre heures après son départ, le cargo-fantôme fut arraisonné par deux sous-marins ennemis qui surgirent et l'encadrèrent avec une telle rapidité qu'il lui fut même impossible de se saborder. Ce fut là, de la part des Japonais, du très beau travail : avant que le commandant du cargo n'ait eu le temps de se rendre compte de ce qui lui arrivait, il se retrouva prisonnier au fond de la cale de son navire, avec tout son équipage! Le cargo changea aussitôt de cap, sous la direction d'un équipage de prise nippon, mais, cette fois, il était bien escorté par les deux redoutables submersibles qui n'avaient pas été prévus au programme de l'Amirauté britannique.

» La route de l'Océan Indien à la Mer du Japon est longue, hérissée d'embûches... D'autant plus que la brusque disparition du cargo, ajoutée à celle de l'avion, n'était pas sans laisser nos alliés terriblement inquiets... Cahin-caha, après mille détours et d'innombrables changements de cap, l'équipage de prise parvint à ramener le cargo, non pas dans les eaux japonaises trop éloignées, mais dans la Mer de Chine méridionale. Cela peut paraître invraisemblable, mais, au fond, c'était de la part des Japonais un calcul assez adroit. Qui pourrait se douter que le cargo venait de s'amarrer tranquillement à l'entrée de la rivière de Saigon, en vue du cap Saint-Jacques, au milieu de nombreux autres navires de commerce immobilisés, eux aussi, par l'intensification de la guerre aéronavale? Naturellement, pendant ce long périple, le nom du navire avait été changé, le cargo lui-même avait été plus ou moins camouflé et son pavillon avait cessé d'être anglais...

» Quelle était la situation de l'Indochine quand le vieux navire vint faire escale dans ses eaux territoriales? A la suite du traité signé avec le Haut-Gouverneur de l'époque, représentant le gouvernement de Vichy, l'Indochine n'était pas en guerre avec le Japon. Elle conservait même une certaine autonomie à condition que les Japonais y eussent un « droit de passage » pour leurs troupes se rendant en Chine : cette Chine de Tchang Kaï-chek qui sut résister alors avec une admirable opiniâtreté à son redoutable envahisseur. Dès lors, le cargo quelconque pouvait très bien faire partie de cette flotte d'autres cargos japonais, chargés de matériel divers : il retrouvait, dans des eaux plus calmes, un nouvel anonymat. Et pendant ce temps, toutes les marines alliées du monde le recherchaient...

» Naturellement aussi, son équipage australien avait été débarqué avant l'arrivée dans les eaux indochinoises et emmené à Singapour dans un camp de prisonniers où il resta jusqu'à la fin des hostilités. Je dois cependant vous signaler que, pendant l'interminable traversée, le commandant prisonnier eut à subir de la part de ses geôliers les pires des traitements qui allèrent même jusqu'aux tortures physiques : étant le seul à savoir où se trouvait, caché à bord, le fameux document, il devait parler à tout prix, fût-ce celui de son sang et de sa vie. Malgré les tortures, ce marin héroïque sut rester muet. L'équipage de prise japonais étant restreint, il fut décidé que l'on attendrait que le navire fût enfin ancré dans les eaux calmes pour que des équipes spécialisées se missent à un minutieux travail d'inspection, et — s'il le fallait — de découpage méthodique du navire pour y retrouver l'objet essentiel de la prise. Le lendemain de l'arrivée du navire devant le cap Saint-Jacques, une équipe fut amenée à bord mais elle n'eut guère le temps de faire un travail profitable, car ce fut le moment précis que choisirent les U.S.A. pour faire leur première apparition dans ces parages encore relativement paisibles.

» Apparition courte mais fulgurante qui se réduisit à un raid-éclair de quelques bombardiers venus d'un porte-avions pour prouver aux Japonais qu'à l'avenir ils ne seraient tranquilles nulle part et à la population de la Cochinchine que, désormais, elle devrait compter — qu'elle le voulût ou non — sur les forces américaines du Pacifique. En quelques minutes, les bombardiers coulèrent et envoyèrent au fond de l'estuaire un certain nombre de navires qui furent les premiers à boucher partiellement le chenal permettant d'accéder à la rivière de Saigon. Parmi ces navires se trouvait « notre » cargo...

» Nous nous sommes souvent demandé quelles ont été les véritables raisons qui ont motivé un tel raid de la part des U.S.A. Le légitime sentiment de représailles, sur tous les fronts où l'ennemi était vulnérable, pour contrebalancer dans l'esprit du public américain l'effet moral qu'avait produit le désastre sans précédent de Pearl Harbour ? C'est possible mais ce n'est pas certain... Nos services ont longtemps pensé que ce bombardement n'avait été décidé qu'à la suite d'une demande pressante de l'Amirauté britannique, dont toutes les forces aéronavales étaient engagées dans d'autres batailles et qui aurait signalé à ses alliés l'urgente nécessité d'envoyer par le fond le navire transportant le précieux document dans ses flancs ? S'il en fut ainsi, les aviateurs U.S.A. ne firent preuve d'aucun discernement dans leur « lâcher » et trouvèrent plus sûr de couler tout ce qui était encore à la surface, à l'entrée de l'estuaire : ce fut la méthode de la « table rase »... Mais des événements ultérieurs nous inciteraient plutôt à conclure qu'en réalité les U.S.A. auraient appris, à l'insu de leurs alliés anglais, par le *C.I.A.*, la présence du document dans le cargo et auraient préféré faire tout disparaître plutôt que de savoir le Royaume-Uni en possession d'un élément essentiel qui lui permettrait d'acquérir ultérieurement — et avant même qu'eux, Américains, eussent réussi à terminer leurs propres expériences d'essais nucléaires — la maîtrise absolue dans le domaine atomique. On peut s'attendre à tout de gens qui se prétendent vos alliés!

» Après ces événements, imprévus, les Japonais, dont les affaires commençaient à aller mal, eurent des soucis plus pressants que celui de tenter de renflouer l'épave et ceci d'autant plus que l'opération se révélait longue et coûteuse : l'enchevêtrement des différents navires coulés au fond du chenal était inextricable. Le mieux était donc d'attendre des jours plus calmes. Mais ceux-ci ne vinrent pas pour l'envahisseur nippon : les choses empirèrent jusqu'à la complète débâcle qui fut sanctionnée par la capitulation sans conditions des forces du Mikado, le 10 août 1945, acceptée après le lancement des premières bombes atomiques américaines sur Hiroshima et Nagasaki. Ce fut alors que les troupes de Leclerc libérèrent complètement l'Indochine de ceux qui avaient transformé leur « droit de passage » pour la Chine en occupation totale.

» L'une des toutes premières préoccupations du Haut-Commissaire français, nommé aussitôt par le gouvernement de la IVe République, fut de faire dégager le chenal de la rivière de Saigon qui empêchait l'accès du port de la capitale de la Cochinchine à tout navire de fort tonnage. Comme cela se passe presque toujours, il fut décidé que ce travail de renflouement et de démolition des épaves serait confié à des compagnies privées et spécialisées. Le gouvernement français procéda par adjudication : la société qui ferait l'offre financière la plus importante se verrait confier le travail. Quatre compagnies civiles se présentèrent en quelques jours : une compagnie anglaise — ce qui ne doit pas vous surprendre! — une compagnie italienne, une compagnie russe et une compagnie française : celle où vous vous trouvez en ce moment et dont M. Ekko est le président avisé. Cet afflux de candidatures de compagnies, appartenant à des pays aussi divers, n'étonna pas trop notre gouvernement qui prit soin de spécifier — comme cela se pratique généralement quand il s'agit d'épaves gênantes entravant la circulation maritime — que tout document trouvé à bord après le renflouement, tel le livre de bord au cas où le commandant du navire coulé n'aurait pas eu le temps de le détruire ou un document d'intérêt essentiel pour la défense maritime, serait remis aux autorités militaires ou douanières dès que l'épave serait remontée à la surface.

» Cette réserve classique — connue dans toutes les marines du monde — fut faite intentionnellement avec beaucoup de discrétion, sans que notre gouvernement parût y attacher une importance particulière. Ceci, sur nos conseils : la plus grande erreur aurait été, en effet, d'attirer trop l'attention sur la nature et surtout sur la valeur d'un certain document... Mais le seul fait que les Anglais, les Italiens et les Russes se montraient brusquement amateurs d'épaves de vieux navires — coulés depuis plusieurs années déjà dans nos eaux territoriales — prouvait que les services de renseignement ou d'espionnage étrangers étaient tout aussi bien renseignés que les nôtres! Parmi ces épaves, il n'y en avait qu'une — vous devinez aisément laquelle — dont la prise intéressait vraiment tout le monde!

» Il peut paraître étrange qu'à cette époque il ne se présentât pas, parmi les compagnies candidates, une société de renflouement japonaise, mais ceci était normal si l'on pense à l'état d'anéantissement total où se trouvait alors la marine japonaise après sa défaite; elle ne possédait plus le matériel lui permettant d'entreprendre un pareil travail. De plus, la paix définitive n'était pas encore signée avec le

Japon qui était occupé par les troupes américaines et toujours considéré comme un pays ennemi. Quant aux U.S.A., ils parurent alors se désintéresser complètement de la question : ceci s'explique très bien aussi par le fait qu'à cette époque ils se savaient non seulement les seuls possesseurs de la bombe atomique mais surtout parce qu'ils croyaient avoir une telle avance dans ce domaine qu'aucun autre pays ne pourrait les rattraper! O, douces illusions du Pentagone!

» Il n'y avait donc que les Anglais, les Italiens, les Russes et les Français : ce qui était d'ailleurs suffisant! Et vous comprendrez que les hésitations de notre gouvernement furent grandes! Confier à un pays étranger, même sous le couvert d'une compagnie strictement civile, le soin de renflouer ces épaves et, parmi elles, une dont les flancs conservaient un secret fantastique, était excessivement risqué... Il fallait trouver une formule habile... Nos Services, consultés, en suggérèrent une qui, en fin de compte, fut adoptée.

» Il fut décidé que l'estuaire de la rivière, et par voie de conséquence le chenal, serait divisé en quatre secteurs bien distincts réservés respectivement à chacune des compagnies: l'anglaise, l'italienne, la russe et la française... Mais avant que cette décision ne fût rendue officielle, des experts qualifiés de notre Marine Nationale avaient effectué, dans le plus grand secret, des sondages et des repérages qui nous avaient permis de situer approximativement — dans l'enchevêtrement de carcasses couchées par quinze mètres de profondeur — où se trouvait l'épave intéressante. Et ce fut, naturellement, ce secteur qui fut attribué à la C.I.R.M... Charité bien ordonnée commence par soi-même, n'est-ce pas?

— Vous n'allez tout de même pas me faire croire que les compagnies étrangères ont été dupes d'un tel marché?

— Eh bien, mon cher, elles acceptèrent ce compromis qui

semblait vouloir faire plaisir à tout le monde! Seulement votre remarque est pertinente : le seul fait qu'Anglais, Italiens et Russes aient acquiescé avec une telle spontanéité aurait dû nous laisser rêveurs... Malheureusement, comme toujours en pareil cas, nous avons voulu aller trop vite, étant convaincus que nos techniciens étaient infaillibles! Un autre facteur aurait dû également nous mettre sur nos gardes : alors que les Anglais et les Italiens — grands spécialistes de ce genre de travail — avaient soumis à notre gouvernement des devis étudiés en fonction du travail très difficile à effectuer, les Russes, eux, présentèrent un devis qui revenait exactement à moitié prix de ceux proposés par les trois autres, la C.I.R.M. comprise! Il y eut d'abord un moment de stupeur, puis de nouveaux calculs furent effectués avant que les représentants de notre gouvernement ne demandassent aux techniciens de la compagnie russe comment ils s'y prenaient pour arriver à des prix aussi bas et donc aussi avantageux pour nous.

» Il nous fut répondu, par l'intermédiaire de l'attaché commercial d'une ambassade de l'U.R.S.S., que tout cela était normal parce qu'aussi bien les Anglais que les Italiens et les Français, représentés par la C.I.R.M., étaient contraints de faire venir de très loin, c'est-à-dire de Portland, de Gênes et de Brest le matériel nécessaire. Ce qui coûte cher en effet dans les opérations de renflouage — vous le savez aussi bien que moi — ce ne sont pas tellement les travaux proprement dits mais le transport et le remorquage du matériel pour l'amener à pied d'œuvre, c'est-à-dire à l'endroit exact où se trouvent les épaves. Les Russes nous firent comprendre, cartes marines en main, qu'il leur était très facile de faire passer leurs remorqueurs, leurs navires-ateliers et leurs radeaux munis de flotteurs, directement par le détroit de Behring : ce qui réduisait considérablement la distance et, par voie de conséquence, le montant du devis.

— Le gouvernement français a accepté l'explication?

— C'était très difficile de la refuser à cette époque! N'oubliez pas que nous avions alors une sérieuse dette de reconnaissance à l'égard de l'U.R.S.S. qui nous avait retiré, ainsi qu'à tous les Alliés, une épine du pied en absorbant littéralement l'armée allemande dans des batailles héroïques et gigantesques! Les Russes eurent donc droit, comme les autres et pour un prix très inférieur, à leur secteur de chenal... Voilà, mon cher Burtin, où nous en étions après que l'Indochine fut redevenue française...

— Et les travaux commencèrent?

— Les accords étaient signés et le matériel allait se mettre en route en partant de ses divers ports d'attache anglais, italien, russe et français quand de nouveaux événements graves vinrent à nouveau tout bouleverser...

— La guerre d'Indochine?

— Exactement! Vous savez ce qu'elle fut : interminable, implacable, ruineuse... Il n'était plus question, alors qu'il fallait d'abord lutter partout contre un adversaire farouche, de procéder au renflouement d'épaves...

Le colonel venait d'ouvrir le dossier posé sur la table :

— Regardez ces photographies : ce sont celles de navires de guerre français, coulés par les Japonais au moment où ils occupèrent l'Indochine et dont les mâts émergent de l'eau. Elles ont été prises précisément à l'entrée de la rivière de Saigon. Il n'est pas un combattant de la guerre d'Indochine qui ne les ait vues, s'il a remonté sur des navires à faible tirant d'eau la rivière jusqu'à Saigon, et qui ne puisse vous dire que ces épaves ont considérablement gêné pendant les années qu'a duré cette guerre, de l'automne 1947 à la fin des hostilités le 21 juillet 1954, la navigation dans le chenal. Vous pensez bien que si l'on n'a pas pu se débarrasser de ces navires à demi coulés et reposant par sept mètres de fond, il ne pouvait être question de renflouer les épaves des cargos enlisés à quinze et même à dix-sept mètres de profondeur ! Une fois encore, comme cela s'était passé pour les Japonais, il fallait attendre le retour de la paix. Quand elle vint, la France n'avait plus rien à faire en Indochine et les eaux territoriales qui nous intéressent cessèrent d'être françaises pour appartenir à la République Indépendante du Viêt-Nam.

— Tout cela est à la fois fantastique et insensé !

— Connaissez-vous beaucoup de guerres qui soient fondées sur la logique ? Le gouvernement vietnamien n'eut plus qu'un souci : tenter de construire une économie durable. Parmi les mille et une entraves qui gênaient ce rétablissement indispensable, se trouvaient toujours les maudites épaves qui continuaient à obstruer dangereusement le chenal donnant accès à la vie maritime de la nouvelle capitale : Saigon. Les contrats, qui avaient été établis en 1946 entre le gouvernement de la IVe République d'une part et les quatre compagnies civiles précitées furent repris et acceptés, de part et d'autre, avec cette sensible différence que si les signataires en furent les compagnies civiles anglaise, italienne, russe et notre C.I.R.M., le gouvernement français fut remplacé par celui, vietnamien, du président Ngô Dinh Diem... Les conditions ne furent pas modifiées et si l'une ou l'autre des entreprises de renflouement découvre, dans une épave, des documents, ceux-ci devront être remis maintenant, non pas aux autorités françaises, mais aux autorités vietnamiennes.

— Les travaux ont enfin commencé ?

— Il y a deux mois... Le matériel est arrivé d'Angleterre, d'Italie, de Russie et de France... Ceux que j'appellerai « nos chers amis » sont tous actuellement sur place, chacun dans leur secteur... et ils travaillent ! Le président Ekko peut vous dire qu'en ce qui concerne la C.I.R.M., les travaux progressent...

— Puisque cette C.I.R.M., c'est un peu la France, vous

devriez plutôt être satisfait de la tournure finale qu'ont pris les événements ?

— Nous le serions sans aucun doute si, une certaine épave ayant été renflouée dans le secteur réservé à la C.I.R.M., celle-ci y trouvait ce que nous cherchons... Malheureusement, notre cher président m'a transmis — voici quelques semaines — une communication de la plus haute importance : après de nouveaux sondages et repérages très précis cette fois, les excellents techniciens de sa compagnie sont arrivés à la regrettable conclusion que la seule épave de cargo qui nous intéresse vraiment ne se trouve pas dans le secteur « dit » français mais dans le secteur voisin : celui des Russes !

— Ce n'est pas vrai ?

— Si vous voulez consulter les rapports, ils sont dans ce dossier...

— Mais enfin, il n'est pas possible que les spécialistes de la Marine Nationale se soient trompés à ce point avant que l'on ne répartisse les secteurs !

— Mon cher Burtin, dans le domaine toujours mystérieux de la mer, nul n'est infaillible, qu'il soit sorti premier de l'École Navale ou, comme vous, troisième du Génie Maritime ! Les preuves sont là, dans le dossier : irréfutables !

— C'est fou !

— Ça l'est en effet...

— Le gouvernement vietnamien est-il, lui aussi, renseigné sur l'existence du document dans l'épave ?

— Ne sous-estimons pas les qualités des Asiatiques : leur finesse et leur subtilité naturelles les incitent à une méfiance permanente... Ce sont des gens qui subodorent les choses... La seule certitude que je puisse avoir est qu'au moment où notre gouvernement a passé la main, il s'est bien gardé — après avoir consulté nos Services — de parler du document! Il s'est contenté de faire valoir l'intérêt straté-gique qu'il y aurait à se débarrasser de ces épaves gênantes pour la navigation. Seulement, si j'avais été à la place des Vietnamiens, je me serais dit en voyant que l'afflux d'ama-teurs pour les travaux de renflouement ne diminuait pas : « Que cherchent donc ces sociétés privées anglaise, italienne, russe et française ? » Et je me serais méfié... Ce que je puis vous dire aussi — et que nous tenons de rapports récents — est que les vedettes rapides de la police vietnamienne sont très actives depuis que les différentes équipes internationales sont arrivées sur place. Chacune est étroitement surveillée en permanence — jour et nuit — par un navire vietnamien qui tourne sans arrêt autour des « chantiers de ren-flouement » en décrivant sur l'eau de gracieuses ara-besques... Les Vietnamiens sont à l'affût : ne possédant pas les moyens techniques d'entreprendre de tels travaux, ils attendent — avec une patience qui est le propre même de leur tempérament — le moment où les épaves émergeront. Et vous pouvez être certain qu'à chaque fois qu'une épave apparaîtra, leur police se précipitera pour faire respecter l'accord qui veut que « tout document de bord soit remis aux autorités du pays propriétaire des eaux territoriales »... Ce qui ne veut pas dire qu'ils trouveront obligatoirement quelque chose ! Tout dépendra de l'habileté des différentes équipes... Vous savez aussi bien que moi que l'on ne trouve dans une épave que ce que l'on veut bien y trouver ! Le président peut vous garantir que si, par bonheur, l'épave nous intéressant avait réellement été dans le secteur dévolu à sa compagnie, il y aurait eu peu de chances pour que le document fût remis aux Vietnamiens et beaucoup plus pour qu'il échouât entre les mains de l'un de nos agents ! Sur ce point, nous devons également faire confiance absolue aux techniciens russes !

— En somme, ils opéreront comme les Français l'auraient fait ?

— Exactement... Comme les Français, comme les Anglais et comme les Italiens! Chacun travaille pour soi!

— Vous avez l'impression que les Anglais et les Italiens sont aussi bien renseignés que vous maintenant sur l'emplacement exact de l'épave?

— Ils le sont, n'en doutez pas!

— Alors, pourquoi restent-ils sur les lieux?

— Officiellement, pour renflouer d'autres épaves... Il y en a tellement! Mais officieusement, ils sont surtout là en observateurs... En gens qui veulent voir ce qui se passera quand le cargo australien, camouflé par les Japonais, émergera par la grâce des Russes...

— Que pourront-ils faire?

— Beaucoup de choses! Mais il est très possible que nous les devancions!... Et c'est l'unique raison pour laquelle nous avons fait appel à votre compétence.

— Je ne vois pas?

— Vous verrez dans quelques instants à condition que vous nous disiez, maintenant que je vous ai révélé l'essentiel, si vous acceptez d'être notre homme?

— Permettez-moi de vous faire remarquer qu'il manque un chaînon à votre belle histoire... Vous m'avez raconté la triste destinée du deuxième exemplaire disparu en plein vol avec l'avion qui le transportait, ainsi que celle du troisième exemplaire qui se trouverait actuellement — selon certaines probabilités — dans une coque rouillée au fond de l'eau... Mais vous n'avez pas terminé l'odyssée du premier exemplaire que nous avons laissé, si mes souvenirs sont exact, dans la cave de la villa d'un clergyman, aux environs de Melbourne... Il me semble que la récupération de ce document serait de loin la plus aisée?

— Malheureusement, cher ami, il y a longtemps que ce premier exemplaire n'est plus dans sa cachette! Le soir même où le cargo appareillait discrètement de Port-

Adélaïde en emportant le troisième exemplaire, le coup de téléphone — dont le texte laconique avait été révélé à l'avance au clergyman — lui fut donné. Et cela voulait dire : « Détruisez immédiatement le document! Les Japonais débarquent en Australie. » Nous savons qu'ils n'y ont jamais mis les pieds, mais le saint homme, conscient de la grave mission qui lui avait été confiée et n'écoutant que son devoir de patriote, brûla immédiatement le document. Ce geste accompli, il crut également de son devoir — sans cependant préciser d'où il tenait ses sources d'information — d'avertir ses voisins que des événements graves se préparaient... Mais, comme il ne se passa absolument rien, vous pouvez vous douter que le malheureux clergyman dut recevoir de chaleureuses félicitations pour la rapidité de son geste!

» Longtemps nous nous sommes demandé d'où avait bien pu venir un tel appel téléphonique... Des espions japonais, résidant en Australie? Ceci paraît peu probable : en admettant même qu'ils connussent non seulement l'existence de cet exemplaire, mais aussi le lieu exact de sa cachette, ils n'auraient eu aucun intérêt à agir ainsi! Mieux valait pour eux tenter de s'approprier le document : la manœuvre aurait été infiniment moins hasardeuse que l'arraisonnement du cargo! Non, ce ne pouvait être l'ennemi... Un mauvais farceur alors? Il semble bien douteux que celui-ci ait pu connaître la teneur exacte du message téléphonique prévu. Et personne n'avait envie, à cette époque, de plaisanter de la sorte en Australie! Finalement, il ne reste qu'une seule solution acceptable : c'est que ce soit l'*Intelligence Service* lui-même qui ait décidé de faire disparaître cet exemplaire aussitôt après que le cargo, qui en transportait un autre, eut quitté le continent australien. Il fallait donc pour cela que nos alliés fussent intimement convaincus que leur ruse réussirait et que le navire atteindrait, sans encombre, sa destination. S'il en a été ainsi, on peut dire que nos « confrères » britanniques se sont montrés là trop légers par excès d'optimisme : ce qui n'est guère dans leurs habitudes.

» En tout cas, il est certain que le clergyman a réduit en cendres l'exemplaire qui lui avait été confié et dont il ignorait peut-être même la fantastique importance! S'il nous fallait conclure, il ne reste qu'un seul exemplaire au monde et il dort, là où d'autres que nous risquent de le trouver prochainement.

— Et si, par une circonstance qui — après tout — ne serait pas beaucoup plus extraordinaire que toutes celles que vous venez d'évoquer, ce troisième et unique document restant ne se trouvait pas dans le cargo?

— Il y est, Burtin! Soyez-en sûr! Avant de mourir des suites des tortures qui lui avaient été infligées par les Japonais pour le faire avouer, le commandant australien du cargo l'a certifié à l'un des codétenus de son équipage dans le camp de représailles où ils avaient été enfermés à Singapour.

— Et le codétenu a survécu, lui?

— Jusqu'à la libération de Singapour : ce qui lui a permis de faire cette révélation aux officiers anglais qui n'ont pas manqué alors de l'interroger.

— Ils ont donc pu obtenir des précisions sur l'endroit exact du navire où le document était caché?

— C'est probable mais ce n'est pas certain! De toute façon, cela ne leur rendait pas le navire qui est toujours immergé par quinze mètres de fond... Une autre raison, à mon avis infiniment plus valable, devrait vous faire croire sans hésitation à la présence du document dans la coque coulée : le fait que les Anglais, les Italiens, les Russes et nous-mêmes par l'intermédiaire de la C.I.R.M., nous nous sommes tous précipités pour offrir nos bons offices dans le renflouement d'épaves qui, en elles-mêmes, n'offrent qu'assez peu d'intérêt!

— Là, je ne suis pas du tout de votre avis! Si elles sont bien menées, ces opérations de renflouement sont toujours rentables, ne serait-ce que par la récupération du cuivre, du fer et du plomb. Ajoutez-y les diesels qu'il n'y a qu'à laver à l'eau douce avant de les démonter et de les mettre dans la graisse, ou les moteurs électriques, qui ne se détériorent pas dans l'eau de mer et qui peuvent fonctionner à nouveau au bout de vingt-quatre heures si l'on se donne la peine de les faire sécher et de les réchauffer dans un four.

— Nous savons que vous êtes un remarquable technicien... Aussi attendons-nous toujours votre réponse.

— C'est oui, dit doucement l'ingénieur.

— Le contraire m'eût étonné de votre part! Vous êtes comme moi, Burtin : vous ne pouvez pas résister à l'aventure, à condition qu'elle s'annonce exceptionnelle! Et celle-ci promet de l'être! Inutile, cher ami, de nous serrer la main pour sceller cet accord puisque nous l'avons déjà fait... Et venons-en tout de suite à l'exécution de notre plan : vous partez demain...

— Déjà?

— Il faut agir vite, très vite! Vous prendrez demain matin, à Orly, l'avion d'Air-France qui vous déposera après-demain soir sur l'aérodrome de Tan-Son-Nhut, situé à dix kilomètres de Saigon. Voici votre passage déjà retenu...

Après avoir sorti du dossier le billet d'avion, il poursuivit :

— A votre descente d'avion, vous serez reçu avec tous les honneurs qui vous sont dus par l'attaché culturel de l'ambassade de France et peut-être par un sous-secrétaire aux Arts de la jeune République vietnamienne... Pour une réception, je vous promets que c'en sera une!

Après l'avoir écouté avec un ahurissement grandissant, l'ingénieur demanda :

— Mais... pourquoi tout cela?

— Parce que vous êtes brusquement devenu un personnage illustre! Vous ne me croyez pas? Regardez ces journaux de Saigon, parus cette semaine et qui viennent de nous parvenir... Puisque vous savez le vietnamien, vous pouvez lire les articles qui vantent votre œuvre, et annoncent votre arrivée pour après-demain... Regardez ces photos : c'est bien vous n'est-ce pas?

— On le dirait...

— Vous emporterez tout cela avec vous pour prendre connaissance de cette presse dithyrambique pendant le voyage : ainsi vous vous rendrez mieux compte de l'homme que vous êtes!... Voici votre carte d'identité et votre passeport : tout est en règle...

L'ingénieur prit les pièces qu'il lui tendait mais dès qu'il eut jeté un regard sur la première page du passeport, il s'écria :

— C'est une plaisanterie?

— C'est très sérieux au contraire! A dater de cette minute et « jusqu'à désormais », comme on dit dans l'armée, vous êtes Jacques Fernet, artiste peintre...

— Il n'y a plus de Pierre Burtin?

— Volatilisé, Burtin, évanoui!

— Et je peins!

— Vous peignez!... depuis des années! Vous êtes le grand peintre des rizières, de la plaine des Joncs, du delta du Mékong, des ciels bas, des horizons bouchés, des lendemains de pluie, des attelages de zébus archaïques, des marais infestés de moustiques, de tout ce qui fait la couleur du Sud-Viêt-Nam... Si la comparaison vous paraît flatteuse, vous êtes en somme le nouveau Gauguin d'Extrême-Orient...

— Mais je n'ai jamais tenu un pinceau de ma vie!

— Aucune importance! Tout le monde sait peindre à

notre époque! Sans me rallier à la formule publicitaire qui affirme que « si vous savez écrire, vous pouvez dessiner », je ne crains pas de vous certifier qu'un ingénieur peut toujours devenir un peintre tandis que le contraire n'est pas certain! Et vous n'allez pas me dire qu'un brillant troisième du Génie Maritime ne connaît rien au dessin industriel et n'a jamais fait de croquis?

— Vous êtes terrible!

— Je suis logique... Et la logique veut que quelqu'un qui sait faire un croquis est toujours capable de le barbouiller ensuite de couleurs : donc vous êtes peintre!

— Vraiment...

— Vous êtes l'illustre Jacques Fernet, artiste français dont la célébrité est devenue immense au Viêt-Nam... On construit vite la réputation d'un peintre aujourd'hui! Ça ne dure pas toujours mais, sur le moment, ça fait du bruit! Je reconnais que vous êtes beaucoup moins connu en France qu'au Viêt-Nam : on vous ignore même complètement ici, mais cela n'a aucune importance! Ce qui compte est que vous soyez archicélèbre là-bas...

— Parce que je suis « célèbre » depuis longtemps à Saigon?

— Depuis deux mois... Exactement depuis le jour où vous avez répondu à notre petite annonce.

— Ce jour-là, vous étiez donc déjà sûr que j'accepterais? Ce jour-là aussi vous avez décidé que je serais « peintre »?

— Mais oui... En deux mois, nos services ont fait de l'excellent travail : vos œuvres ont littéralement submergé la Cochinchine... J'entends dans les lieux où souffle, sinon l'esprit, du moins le désir de nouvelle culture asiatique... Il n'y a pas une galerie de Saigon ou un bazar de Cholon qui n'ait mis son point d'honneur à exposer une ou même plusieurs toiles de Jacques Fernet!

— Parce que j'ai beaucoup produit?

— Énormément! Vous êtes un artiste prolifique! Voici d'ailleurs, dans ce dossier annexe, la liste complète des œuvres dont vous êtes déjà l'auteur... Liste accompagnée d'excellentes photographies en couleurs de chaque toile qui vous permettront, également pendant le voyage, de découvrir votre production... En quelques semaines, nous avons répandu environ deux cent toiles!

— Mais c'est de la démence!

— Je ne le pense pas... Le succès prouve le contraire : la moitié de ces toiles au moins a déjà été achetée par des amateurs éclairés... Les gens sont ainsi faits qu'ils adorent être les premiers à s'extasier sur de nouveaux talents! Il n'y a pas un seul de vos acheteurs vietnamiens qui ne se dise : « Ce garçon-là vaudra dix fois plus cher dans un an. Précipitons-nous! » C'est là une forme de spéculation bien connue... Donc vous êtes célèbre là où nous vous envoyons : c'est exactement ce que nous voulions!

— Et après?

— Après? Cette célébrité, mon cher, sera pour vous le plus sublime des paravents! Comprenez-moi bien : officiellement, vous partez demain avec la qualité rare d'ambassadeur extraordinaire de l'art pictural français... Tout le monde vous soutient : les Relations Culturelles, les Beaux-Arts, la propagande officielle... Vous êtes un grand bonhomme qui se rend au Viêt-Nam pour deux raisons : le lendemain de votre arrivée, vous assisterez au vernissage d'une exposition très complète de vos œuvres maîtresses qui aura lieu dans l'une des plus grandes galeries de Saigon. Comptez sur nous : tout le ban et l'arrière-ban sera là! Ce gala terminé, vous annoncerez à la presse dans une émouvante déclaration que vous êtes surtout venu dans ces lieux enchanteurs pour vous rendre compte sur place si les paysages que vous avez peints sur vos toiles ressemblent à la réalité.

— Qu'est-ce que vous me racontez là?

— Vous êtes long à comprendre, Burtin... Pardon Fernet, Jacques Fernet! Vous êtes un artiste qui a travaillé un peu comme le grand Utrillo dans les dernières années de sa vie : vous avez peint uniquement d'après des cartes postales ou des photographies... Car vous n'avez encore jamais mis les pieds au Viêt-Nam! C'est là où est le miracle prodigieux de votre peinture! Vous êtes en somme une sorte d'imaginatif qui a l'honnêteté rare de vérifier si son imagination ne l'a pas emporté trop loin de la réalité... D'ailleurs, quand vous lirez dans l'avion tous les articles qui vous ont déjà été consacrés, vous pourrez constater que les plus éminents critiques de là-bas rendent hommage à votre probité... Il n'y en a pas un qui, sachant votre venue prochaine, ne formule le souhait de vous voir séjourner le temps nécessaire au Viêt-Nam pour que vous puissiez peindre, non plus d'imagination, mais sur le vif. Et tous s'accordent pour dire que la courageuse expérience ainsi tentée risque de faire naître un « Jacques Fernet seconde manière ». C'est pourquoi vos toiles de la première s'arrachent! Avouez que tout cela n'est pas si mal combiné?

— Vous êtes un homme inouï!

— Donc vous restez là-bas pendant les quelques semaines ou même les quelques mois qui vous seront nécessaires pour renouveler votre inspiration créatrice... Et vous déambulez un peu partout muni de votre chevalet et de votre boîte à pinceaux. Très vite, vous deviendrez le Français le plus populaire du Viêt-Nam où les gens diront : « En voilà enfin un qui ne vient pas chez nous pour faire la guerre ou du commerce... Il n'a que des visées artistiques. » Et vous serez traité en ami... On ne se méfiera pas de vous, on ne prêtera même plus attention à vos allées et venues... Ce sera le moment où votre mission « officieuse » pourra entrer dans sa phase active...

— En quoi consistera-t-elle exactement?

— Vous continuerez à peindre...

— Ce sera tout ?

— Il y a façon et façon de peindre... On vous l'apprendra sur place.

— Qui ?

— Peu importe! L'essentiel pour vous est que l' « on » vous attende à l'aérodrome ou l' « on » saura se faire reconnaître quand il sera temps!... Je crois, cher ami, que nous avons épuisé le sujet de notre entretien... Ah, si! j'oubliais... Un point qui, pour vous, a une importance primordiale : le contrat qui vous lie à la C.I.R.M... Mais ceci n'est plus de mon ressort : je m'efface devant le président de la compagnie...

Mathias Ekko sortit d'un tiroir deux contrats, préparés à l'avance sur papier timbré :

— Si vous voulez bien prendre connaissance des différentes clauses, vous pourrez constater qu'elles sont strictement conformes à ce que je vous ai déjà dit...

Après avoir lu sans hâte, l'ingénieur fit la remarque :

— Tout me semble parfait à l'exception d'un détail qui a tout de même son importance : sur ce contrat je porte mon véritable nom Pierre Burtin et je ne m'appelle pas Jacques Fernet.

— C'est normal. Pour que le contrat soit valable, il ne peut être établi qu'entre l'authentique Pierre Burtin d'une part et ma compagnie de l'autre... C'est là votre plus grande garantie. Le nom d'artiste que vous ont attribué les services du colonel Sicard n'a qu'une valeur de camouflage mais nullement juridique.

— Autrement dit, si je comprends bien, c'est la C.I.R.M. qui engage et qui rétribue Pierre Burtin alors que le peintre Jacques Fernet « travaille » pour une mission spéciale ?

— Exactement.

— Après tout, je veux bien...

— Vous êtes d'accord sur toutes les clauses du contrat qui vous lie à la C.I.R.M. ?

— Je suis d'accord.

— Dans ce cas, vous n'avez plus qu'à apposer votre signature précédée de la mention « lu et approuvé » au bas de l'un de ces exemplaires pendant que j'en fais autant sur l'autre...

Les deux hommes signèrent en silence, sous le regard impassible du colonel. Dès que les contrats furent échangés, le président reprit :

— Voici maintenant, comme c'est formellement prévu à la clause 7, un chèque représentant le montant intégral de votre première année de collaboration chez nous. Nous avons pensé qu'il vous serait agréable de savoir que vous avez une somme importante à votre compte en banque avant votre départ... Pour vous ce sera une sorte de garantie et de tranquillité morale.

— Vous devez bien vous douter, cher ami, ajouta le colonel, que mes services n'auraient pas la possibilité de justifier vos appointements... Car personne ne doit savoir que vous travaillez à nouveau pour nous! C'est pourquoi nous sommes très reconnaissants au président Ekko de ce qu'il ait consenti à vous accepter en surnombre dans les cadres supérieurs de sa compagnie. Si jamais des indiscrets — et Dieu sait s'il en existe dans « nos professions »! — essayaient de savoir s'il n'y aurait pas par hasard un certain Jacques Fernet, artiste-peintre, sur les registres de paye de la C.I.R.M., ils en seraient pour leurs frais en n'y découvrant qu'un certain Pierre Burtin, ingénieur... De même, dans nos fichiers à nous — qui sont infiniment plus difficiles à consulter — il n'y aura trace ni du grand peintre Jacques ni du brillant ingénieur Pierre... Vous n'y êtes même plus étiqueté sous le N° 2 884... Quand on arrive à ce numéro, on lit, comme pour moi qui fus le 192, cette petite mention : « Définitivement rayé des cadres. »

— Donc, je ne suis vraiment que le peintre?

— Jusqu'au jour où vous reviendrez ici pour ne redevenir que l'ingénieur. Tout cela est clair?

— Il me semble...

— Permettez-moi de vous donner un conseil : allez toucher immédiatement ce chèque à la banque... Il n'est pas barré intentionnellement. Mais ne dépensez pas trop vite tout cet argent. Il est vrai que vous n'avez qu'une nuit devant vous puisque vous partez demain matin... Vous serez obligé d'être raisonnable malgré vous... Et vous verrez comme cela vous sera agréable de retrouver un solide compte en banque à votre retour...

— Qui aura lieu quand à votre avis, mon colonel?

— Je vous l'ai dit : dans quelques semaines ou quelques mois tout au plus... Cela dépendra de la quantité et surtout de la « qualité » des toiles nouvelles que vous aurez peintes là-bas...

— Ne devrais-je pas plutôt me dire que du moment que la C.I.R.M. pousse la magnanimité jusqu'à me régler à l'avance une année complète d'appointements, cela signifie qu'elle ne compte pas me voir revenir avant?

— Ne soyez pas pessimiste, mon petit! Si quelqu'un doit réussir plus vite que n'importe qui dans sa mission, c'est bien un garçon tel que vous qui a déjà fait ses preuves à un moment très critique au Japon... Un dernier point important : bien entendu tous vos frais de voyage, de séjour là-bas et de déplacements éventuels vous sont réglés en plus de vos appointements.

— Devrai-je établir des notes de frais?

— Surtout pas! Moins il y aura de paperasse entre nous et mieux cela vaudra... Toutes vos dépenses courantes vous seront remboursées au fur et à mesure par la personne qui vous accueillera à l'aérodrome et qui vous donnera les dernières instructions sur place... Ne vous frappez surtout pas si cette personne ne se manifeste pas dans les premières minutes qui suivront votre arrivée à Saigon : elle n'agira qu'avec beaucoup de discrétion. Avez-vous d'autres questions à me poser ?

— Je ne pense pas.

— Nous allons donc vous rendre votre liberté pour vous permettre de faire vos préparatifs et aussi d'informer madame votre mère de votre décision... Bien entendu, pour elle, vous ne partez qu'à titre d'ingénieur de la C.I.R.M... Pour appuyer vos dires vous n'aurez qu'à lui montrer le contrat...

— Et je lui donnerai le chèque dont la seule vue l'enchantera bien davantage ! Il y a si longtemps qu'elle me dit que je n'ai pas une situation digne de mes capacités et qu'elle se plaint des difficultés de l'existence quotidienne !

— Une maman n'est jamais satisfaite pour son fils... Je pense aussi que l'assurance de voir ces petites difficultés écartées mettra un baume sur la tristesse d'une séparation aussi brusque... Mais expliquez-lui bien que celle-ci ne sera que de courte durée...

— Elle va me demander mon adresse là-bas ?

— Dites-lui qu'au début vous serez perpétuellement en déplacement et qu'il est préférable, si elle vous écrit, qu'elle envoie ses lettres ici au siège social de la C.I.R.M. qui vous les fera suivre.

— Libellées à quel nom, ces lettres ?

— A votre nom véritable : Pierre Burtin !

— Parce qu'elle ne doit pas savoir que je suis devenu peintre et que je me nomme Jacques Fernet ?

— Il vaut mieux pas... Elle ne comprendrait pas ! Les mamans sont adorables mais ce sont aussi d'éternelles inquiètes ! Je crois que nous avons tout prévu... Mon cher ami, il nous reste à vous souhaiter bon voyage... Je ne parle pas de la réussite finale qui me paraît encore assez aléatoire !

Mais enfin, avec vous, le président et moi avons bon espoir...

Au moment où celui qui ne serait plus que Jacques Fernet pendant des semaines et peut-être des mois allait sortir, le colonel le rappela :

— Vous êtes bien certain de n'avoir rien oublié ?

— Vous ne voulez tout de même pas que j'emporte chez moi ce dossier de l'affaire ?

— Il n'en est pas question.

— Bien que je pense avoir enregistré tout ce que vous m'avez dit, j'aurais quand même aimé le consulter.

— Ce serait du temps perdu : vous avez une excellente mémoire ! Ce n'est pas ça votre oubli... Souvenez-vous de ce que je vous ai dit au sujet de votre importante « production artistique ».

— Vous avez raison : il me faut la liste complète de « mes œuvres » et leurs reproductions photographiques.

— ... Ainsi que tous les articles de presse qui ont déjà été publiés sur Jacques Fernet. Dans l'avion, ce sera pour vous la plus agréable des lectures puisqu'elle n'est faite que d'éloges ! Voici le tout, mon cher... Et bonne route !

Quand l'avion décolla d'Orly, Jacques Fernet avait oublié Pierre Burtin... Les quelques contrôles avant le départ avaient suffi pour qu'il endossât complètement la personnalité assez inattendue que lui conférait sa nouvelle identité. Et il n'avait pas été autrement surpris lorsqu'une charmante hôtesse du service d'accueil d'Air-France lui avait dit dans le hall de l'aérogare :

— Monsieur Fernet ? Nous avons reçu des ordres pour prévenir Tan-Son-Nhut que vous preniez effectivement le prochain avion. Je crois qu'on va vous préparer là-bas une réception digne de vous.

— Vous me connaissez donc ?

— Personnellement, répondit la jeune fille en rougissant,

je dois vous avouer n'avoir pas encore eu la joie de pouvoir contempler vos œuvres mais une circulaire spéciale nous a été transmise hier soir par le secrétariat général pour nous informer qu'un grand peintre s'embarquerait aujourd'hui pour l'Extrême-Orient.

— Je suis vraiment confus, mademoiselle, que l'on attache autant d'intérêt à un simple artiste! Vous devez voir chaque jour passer ici tellement de personnalités plus importantes! Merci quand même pour toute cette gentillesse...

Et il avait rejoint le plus vite possible sa place dans le quadrimoteur où personne ne l'avait importuné jusqu'au départ.

Maintenant qu'il se trouvait entre ciel et terre, il pouvait faire enfin plus ample connaissance avec ce peintre entièrement « fabriqué » par les services de renseignement du colonel Sicard et auquel il devait donner une apparence de vérité absolue. Pour cela il commença par lire une notice biographique, publiée dans une revue d'art vietnamienne éditée à Saigon et où il apprit avec satisfaction que Jacques Fernet était né le jour de sa propre naissance — celle de Pierre Burtin — à Paris : ce qui donnait quarante ans au personnage. Il n'aurait donc aucune difficulté de ce côté-là, n'ayant nullement à camoufler son âge véritable. « Après de solides études classiques — toujours selon la biographie — le jeune homme s'était senti irrésistiblement attiré par la peinture mais une peinture très spéciale... Sans avoir jamais été en Extrême-Orient et sans avoir la moindre attache familiale avec le Viêt-Nam, Jacques Fernet avait commencé à peindre des paysages de la Cochinchine et de la presqu'île de Camau. D'où lui était venue cette attirance très particulière pour l'extrême-sud asiatique? Lui-même était bien incapable de le préciser, mais il pensait l'attribuer d'abord à des récits de missionnaires et de colons, revenus d'Indochine, qui lui avaient raconté de merveilleuses histoires sur ces régions. Ensuite il s'était passionné pour tous les livres racontant la grande aventure des rizières. Enfin il avait eu la chance insigne de se lier d'amitié avec un aîné qui était peut-être l'un des hommes ayant le plus contribué à l'épanouissement de l'École Française d'Extrême-Orient... École offrant la particularité de ne compter ni élèves ni professeurs mais seulement des chercheurs passionnés qui, en cinquante années, avaient réussi à constituer une bibliothèque orientaliste de 85 000 ouvrages, à dénombrer des millions de monuments, à déchiffrer 1 100 textes lapidaires, à rassembler plus de 50 000 objets aux musées de Hanoï et de Saigon, à restituer enfin leur antique civilisation à des peuples qui l'avait oubliée.

« Le goût de peindre, allié à une imagination créatrice prodigieuse, avait incité le jeune homme a créer sur ses toiles un Viêt-Nam de rêve où cependant il rejoignait souvent la réalité, lorsqu'il s'inspirait de photographies ou de gravures. Et un étrange phénomène s'était produit : cette œuvre imaginative déjà considérable, entièrement réalisée à des milliers de kilomètres des lieux qu'elle évoquait, venait enrichir à point le patrimoine artistique vietnamien où la peinture avait jusqu'à ce jour fait figure de parente pauvre à côté de la richesse archéologique et de l'art de la poterie.

« Le plus surprenant peut-être était que Jacques Fernet n'avait pas limité son amour inné de cette Asie du Sud à sa peinture. Il avait voulu apprendre, à l'Institut des Langues Orientales, le vietnamien, qu'il parlait couramment, n'ayant pas craint d'affirmer *qu'il lui aurait été impossible de restituer sur ses toiles le véritable climat d'une région dont il aurait ignoré la langue.* Un tel souci ne pouvait être qu'à son honneur. »

Ces révélations laissèrent l'ingénieur songeur pendant un long moment avant qu'il ne commençât à prendre connaissance de divers articles, parus dans les journaux de Saigon et vantant en termes enthousiastes non seulement son œuvre mais l'annonce de sa très prochaine arrivée au Viêt-Nam. L'un d'eux disait notamment :

« *Celui que le Tout-Saigon artistique s'apprête à recevoir comme il le mérite, pour avoir su évoquer sur ses toiles avec un art consommé et une délicatesse de touches rares nos paysages sans cependant les avoir jamais connus, se doit de rester parmi nous le temps qu'il faudra pour peindre maintenant sur le vif et peut-être aussi pour apporter à nos jeunes artistes nationaux, se cherchant encore, la flamme indispensable qui leur fera comprendre que notre pays peut offrir des sources d'inspiration aussi belles et aussi colorées que beaucoup d'autres. Dès maintenant Jacques Fernet fait figure de pionnier à l'avant-garde de la future peinture vietnamienne. Et nous devons être reconnaissants à la France d'avoir su, pour une fois, sous l'égide des Relations Culturelles, nous envoyer un ambassadeur d'une telle qualité.* »

Il y avait de quoi être de plus en plus rêveur... Pendant des heures, « Jacques Fernet » examina avec un soin méticuleux les reproductions photographiques en couleurs de la totalité de ses toiles... Chacune d'elles était accompagnée d'une courte notice, tapée à la machine, indiquant le titre de la toile, la date à laquelle elle avait été peinte, la galerie où elle se trouvait actuellement exposée dans le Viêt-Nam, ou le nom et l'adresse de son acheteur éventuel... Ce dossier insolite avait été établi avec une précision et une méthode où l'ex-agent 2 884 retrouva la maîtrise de « la vieille chouette »!

La première constatation qui s'imposait, même à un profane, était une assez remarquable unité dans la facture picturale. On ne pouvait que dire, en passant de la contemplation d'une toile à l'autre : « C'est bien dans la manière de Jacques Fernet! » Dans doute était-ce là l'un des plus étonnants miracles accomplis par les Services du colonel Sicard : il n'était pas pensable que le même homme ait pu peindre en un temps aussi rapide une telle quantité de toiles! Ce ne pouvait être là que le travail d'une équipe mais quelle équipe! Débordante d'habileté... Aucune toile ne paraissait indifférente, que ce soit ce « Crépuscule sur le Delta », « L'aurore sur la plaine des Joncs aux environs de Tan-Chan » ou même une assez surprenante « Pagode de Dalat ». Certes, il n'y avait aucun portrait, mais uniquement des paysages avec, de temps en temps, parsemées, esquissées plutôt, quelques silhouettes d'êtres vivants : un paysan conduisant son attelage de buffles, des pêcheurs sur leur jonque à fond plat et à voile rectangulaire. Il y avait surtout les sentiers solitaires où l'homme semblait n'avoir jamais passé, les villages reculés qui paraissaient engourdis dans une léthargie séculaire, les rives marécageuses de Cao Lang bordées de palétuviers et que l'on devinait infestées de moustiques... Tout cela paraissait vrai, sincère, réel. Ce « Jacques Fernet », sous l'anonymat de qui se cachaient plusieurs peintres connaissant merveilleusement leur métier, pouvait passer pour un authentique artiste!

En le désignant pour le personnifier dans l'esprit des foules, « la vieille chouette » ne s'était pas trompée : l'agent 2 884 avait une mémoire prodigieuse qui lui per-mettait — pendant ces quelques heures de voyage aérien — de découvrir et presque d'apprendre par cœur sa carrière artistique!

Quand il estima en savoir assez pour ne pas susciter de doutes, à son arrivée au Viêt-Nam, sur ses véritables acti-vités, il pensa délibérément à autre chose, revoyant en tout premier le visage de sa mère lorsqu'il lui avait annoncé son départ précipité pour l'Extrême-Orient! Mais très vite, la vieille dame avait retrouvé la sérénité : comme il l'avait laissé entendre au colonel, la vue du contrat et du chèque l'accompagnant avait produit un effet d'apaisement. Et

Mme veuve Burtin avait fini par dire dans un soupir :

— C'est très dur pour moi de te voir partir, mon petit Pierre, mais je suis heureuse que tu aies enfin une belle situation... Puisque tu me dis que ton absence ne durera que quelques mois tout au plus, je dois me montrer raisonnable.

Lui était heureux à l'idée que cette maman qui, sa vie durant, avait peiné non seulement pour l'élever dignement mais surtout pour lui permettre de poursuivre des études sérieuses, allait enfin pouvoir bénéficier d'un certain bien-être. Et, n'ayant aucune attache sentimentale sérieuse, il était parti le cœur tranquille. Une seule phrase cependant, de sa mère, l'avait ennuyé. Elle l'avait prononcée quelques minutes avant qu'il ne quittât l'appartement de la rue Vaneau pour l'aéroport :

— Quand tu reviendras, mon chéri, il faudra penser sérieusement à une chose importante : ton mariage.

— Mais enfin, mère, pourquoi voulez-vous que je me marie ? Ne sommes-nous pas très heureux ainsi, vous et moi, sans qu'il y ait une étrangère qui viennent s'immiscer entre nous et troubler peut-être cette harmonie ?

— Il y a sûrement quelque part, mon enfant, une femme très gentille, qui t'est destinée... Je comprends que tu aies hésité tant que tu n'avais pas une situation suffisante, mais maintenant, ça va être différent ! A quarante ans, il est grand temps de te marier... Je vais profiter de ton absence pour me renseigner discrètement sur des partis possibles...

— Je vous en prie, mère, n'en faites rien !

Sur le moment, il avait été agacé mais maintenant, dans l'avion, il souriait presque à l'idée que le principal souci de sa maman allait être de passer au crible, une à une, un certain nombre de filles à marier ! Après tout, cela l'occuperait ! Ce fut sur cette pensée qu'il finit par s'endormir. Il ne se réveilla qu'au moment où l'hôtesse vint lui annoncer que quelques minutes plus tard, l'avion atterrirait à Tan-Son-Nhut, l'aérodrome de Saigon. Il eut tout juste le temps de reprendre ses esprits pour s'identifier définitivement au personnage qu'il devait incarner. Et ce fut Jacques Fernet, peintre en renom, qui descendit avec une certaine nonchalance la passerelle au bas de laquelle l'attendaient les personnalités annoncées par la vieille chouette ainsi qu'une délégation d'admirateurs.

L'attaché culturel de l'ambassade de France avait la tâche d'adresser à l'artiste le message de bienvenue : il s'exprima en français. Jacques Fernet répondit dans le plus pur vietnamien : ce qui contribua à augmenter instantanément sa popularité.

Après l'échange de discours, on se dirigea vers les bâtiments de la douane où les formalités de contrôle ne furent qu'un jeu pour un voyageur aussi officiel. Les curieux regardèrent avec un œil attendri l'imposant matériel, faisant partie des bagages du peintre, et où le stock de toiles vierges était important : ce qui indiquait que l'artiste avait la ferme intention de profiter de son séjour au Viêt-Nam pour travailler avec ardeur...

Au moment où Jacques Fernet allait sortir de la douane, une voix murmura dans son dos :

— Je vous attends auprès de ma voiture, devant la deuxième porte...

Le « peintre » se retourna : ce fut à cette minute qu'il fit connaissance avec « l'antiquaire » qui, lui, n'éprouva même pas le besoin de se nommer et se contenta d'ajouter encore plus discrètement :

— Ne vous avait-on pas prévenu à Paris que quelqu'un vous attendrait ?

Avant même que le voyageur n'ait eu le temps de réaliser ce qui lui arrivait, il se retrouva, assis dans une vieille Chevrolet assez délabrée, à côté de l'inconnu qui embrayait pendant que les personnalités et la foule saluaient une dernière fois avec une réelle sympathie.

Quelques secondes plus tard, la vision de l'aéroport de Tan-Son-Nhut — qui, d'ailleurs, était aussi laid que tous les aéroports du monde — disparaissait pour céder la place au ruban de dix kilomètres qu'il faut encore longer pour atteindre Saigon. Un long moment, les deux hommes restèrent silencieux comme s'ils cherchaient, l'un et l'autre, à s'absorber dans la contemplation des luxueuses propriétés bordant la route... Mais, en réalité, chacun d'eux tentait d'observer et, si possible, d'étudier son voisin : une première impression n'est-elle pas souvent déterminante pour les relations futures ?

Il y eut même une certaine gêne... L'homme arrivé de France ne pouvait s'empêcher de trouver assez inquiétant ce personnage au profil accentué par la barbe taillée en pointe et dont le visage buriné n'avait pas d'âge... Il savait aussi que cet homme, qui avait pour mission de guider ses premiers pas dans un Viêt-Nam inconnu, devait être parfaitement renseigné sur son compte : les services du colonel Sicard n'avaient dû omettre aucun détail alors que lui ignorait tout de son voisin. C'était là ce qui l'exaspérait le plus... Et cependant ! Puisqu'il avait accepté de travailler à nouveau pour un S.R., il aurait dû se plier à la discipline qui veut que les agents s'ignorent le plus possible les uns les autres. Sous l'anonymat d'un nom quelconque, le vieil homme devait porter en réalité l'un de ces numéros chers aux réseaux secrets. A moins que, pour être encore plus anonyme, il n'ait été, lui aussi, rayé officiellement des cadres ?

— Votre réception à l'aéroport, finit par dire le conducteur de la voiture, a été une réussite... Quand ils veulent s'en donner la peine, « nos » amis peuvent très bien organiser les choses... Et votre réponse en vietnamien a été appréciée... Vous le parlez correctement : ce qui vous sera utile... Mêlé à la foule des curieux, j'ai écouté ce qu'on y disait : vous avez plu... Donc le premier contact a été excellent!

Le peintre ne répondit pas.

— Je constate également avec plaisir que vous n'êtes pas bavard : ce qui est un atout essentiel dans ce pays où les gens le sont... Écoutez-les, laissez-les parler et vous apprendrez rapidement beaucoup de choses... Bien que la nuit commence à tomber, je tiens à vous donner un premier petit aperçu de Saigon et spécialement de son port qui est peut-être ce qu'il y a de plus curieux à cette heure-ci... En trois cents mètres de quai, vous découvrirez trois cents mètres d'Asie...

La voiture était maintenant en pleine ville, longeant les quais.

— Vous voyez le café en plein air qui s'avance sur ce môle arrondi au confluent de la rivière de Saigon et de l'Arroyo chinois? C'est là que l'on découvre le meilleur point de vue sur les paquebots et que l'on ressent les meilleurs courants d'air... Cela se nomme « la Pointe des Blagueurs »... Comme son nom seul l'indique, c'est l'un des derniers morceaux de la France qui reste... Les vieux Saigonnais, tels que moi, préfèrent ce plain-pied à la terrasse surélevée du Club Nautique : ils se donnent l'impression d'être restés chez eux dans la nuit d'un pays de plus en plus hostile! Peut-être aussi s'imaginent-ils pouvoir repartir plus facilement de là pour rejoindre la France quand ils le voudront!

Il avait arrêté la voiture et poursuivait de sa voix très douce :

— Écoutez la marée qui nous vient de loin pour clapoter capricieusement sur les pierres... Écoutez la voix du sampanier, vendeur de soupe chinoise qui psalmodie les mérites de sa cuisine à l'adresse des jonques de Paddy, que le niveau descendant de l'eau ou la nuit ont bloquées près du pont de Khanh Hoï...

— Quel est ce grand bâtiment moderne illuminé?

— C'est déjà une citadelle de l'Amérique : l'hôtel *Majestic*... Parce qu'il est le plus neuf, le plus cher aussi... Son restaurant à baies vitrées du dernier étage surplombe la rivière : vous pourrez y retrouver, si cela vous attire, la cuisine internationale de palace, c'est-à-dire la cuisine la plus banale du monde! C'est un lieu pour gens qui ne font jamais souche dans ce pays, qui préfèrent dominer ses problèmes pour les exploiter le cas échéant, qui évitent prudemment ses dangers et ses microbes... C'est une forteresse de Blancs, détestés de tout le monde, qui resteront toujours blancs comme l'émail de leur baignoire et la lumière artificielle au néon.

— Quel contraste, en effet, avec la foule qui déambule sur le quai!

— Sur le quai, c'est déjà l'Asie! C'est-à-dire un mélange prodigieux de gens qui travaillent, qui jouent, qui dorment et qui mangent, d'enfants nus et de vieillards infirmes... L'Asie grouillante qui n'a jamais tant grouillé que depuis la création de la zone de démarcation entre le Viêt-Minh et le Viêt-Nam : les réfugiés ont afflué en masse ici et on ne sait plus où les mettre! Regardez cette Asie des temps actuels : elle est faite de mendiants moyenâgeux et de grosses motocyclettes chromées dont les propriétaires n'ont souvent pas de domicile... Asie qui n'a jamais offert autant de contrastes qu'en cette fin du règne de l'homme blanc qui n'évoque plus pour moi qu'un noyau que l'on recrache au moment même où l'on avale, sans le mâcher, son fruit qui est la civilisation mécanique...

— Vous êtes plutôt amer pour notre race!

— Cher monsieur Fernet, qui ne le serait s'il n'avait connu tout ce que j'ai vécu ici et spécialement cette abdication progressive du Blanc devant les progrès foudroyants du Jaune qui s'est réveillé en s'arrachant à une torpeur dolente de plusieurs siècles... Mais laissons là toutes ces considérations : à quoi sert de regretter un passé qui est bien mort! Regardons plutôt le présent : il est là, devant vous, sur ce quai que j'aurais aimé vous faire voir d'abord de jour pour que vous puissiez vous rendre compte comme la nuit le transforme... Et dites-vous bien qu'il en est ainsi pour toutes les agglomérations importantes du Viêt-Nam.

Doucement, il avait remis la voiture en route et ils avançaient au ralenti pendant qu'il continuait :

— De jour, c'est un quai banal qui, comme tous les quais, sert à l'embarquement et au débarquement. Le gravier venant de Phnom-Penh sort de grandes jonques noires dans des paniers portés par des coolies... Le train qui passe, sur ces rails actuellement déserts, apporte chaque matin le bois des forêts de Biên-Hoa et de Thu-Dau-Mot... Les passagers enfin utilisent ce ponton pour s'embarquer sur la chaloupe du cap Saint-Jacques.

— Le cap Saint-Jacques?

— Je me doute que ce nom offre pour vous quelque résonance depuis que vous avez été reçu dans un bureau parisien de la rue Saint-Lazare... Mais, si vous le voulez bien, nous parlerons un peu plus tard de ce cap... Pour le moment, il est préférable que vous fassiez connaissance avec ce port de Saigon, situé à des kilomètres à l'intérieur des terres, presque au cœur de la Cochinchine, et dont l'importance ne saurait vous échapper... C'est seulement vers 6 heures du soir que commence l'autre vie : celle de la nuit...

Il se tut pendant que la voiture continuait à rouler lentement comme s'il voulait que son voisin découvrît lui-même mille et un détails, mille et un secrets... Celui qui, à cette minute, voyait les gens et les choses peut-être plus en artiste qu'en ingénieur, comprenait soudain que de la terre ferme et de la rivière affluaient d'abord les vendeurs qui installaient tranquillement leurs éventaires entre l'eau et la rue, au milieu des rails. Il y avait des cuisines roulantes de toutes catégories : les plus luxueuses étaient décorées de glaces peintes, il y avait de modestes presses à canne à sucre dont la roue rappelait la barre d'un bateau... Il y avait les cireurs de chaussures et les diseurs de bonne aventure, les marchands de cacahuètes et le cinéma portatif, sur bicyclette, projetant des histoires éculées de Charlot ou de shérifs... Il y avait les vendeurs de cigarettes de contrebande, les vendeurs de tripes, d'agglomérés de crevettes, de poisson mandarin râpé, d'oreilles de cochon en lamelles, de seiche fumée avec ses rubans fanés... Il y avait les vendeurs d'agar-agar, de betchis, de graines de lotus, de jujube : il y avait tout ce qu'il fallait pour séduire la foule...

Plus loin, des tables descendaient de jonques où elles étaient restées empilées pendant le jour, le ventre à l'air; d'autres semblaient se monter toutes seules avec une planche et des tréteaux; de petits tabourets se dépliaient et des chaises de rotin s'installaient... Une eau, dont le miracle était qu'elle paraissait propre, arrivait dans des touques à conserve; des pains de glace, couverts de sciure, se laissaient débiter à même le sol... Sur des réchauds à charbon de bois, la chaleur faisait s'ouvrir, toutes seules, les grandes palourdes lisses et les petites, rondes et rayées. Avec une brosse à chaussures, baignée dans l'eau jaune du fleuve, une fille nettoyait de gros crabes qu'elle poignardait ensuite avant de les déposer gigotants sur le grill où ils rougissaient à vue d'œil, puis elle les retournait et quand ils étaient cuits des deux côtés, elle les décalottait et les découpait en petits morceaux parfumés...

Le populaire était accroupi par terre, face à l'étal de mangeaille qui n'était plus qu'un immense plateau au ras du sol. La clientèle ne manquait pas : le père avait un faible pour la cervelle de cochon et l'alcool de riz, la mère grignotait des graines de pastèque, les enfants avaient droit au jus de canne à sucre pressé avant de courir jouer, en pleine rue, au football américain.

Il y avait aussi, comme dans toutes les foules, un vendeur de billets de loterie : celle-ci était la « Loterie de la Reconstruction » instituée après la cessation des hostilités.

Une pancarte témoignait de la vanité des règlements d'une autre époque : la vie asiatique avait repris l'avantage, avait réussi à écraser la toute-puissante administration des douanes et régies qui s'était permis d'interdire le stationnement !

L'homme de Paris restait silencieux, abasourdi.

— Ces visions vous laissent rêveur ? dit son compagnon. J'avoue qu'il y a de quoi la première fois où on les contemple... Mais vous vous y habituerez vite et peut-être finirez-vous par les aimer, comme je les aime... Dites-vous que ce trafic durera jusqu'à l'aurore : alors les marchands s'en iront mais ceux qui n'habitent que sur le quai resteront. Ce sont ceux des sampans, ceux des jonques, ceux qui couchent sur les rails, ceux qui habitent sous les appontements sur une simple planche entre le ciment et l'eau boueuse... Au bout de l'embarcadère, que vous apercevez sur votre gauche, une nouvelle équipe de coolies entrera dans la ronde sempiternelle du travail pour charger cette grande chaloupe de bois blanc, à l'allure de bateau-mouche parisien, qui attend que l'on enfourne dans son ventre de la bière, du mazout et de l'eau de Vichy... Pendant ce temps, l'ancienne équipe — celle qui a terminé son travail ce soir — rentrera dans la ronde infernale du jeu, en d'obscurs tripots où se pratique le loto ou l'écarté et dont les maîtres ne sont plus les hommes mais le Hasard... Le Hasard qui redistribue les payes : ceux qui auront tout perdu, l'un après l'autre, s'en iront dormir... J'estime que vous en avez assez vu pour ce soir...

Pendant que la Chevrolet s'éloignait du port, Jacques

Fernet ne pouvait s'empêcher de penser : « Tout à l'heure, quand les réverbères de la Pointe des Blagueurs seront éteints, la vie asiatique étendra ses bras dans l'ombre et le sommet, toujours éclairé, du *Majestic* ne sera plus qu'un bateau à l'ancre, sur un fleuve à jamais inconnu... »

— Je m'aperçois, lui dit son compagnon, que j'ai complètement omis de vous dire mon nom... Maintenant que nous avons un peu fait connaissance, il est temps : je m'appelle Serge Martin.

« Martin! Je l'aurais parié! pensa Fernet. Il ne pouvait pas trouver de nom plus anonyme... Mais pourquoi Serge? Aurait-il des origines slaves? Ou a-t-il simplement trouvé que le mariage de ce prénom et de ce nom était amusant? »

— Je me livre dans ce pays que je connais bien, continua le vieil homme, au commerce... comme tout le monde! Mais le mien est spécial : il s'agit d'objets d'art... Sans doute est-ce la raison pour laquelle on m'a surnommé, un peu partout dans ce pays, « l'antiquaire »... Oui, je l'avoue : j'ai un faible pour tout ce qui est beau... Vous aussi d'ailleurs! Je m'en suis rendu compte à la façon dont vous contempliez tout le pittoresque du port : vous aviez dans le regard une véritable tendresse d'artiste... Ce qui est normal pour un peintre! Je pense que ce goût commun du beau devrait un jour nous rapprocher...

— Vous croyez?

— A nous deux, nous pourrions peut-être faire ici de l'excellent travail... Un travail d'artistes, bien entendu!

— Où m'emmenez-vous maintenant?

— Chez moi. Ma demeure offre le double avantage d'être spacieuse et isolée, dans les faubourgs sud, précisément sur la route qui conduit au cap Saint-Jacques... Saigon est devenue très bruyante depuis que les Américains y ont répandu leurs jeeps... Et il nous faudra le calme pour créer, le silence surtout!... Voici la maison...

★

Arrivé à cet instant de la longue méditation qui lui avait permis de revivre en pensée l'incroyable succession d'événements dont le premier aboutissement avait été son entrée dans cette demeure, où il gisait maintenant sur un lit, le pseudo-Jacques Fernet reprit conscience de la réalité du moment... Il n'était plus, huit mois plus tard, qu'un aveugle à la merci d'un destin inquiétant et n'ayant plus, pour unique protecteur, que ce Serge Martin qui avait jugé prudent, cette nuit, d'armer une carabine avant de tenter de prendre du repos, lui aussi, dans la chambre voisine.

Dormait-il seulement ? Ou bien était-il dans le même état que lui, Jacques, qui savait ne pouvoir trouver le sommeil que lorsqu'il se serait remémoré complètement l'aventure ? Et pourtant ! Dormir ne serait-il pas pour lui le seul moyen d'oublier ? Mais les souvenirs étaient là, trop proches, le hantant, le harcelant, apportant progressivement — au fur et à mesure qu'ils se déroulaient — sinon l'explication de tout, du moins une certaine détente du cerveau... Souvenirs, tour à tour fantastiques et cruels qui mettaient l'esprit en feu, qui fatiguaient mais auxquels cependant il ne pouvait s'arracher...

Ces quelques secondes de retour au présent, dans la chambre silencieuse, n'étaient que la pause nécessaire donnant le courage de reprendre le fil interrompu avec une force accrue. Il devait aller, cette nuit, jusqu'au bout des souvenirs ! Il le fallait pour faire le point indispensable avant d'affronter le nouveau danger qui se préparait.

Mais cette halte elle-même était-elle due seulement à une fatigue passagère de sa mémoire ou à un événement extérieur ? Très attentivement, tendu, il écouta avec cette extrême sensibilité auditive qu'il avait acquise depuis qu'il ne voyait plus... Et presque aussitôt, il se rendit compte qu'il n'était plus seul dans la chambre : qu'il y avait, à quelques pas de lui dans le noir, une autre présence humaine, à peine perceptible mais certaine.

Toujours allongé, l'aveugle resta immobile, faisant attention à ce que sa propre respiration eût la régularité de celle d'un dormeur. Quand la présence, qui se rapprochait du lit, ne fut plus qu'à quelques centimètres, l'homme étendu sentit son sang se glacer... Cette mort prochaine, annoncée par la *taxi-girl*, allait-elle venir aussi vite ? Ce n'était qu'un frôlement... La présence — il ne pouvait y avoir aucun doute : depuis six mois qu'il continuait à le côtoyer sans le voir, l'aveugle s'était suffisamment imprégné de son odeur — était celle de Serge Martin.

Un temps, qui parut un siècle à l'homme ne bougeant toujours pas, s'écoula avant que l'antiquaire, sans doute tranquillisé par la respiration régulière, ne s'éloignât et ne rejoignît sa chambre.

Alors seulement, l'aveugle se posa la question : pourquoi cette visite inhabituelle ? Jamais, jusqu'à cette nuit — de cela aussi la sensibilité toujours en éveil de Jacques était certaine — jamais son compagnon n'avait accompli un tel geste... Geste de sollicitude attentive ou de menace sournoise ? Le vieil homme venait-il d'agir en protecteur qui, ayant reçu l'ordre de défendre un homme handicapé par une infirmité, vient voir si celui-ci est toujours là, bien vivant ? Ou bien avait-il eu une autre pensée en tête, terrifiante celle-là : profiter du sommeil pour supprimer un agent devenu inutile depuis qu'il était aveugle ? Ne serait-ce pas lui le tueur annoncé par la fille du *Grand Monde ?* Et la question qu'il s'était posée vingt fois, cent fois, revenait : qui était exactement ce Serge Martin ? Jamais encore il n'avait pu trouver la réponse.

Mais quel intérêt Serge Martin — ou ses chefs — auraient-ils eu à agir ainsi ? Jacques n'avait pas encore terminé sa mission : on le lui avait fait savoir de Paris et c'était pourquoi on l'avait contraint à rester au Viêt-Nam, même aveugle. Enfin, et de cela l'ex-agent 2 884 en avait presque la certitude absolue, jamais « la vieille chouette » — qui était cependant capable de bien des choses — n'aurait donné un ordre aussi monstrueux ! Quand il avait travaillé sous ses ordres, sans le connaître, pendant la guerre, il avait pu s'apercevoir — même quand il s'était cru isolé et abandonné de tous en pays ennemi, au Japon — que le colonel tentait tout pour sauver la vie de ses subordonnés. Selon la juste loi du Service, acceptée au départ, il ne les faisait supprimer que lorsqu'ils avaient trahi. Et « le peintre » avait la conscience nette. Donc la seule réponse était que la surveillance très serrée de « l'antiquaire » ne pouvait être attribuée qu'au désir de protection permanente. C'était là une indication silencieuse prouvant que le danger annoncé était imminent.

Lui, ne pouvait rien pour y parer seul. Il n'avait qu'à attendre patiemment, comme il l'avait déjà fait depuis des mois, en caressant l'espoir qu'une fois encore — comme cela s'était produit avant qu'il ne devînt aveugle — son étrange ange gardien saurait éviter le pire...

Il pensait à tout cela avec calme, presque avec résignation, n'ayant jamais eu la crainte de la mort. Puis il trouva plus sage, et surtout plus urgent, de retourner au déroulement des souvenirs interrompus. Si la halte avait été courte, elle avait été suffisante, meublée par un puissant dérivatif, l'approche d'une ombre... Le fil de sa mémoire le ramena au moment où, descendant de la Chevrolet après le détour par le port, il avait pénétré pour la première fois, en compagnie de son hôte, dans l'immense salon du rez-de-chaussée où tant de merveilles étaient accumulées.

La première de toutes, la seule même qui attirât véritablement son attention ce soir-là fut le paravent aux douze panneaux laqués, ornant le mur du fond. Il se souvenait que, pendant un long moment, il était resté fasciné devant la multitude des petits personnages aux visages ivoirés qui, tout en restant incrustés sur le fond noir, semblaient s'y mouvoir, tels de prestigieux fantoches animés par des fils invisibles, dans une immense farandole de vie et de mystère où le rêve se mêlait dans la chaleur des ors à la réalité... Les guerriers à cheval, les navigateurs sur leurs gracieuses embarcations, les porteurs de lanternes, les femmes penchées sous les vérandas de frêles maisons sur pilotis paraissaient tous appartenir à la même légende éternelle...

Sur tous les panneaux les moindres détails, allant des clochetons pointus aux pins parasols, semblaient n'avoir été étudiés que pour orienter délicatement les regards vers le centre de chaque fresque où l'on découvrait, entourée d'un cercle de musiciennes accroupies devant d'étranges instruments, une princesse qui dansait... Et, de panneau en panneau, les gestes de la danseuse entraînaient le cortège de petits personnages vers les escaliers d'une pagode en haut desquels trônait Bouddha...

— Je maintiens ce que je vous ai déjà dit tout à l'heure, dit l'antiquaire en souriant. Vous êtes un véritable artiste!

— N'exagérons rien, voulez-vous?

— Vous ne vous êtes pas trompé : ces laques sont belles... Je sens que vous aimeriez bien savoir ce qu'elles représentent.

— J'avoue que si nous en avions le temps...

— Mais nous le trouverons, cher monsieur! Auriez-vous déjà oublié, vous qui avez cependant séjourné au Japon, qu'en Extrême-Orient le temps ne comptait pas?

— On vous a donc tout dit de moi?

— Seulement l'essentiel... N'est-il pas normal que je sache qui je reçois? En ce qui concerne ce paravent, contentez-vous pour l'instant d'apprendre qu'il existait dans l'ancienne Chine vingt-quatre histoires essentielles que l'on se transmettait de génération en génération... Et pour que les enfants de mandarins pussent les apprendre dès le plus jeune âge, on avait imaginé de les raconter ainsi sur des laques... Disons que ce sont des imageries d'Épinal de qualité! Ces histoires constituent toute la base de la morale et de la philosophie : elles chantent, en des coloris destinés à défier les siècles, les exploits, les métamorphoses, les victoires, les vengeances aussi. Les panneaux que vous avez devant vous racontent l'une de ces histoires : celle d'une danseuse qui fut consacrée à Bouddha dont elle devint la fille bien-aimée...

— Puis-je vous poser une question?

— Je vous écoute.

— Il y a longtemps que vous êtes « antiquaire », monsieur Martin?

— Sensiblement plus que vous n'êtes « peintre », monsieur Fernet! Avez-vous d'autres questions à me poser?

— Non.

— Je pense alors que vous devriez aller prendre quelque repos... Cet avion de France a le plus grand tort d'arriver assez tard et je vous sens fatigué : ce qui est normal après un voyage pareil. Personnellement, j'ai horreur de l'avion! C'est un moyen de communication beaucoup trop rapide qui ne laisse pas le temps de se familiariser avec l'idée que l'on trouvera à l'arrivée un monde tellement différent de celui que l'on vient de quitter! On en sort complètement ahuri! Il vous faut une bonne nuit et, à votre réveil, vous vous apercevrez que vous ne faites plus partie de la vieille Europe! Suivez mon conseil : allez dormir... D'autant plus que vous aurez demain un après-midi assez fatigant.

— En quoi consistera-t-il?

— Je ne puis croire que l'on ait omis de vous dire à Paris que vous assisteriez, le lendemain de votre arrivée, au vernis-

sage de votre extraordinaire exposition dans la plus importante galerie de Saigon ?

— On me l'a dit, en effet... Ce sera pour quelle heure ?

— Celle où la chaleur commence à tomber : 5 heures...
Naturellement, je vous accompagnerai, ne voulant pour rien
au monde manquer cette consécration officielle de votre
grand talent...

— Vous vous moquez ?

— Sachez, cher monsieur, qu'ici on ne se moque de
personne ! Que tout y est respectable et surtout les artistes
qui jouissent d'une considération spéciale...

— Et, après le vernissage, quel sera le programme ?

— Nous reviendrons sagement ici, vous et moi, pour
parler... J'ai l'impression que nous avons pas mal de choses
à nous dire.

— Vous sûrement ! Quant à moi, je crois que je n'aurai
qu'à vous écouter, puisque l'on m'a informé que je trou-
verais toutes les instructions ultérieures sur place... Je pense
qu'elles ne peuvent venir que de vous ?

— En effet... Avez-vous faim ?

— Non.

— De toute façon, j'ai donné des ordres pour que vous
trouviez dans votre chambre un petit en-cas si, par hasard,
la fringale vous prenait pendant la nuit. A ce propos, il faut
que je vous présente celui qui assurera votre service ici...

Il alla frapper sur le gong, dont Jacques entendit, pour
la première fois ce soir-là, la résonance grave se répercutant
dans toute la maison... Vibration sonore qu'il ne pourrait
plus jamais oublier... Depuis, les mois avaient passé et il
savait ne s'être pas trompé : toute la vie de la demeure
silencieuse était rythmée par ces appels de gong... A chaque
appel, avec une rapidité incroyable, presque fantasma-
gorique, apparaissait celui que l'antiquaire avait présenté en
ces termes :

— Voici Kim, mon fidèle Kim qui est à mon service depuis quelques années déjà...

Le serviteur s'était incliné avec respect, mais sans obséquiosité, devant l'hôte de son maître. Quand il releva la tête, et pendant que Serge Martin continuait à parler, Jacques tenta de l'observer mais, très vite, il se rendit compte qu'il ne devinerait rien! Le visage du boy était impénétrable. Était-il encore très jeune ou, au contraire, plus vieux qu'il ne le paraissait, ce Kim? Et pourquoi ce nom qui aurait mieux convenu à une femme? A moins que... Et ce fut la première pensée qui vint à l'esprit du « peintre »... A moins que ce Kim ne fût l'un de ces êtres bizarres, asexués, androgynes que l'on rencontre fréquemment en Extrême-Orient et surtout dans le Sud-Asiatique? Était-il homme? Était-il femme? N'était-il pas, plutôt, ni l'un ni l'autre? Ou les deux à la fois?

Le plus troublant était que la voix de l'antiquaire semblait s'être faite encore plus douce pour vanter les mérites de Kim :

— Kim est annamite... Il est, de loin, le boy le plus intelligent et le plus discret que j'aie jamais trouvé... Ce qui est agréable avec lui, c'est qu'il comprend tout et qu'il aime recevoir des ordres en français... Il devine même, avant que l'on ait parlé, ce que l'on désire! C'est très reposant! Cela vous changera de ce personnel de plus en plus hargneux de la vieille Europe qui ne considère le maître qu'en ennemi. Kim n'est pas ainsi : c'est un allié... Puisqu'il est le mien, il sera le vôtre...

La voix avait presque des intonations de tendresse. Après en avoir éprouvé de la gêne, l'homme arrivé de Paris se hâta de dire :

— Puisque vous faites de lui un tel éloge, cher monsieur Martin, je suis persuadé que Kim et moi nous nous entendrons bien...

Sans qu'aucun autre ordre lui eût été donné, le boy s'était retiré sans bruit, comme il était venu...

Depuis ce premier contact, qui lui avait laissé une impression assez désagréable, Jacques avait changé d'avis au sujet de Kim, qui tout en se montrant un serviteur modèle, avait su peu à peu gagner — sinon sa confiance totale — du moins son estime et ceci, grâce à une foule de petites attentions, grâce à beaucoup de discrétion surtout... Discrétion qui s'était transformée en un véritable dévouement le jour où Jacques avait perdu la vue... Mais c'était cependant ce Kim dont Maï, la *taxi-girl,* venait de dire ce soir : « *Méfiez-vous du boy qui vous sert de guide actuellement!* »

Le jour de son arrivée dans la maison des merveilles, Jacques n'avait eu aucune méfiance de ce genre : la seule chose qui l'avait intrigué était la nature des relations cachées qui pouvaient peut-être exister entre le vieux colonial Serge Martin et son boy. Seul le temps révélerait peut-être la vérité ?

Ce qu'avait dit l'antiquaire était exact : le voyageur était exténué. Il ne fut pas long à s'endormir non sans avoir constaté avec étonnement que Kim avait déjà trouvé le temps de défaire ses valises et de tout ranger avec un soin méticuleux.

Ce fut Kim qui le réveilla, en apportant le petit déjeuner, et en demandant dans un français guttural mais correct :

— Monsieur a-t-il bien dormi pour sa première nuit passée à Saigon ?

— Une nuit sans histoire, Kim! Quelle heure est-il ?

— Le soleil est déjà haut, monsieur... Il est 11 heures.

— Déjà ? Mais c'est fou ce que j'ai pu dormir !

— Monsieur en avait besoin... Le maître me prie de dire à monsieur qu'il le retrouvera en bas à 13 heures pour le grand repas.

Kim était déjà reparti. Sur le plateau du petit déjeuner étaient déposés les principaux journaux du matin qui, tous sans exception, relataient en termes chaleureux l'arrivée du « peintre français, ami du Viêt-Nam ». Des photographies, prises à l'aérodrome, le montraient faisant un large salut d'amitié pendant qu'il descendait de l'avion ou bien écoutant le discours de bienvenue de l'attaché culturel français. A la fin de chaque article, le chroniqueur rappelait que Jacques Fernet assisterait en personne au vernissage de son Exposition qui aurait lieu, l'après-midi, à 5 heures.

« Le peintre » laissa les journaux en pensant, pendant qu'il beurrait une tartine, que les services du colonel Sicard continuaient, selon une expression qui devait être chère à la « vieille chouette », à « préparer le terrain »... Et, — était-ce parce qu'il s'était reposé ou parce que le temps était radieux — il commençait à croire que ce terrain serait moins glissant qu'il ne l'avait craint au départ. Bientôt, pour peu que cette subite euphorie continuât, il finirait par s'imaginer qu'il avait toujours été peintre, qu'il n'avait même été que cela...

— Je suis enchanté que vous ayez passé une bonne nuit, fut l'accueil de son hôte quand ils se retrouvèrent au rez-de-chaussée. Reconnaissez qu'elle était nécessaire : vous n'êtes déjà plus le même homme! Je vous l'avais dit : il suffit d'une nuit et l'on découvre que l'on appartient à un autre monde! Vous avez pris connaissance de la presse?

— Elle ne peut être meilleure!

— Si vous m'écoutez, elle sera toujours tendre à votre égard... Votre vernissage s'annonce comme devant être un succès! Ce matin, on m'a informé que des amateurs rachetaient au marché noir des cartes d'invitation : c'est un critère infaillible.

Ce fut plus qu'un succès, ce vernissage : un triomphe. Tout le monde était content : les officiels, les amateurs, les curieux. Ce fut élégant aussi : les femmes étaient jolies et le héros du jour put mesurer le temps que les belles de Saigon devaient consacrer à se parer pour séduire dans un curieux mélange de restes d'orientalisme et de soif d'europénisation.

— Elles sont fascinantes, n'est-ce pas ? murmura l'antiquaire qui ne le quittait pas un instant et répondait le plus souvent à sa place aux questions, souvent saugrenues, posées par les admiratrices.

Ces réponses du vieil homme étaient d'ailleurs fines et non dénuées d'un certain humour. Elles permirent aussi au peintre de constater que l' « antiquaire » était très connu — et même assez populaire — dans les milieux artistiques ou mondains de Saigon. Il semblait connaître tout le monde et ne manquait pas, après chaque poignée de main échangée ou chaque nouvelle présentation, de confier rapidement à son compagnon :

— C'est un tel ou une telle... Voilà sa profession... (Puis il ajoutait plus bas :) Intéressant à connaître pour vous. (Ou bien, au contraire :) Aucun intérêt pour le but que vous recherchez.

A une personne sur deux, et spécialement à tous les journalistes ou courriéristes, Serge Martin ne manquait jamais de dire sur le ton de l'homme qui fait une importante confidence :

— Le plus merveilleux est que notre ami Jacques Fernet va rester parmi nous le temps qui sera nécessaire pour peindre de nouveaux chefs-d'œuvre... Il ne tient pas trop à ce qu'on le dise parce qu'il veut, avant tout, conserver l'incognito pour travailler plus à l'aise... Mais comme vous êtes un véritable ami, je vous confie tout sous le sceau du secret, bien entendu !

Dès que l'interlocuteur s'était éloigné, il murmurait à Jacques :

— C'est la meilleure façon de parvenir à ce que ce « secret » se répande rapidement dans toute la Cochinchine !

107

Pendant le retour en voiture, après le vernissage, il conclut :

— Vous pouvez être satisfait... Maintenant ça y est : vous êtes solidement catalogué sous l'étiquette de peintre. C'était ce qu'il fallait ! Pardonnez-moi si je vous ai suivi comme une ombre bavarde mais je craignais que l'on ne vous posât quelques questions embarrassantes... Il n'en a rien été, heureusement !

— Vous me prenez donc pour un débutant ?

— Un débutant dans ce pays ? Certainement !... Je sais que vous avez « opéré » au Japon, mais dites-vous, une fois pour toutes, qu'il n'y a aucun rapport entre les deux peuples... Il y a beaucoup plus de différence entre un Vietnamien et un Japonais qu'entre un Français et un Allemand ! Cette base essentielle étant établie, quels sont, parmi tous ceux qui vous ont congratulé pendant ces trois heures exténuantes, ceux ou celles qui vous ont le plus intéressé ?

— Les femmes...

— Judicieuse réponse ! La femme vietnamienne est assez étonnante... Dites-vous bien que, jeune ou âgée, elle sait toujours ce qu'elle veut ! Les célibataires de ce pays affirment que les hommes mariés sont atteints du « So ma femme » comme d'autres sont seulement atteints du « So ma » ou peur des revenants... Ce néologisme a vu le jour récemment pour remplacer le « So vo » qui est la-peur-de-sa-femme.

— Elles sont donc si redoutables ?

— La femme mariée est une sorte de « général de l'intérieur ». Elle n'est considérée ni comme une bête de luxe ni comme une bête de somme. Quand il lui parle, son mari l'appelle « Minh », ce qui veut dire : « un autre moi-même ». La femme vietnamienne n'est donc pas à plaindre. Dans les milieux jeunes-vietnamiens actuels, on énumère ainsi les félicités terrestres : *Manger à la chinoise; Habiter une maison française; Prendre pour femme une Japonaise; Prendre pour mari un Américain; Avoir à sa mort un enterrement vietnamien.* Vous pouvez donc constater que les femmes vietnamiennes n'y sont pas mentionnées! Sans doute parce qu'elles se trouvent dans le « juste milieu » si cher à tout disciple de Confucius qui se respecte...

» On prétend aussi au Viêt-Nam que les hommes qui ont la barbe incurvée, rentrant vers le cou, craignent leurs tendres moitiés, d'où cette expression proverbiale : « *Lissez votre barbe vers l'extérieur et ne craignez pas votre femme.* » Par voie de conséquence, tout mari qui a une barbe incurvée est considéré comme placé sous l'autorité de son épouse.

— Ceci ne risque pas de vous arriver si j'en juge par votre barbe hérissée en pointe?

— Oh! Pour moi, mon cher, les femmes — qu'elles soient jaunes ou blanches — ne seront toujours que des objets de curiosité mais jamais des objets aussi rares que ceux que j'ai pu réunir dans mes collections!

— Mysogyne?

— Prudent! Ce qui n'empêche pas que dans ce pays, comme beaucoup d'autres, les femmes peuvent être très utiles... Surtout si l'on a la chance de leur plaire! Et vous leur plaisez!

— Moi?

— Ne jouez pas les jeunes gens rangés! Ça ne vous va pas! Oui, vous plaisez énormément à ces dames et demoiselles de Saigon... Je m'en suis rendu compte pendant le vernissage : ce n'était pas vos toiles qu'elles dévoraient de leurs petits yeux noirs, perçants et follement indiscrets... C'était vous! Ensuite, uniquement pour vous faire plaisir, ces exquises créatures faisaient semblant de s'intéresser à votre œuvre... Et j'ai tout lieu de penser que ce charme indiscutable, qui émane de toute votre personne, pourra éventuellement vous être d'une grande utilité pour le travail que vous allez entreprendre.

— Vous n'allez pas me dire que les femmes vietnamiennes se mêlent d'opérations de renflouement de navires?

— Qui sait? Mon cher Jacques... Me permettez-vous, à l'avenir, de vous appeler ainsi puisque, enfin, il faudra bien que notre amitié progresse?

— J'allais vous le demander...

— Merci! Donc, mon cher Jacques, je ne saurais trop vous conseiller — si l'occasion se présentait pour vous un jour — de ne pas négliger votre pouvoir de charmeur... Seulement, dans ce pays plus que dans tout autre, il faut être habile... La femme vietnamienne, sous une apparence souvent frêle, est authentiquement une femme forte... N'oubliez jamais ce huitain vietnamien, qui doit être l'œuvre de l'un de ces maris falots placé sous l'autorité de sa femme et qui cherche à justifier sa conduite pour ne pas perdre irrémédiablement la face :

« *Dès qu'elle élève la voix, je commence déjà à trembler!*

» *Réellement, il n'y a aucune comparaison entre le Ciel et sa femme...*

» *Quand elle a ses accès de colère, nul ne lui est supérieur.*

» *Et au 9ᵉ Ciel, le Créateur lui-même doit lui faire des concessions!*

» *Quand elle vous regarde, vos yeux voient des éclairs!*

» *Quand elle crie, vous croyez que la foudre tombe derrière vous!*

» *Amis, ne dites pas que le ciel est plus puissant que votre femme...*

» *Erreur! le ciel est loin, alors que votre femme est à vos côtés.* »

» La Vietnamienne des temps actuels n'est plus « la frêle fleur de prunier » ou « la mince branche de saule » d'autre-fois et, si la nécessité s'en fait sentir pour elle, vous la verrez parfaitement capable d'accomplir de grandes choses... même d'horribles choses : pendant la récente guerre, on a vu des bataillons entiers de femmes viêt-minh, dont l'endurance, le courage et la cruauté dépassaient tout! Si nous devions conclure sur le chapitre des femmes de ce pays, contentez-vous, comme moi, de les contempler avec prudence, faites-vous admirer par elles et aimer peut-être, si vous le pouvez! Mais n'oubliez jamais qu'elles possèdent sans doute le plus grand don de dissimulation et de rouerie que vous ayez jamais rencontré chez n'importe quelle créature du doux sexe!

Ils étaient arrivés à la maison où le premier soin de l'antiquaire fut de frapper sur le gong. Kim entra aussitôt, apportant du whisky, puis il se retira sans bruit.

— Du Perrier, mon cher?

— Du Perrier.

Levant son verre, l'antiquaire dit :

— A notre amitié!

Il but une gorgée avant d'ajouter :

— ... et à votre réussite! Je ne parle plus de celle du peintre! Elle est connue... Pensons plutôt à celle qui viendra, qui doit venir! Mais il ne faut quand même pas sous-estimer la première qui conditionne la seconde... En effet, si nous faisons le point, votre principale occupation doit être maintenant de vous promener un peu partout à Saigon ou dans ses environs pour rechercher des paysages vrais... Et je crois que vous pourriez utilement commencer dès demain matin cette « prospection artistique ».

— C'est aussi mon avis : il n'y a pas de temps à perdre!

— Rassurez-vous, nous n'en avons pas perdu! Tout a été utile depuis votre arrivée : l'accueil à Tan-Son-Nhut, la promenade sur le port, la nuit réparatrice, la lecture des journaux, le vernissage et même cette première prise de contact avec les belles Vietnamiennes... Demain nous irons faire un tour du côté de Kung Tau : c'est l'appellation vietnamienne du cap Saint-Jacques. Je vous avais dit que nous reparlerions ce soir de ce lieu enchanteur. Si vous le voulez bien, nous partirons avant le lever du soleil pour que vous puissiez avoir une première vision de l'aurore à l'entrée de la rivière, là où ses eaux jaunâtres parviennent même à donner une teinte indéfinissable et douteuse à la Mer de Chine... Vous verrez: l'effet est saisissant! Naturellement, vous emporterez avec vous votre chevalet, une toile et vos pinceaux... J'ai dit à Kim qu'il mette dans votre chambre l'un de ces larges chapeaux en paille de riz que les indigènes utilisent dans la journée pour se protéger des ardeurs solaires... Surtout, ne le quittez jamais avant 4 heures de l'après-midi! La réverbération sur les eaux de l'estuaire est implacable! Elle peut même être mortelle... D'ailleurs, actuellement, dans ce pays, dès que l'on sort de la capitale, moins on montre son visage et mieux cela vaut! Vous me comprenez?

— Très bien.

— Après vous avoir conduit là-bas avec la voiture par l'une des rares routes qui soit carrossable, je vous laisserai seul pendant toute la journée pour que vous puissiez vous imprégner... disons « de l'atmosphère » assez spéciale que vous découvrirez. Je ne reviendrai vous chercher, à l'endroit précis où je vous aurai laissé, qu'à la tombée de la nuit. Ainsi vous aurez également une première impression de crépuscule... Malheureusement pour moi, je ne suis pas « peintre » comme vous mais je crois — si j'avais eu ce don divin — que je me serais spécialisé dans les aurores et dans les crépuscules, ces moments émouvants où tout veut renaître et où tout paraît mourir...

— Que devrai-je « peindre »?

— Demain? Rien!... Vous vous promènerez sur l'estuaire, au rythme berceur d'une jonque qui vous attendra là où je vous conduirai et qui vous ramènera le soir... Après douze heures de méditation entre ciel et eau, je suis persuadé que vos yeux d'artiste — habitués à voir certains détails que le commun des mortels est incapable de déceler

— seront imprégnés de visions nouvelles, d'une qualité rare...

La jonque glissait lentement sur les eaux calmes, sa voile rectangulaire à peine gonflée par une brise qui semblait venir agoniser dans l'immense estuaire. Il faisait encore nuit, une nuit opaque, laquée, rappelant les panneaux à fond noir du paravent chinois... L'embarcation archaïque, à l'avant de laquelle le peintre avait pris place, n'évoquait-elle pas aussi celles, légères, que l'on voyait évoluer dans la légende de la danseuse sacrée, fille de Bouddha ? Mais cette jonque-ci n'était pas d'or : son apparence misérable convenait à son unique homme d'équipage que Serge Martin avait présenté ainsi au moment de l'embarquement :

— Voici Hô, l'un des plus habiles sampaniers de la rivière de Saigon... Il a déjà reçu des instructions pour vous faire découvrir l'estuaire sous tous les angles intéressants... Avec lui, vous pouvez être tranquille : c'est un ami !

Il avait prononcé ces trois derniers mots avec force. Jacques comprit que cette appellation d'ami signifiait que le vieux sampanier, au crâne dénudé et aux jarrets maigres, était lui aussi un agent du S.R... agent subalterne, mais sans doute précieux entre tous !

Quand il s'entendit traiter d'ami, Hô eut un large sourire de sa bouche édentée. Comme Kim, le boy, le sampanier comprenait le français : la présentation avait été faite dans cette langue.

Tout s'était passé sous le faible éclairage de l'antique falot accroché au mât de la jonque. Les phares de la Chevrolet, arrêtée sur le chemin étroit longeant la berge, étaient éteints : pendant les derniers cinq cents mètres du parcours, la voiture avait même roulé sans lumière. Ce qui prouvait que son conducteur connaissait à fond les parages.

— Il vaut mieux, avait-il confié à son compagnon, ne pas trop attirer l'attention sur le lieu exact de votre embarquement... Je l'ai choisi discret, dans cette petite crique camouflée par les joncs et qui pourra être aussi bien le port d'attache de la jonque de Hô que notre point de ralliement... Je vous attendrai ici ce soir... Cher ami, il ne me reste plus qu'à vous souhaiter une agréable journée... N'hésitez pas, si le besoin s'en faisait sentir, à prendre des croquis destinés à vous permettre de réaliser ensuite quelques nouveaux chefs-d'œuvre... Mais des croquis précis, dignes de votre rang de sortie à l'École du Génie Maritime! Je n'insiste pas...

— Vous retournez à Saigon?

— Vous ne voudriez tout de même pas que je fasse cette route insipide quatre fois par jour! On pourrait se demander à quel étrange trafic peut se livrer cet « antiquaire » si avantageusement connu dans toute la région! Non... Il est préférable que je reste par ici : j'ai d'excellentes jumelles marines qui me permettront de suivre de loin les évolutions de votre embarcation... Pour vous ce sera une sorte de tranquillité de savoir que vous avez un allié à terre. On ne sait jamais ce qui peut se passer! Dans ce genre d' « opération », que nous pourrions presque qualifier d'amphibie, il est bon que tout le monde ne soit pas sur l'eau... Hô sait exactement la promenade qu'il doit faire pour vous permettre de récolter vos premières impressions... A ce soir!

La jonque s'était éloignée avec ses deux occupants, l'un accroupi à l'avant, scrutant l'obscurité, attendant avec anxiété le lever du jour; l'autre, debout, appuyé contre la lourde barre de bois. La frontière entre ces deux hommes de race différente, qui s'ignoraient quelques minutes plus tôt et dont le destin se trouvait subitement lié, semblait être le fragile rectangle de la voile...

Puis, brutalement, ce fut le lever du jour comme si cette aurore tant vantée par l'antiquaire n'existait pas. La jonque continuait à avancer dans un rideau de brume qui stagnait au ras de l'eau alors qu'au-dessus, le ciel se montrait déjà d'un bleu étincelant qui faisait presque mal aux yeux.

Soudain, semblant venir de la brume, retentit le halètement saccadé d'un moteur qui se rapprochait. Bientôt surgit derrière la poupe une vedette rapide d'où partit, amplifié par un haut-parleur, un ordre. Aussitôt le sampanier amena la voile et la jonque s'immobilisa. La vedette était déjà bord à bord : deux hommes, en uniforme blanc, sautèrent sur la jonque. C'était la police fluviale vietnamienne.

Après de courtes explications avec Hô, qui paraissait être en d'excellents termes avec les policiers, les deux hommes vinrent vers Jacques :

— Vos papiers? demanda l'un d'eux en vietnamien.

Le peintre présenta son passeport ainsi qu'un laissez-passer, délivré par les services du ministère de l'Intérieur du Viêt-Nam qui l'autorisait à « circuler librement partout dans un rayon de trois cents kilomètres autour de Saigon pour l'exercice et la pratique de sa profession artistique ». C'était signé de deux paraphes illisibles et orné de quatre traces de tampon impressionnantes : plus il y a de cachets sur un visa et plus les polices neuves des pays jeunes les respectent...

Laissez-passer miraculeux que Serge Martin lui avait remis au moment où ils quittaient la maison de Saigon en disant :

— Avec cela, je pense que vous serez tranquille... Car il n'y a pas de jour, quand on est sorti des faubourgs de la capitale, où l'on ne vous demande de montrer des papiers! Tout individu, blanc ou jaune, qui n'est pas capable d'en exhiber est considéré comme un espion du Viêt-Minh communiste et ça peut très vite devenir dangereux pour lui! La police est toute-puissante : le gouvernement nationaliste actuel ne tient que grâce à elle! Donc, dès le début, il vaut mieux se mettre en bons termes avec ces messieurs... Quand ils vous connaîtront, lorsqu'ils vous auront bien identifié sous l'étiquette du « peintre » comme je le suis moi-même

115

sous celle de l' « antiquaire », ils vous laisseront tranquille. Alors vous pourrez vous promener en toute liberté et même faire appel à leurs services si vous le jugez nécessaire.

Dès que le premier policier eut jeté un regard sur le laissez-passer, son visage s'éclaira d'un sourire et il confia en vietnamien à son adjoint :

— C'est le peintre français dont parlent tous nos journaux...

Puis il rendit à Fernet les pièces présentées en disant dans un français assez approximatif :

— J'espère, monsieur Fernet, que cette promenade vous permettra de peindre de belles choses !

— Merci, répondit Jacques en vietnamien.

— Vous parlez vraiment notre langue ? demanda le policier surpris.

— Vos journaux l'ont dit : pourquoi ne les avez-vous pas crus ?

— Nous pensions que c'était de la publicité... Mais, puisque c'est la vérité, c'est encore mieux !... Surtout ne restez pas nu-tête, monsieur Fernet ! Avant une demi-heure le soleil aura aspiré la brume et deviendra mortel.

— J'ai un magnifique chapeau ! répondit Jacques en se coiffant du couvre-chef en paille de riz.

En le voyant ainsi, les deux policiers éclatèrent de rire et celui qui avait parlé, dit avant de saluer militairement :

— Comme cela, vous ressemblez un peu aux paysans de nos rizières...

En quelques secondes, la vedette disparut dans la brume et « le peintre », se rappelant qu'il était aussi ingénieur du Génie Maritime, déduisit à la vitesse dont diminuait le bruit caractéristique du moteur, que ce petit navire était extrêmement rapide.

— Il y a beaucoup de vedettes de la police à faire ainsi des patrouilles dans l'estuaire ? demanda-t-il à Hô.

Celui-ci, qui paraissait préférer les gestes aux paroles, eut un mouvement des bras qui devait sans doute signifier : « Il y a tellement de bateaux de ce genre que j'ai renoncé à les compter ! »

Qu'il y eût une police considérable dans le Sud-Viêt-Nam, Jacques le savait par Serge Martin qui lui avait confié, le matin même, pendant qu'ils venaient :

— Depuis quelques mois Saigon n'est plus qu'une île à la tranquillité artificielle dans un pays qui est sournoisement ravagé par une guerre civile non déclarée. Très peu de gens se risquent, comme vous et moi en ce moment, à sortir des villes, avant qu'il ne fasse jour. A peu près 5 000 rebelles, sans aucun doute dirigés par des communistes et assez mal armés — certains ont de vieux fusils mais la plupart ne possèdent que des coupe-gorge ou des poignards — terrorisent la population, contrôlent une grande partie des campagnes et perturbent gravement l'économie.

— Je pensais que depuis l'accord de Genève, tout était rentré dans l'ordre, du moins au Viêt-Nam ?

— Les Américains ont peut-être commis l'erreur, comme ils l'ont fait dans beaucoup d'autres pays, d'appuyer trop fortement l'installation au pouvoir à Saigon du président actuel. N'oubliez pas que c'est un homme du Nord, émigré dans le Sud sur lequel il règne. Ses méthodes autoritaires n'ont jamais été populaires dans l'ancienne Cochinchine. Il s'appuie sur une armée de 150 000 hommes, équipée à l'américaine et dotée de camions de fabrication japonaise inutiles dans une guerre de maquis. C'est une armée trop lourde pour ce pays de rizières et de marécages... Il a fallu la renforcer de 50 000 gardes civils, de 30 000 membres de groupes d'autodéfense répartis par régions et de 60 000 policiers ! Malgré ce déploiement, le gouvernement ne parvient pas à entamer les forces insaisissables et fluides des dissidents. Les crimes les plus atroces sont commis chaque jour par les deux camps. Les Viêt-Cong, rebelles pro-communistes, laissent les grandes villes en paix uniquement parce que leur armement est insuffisant pour attaquer l'armée : ils ne s'en prennent qu'aux gardes civils, et aux groupes d'autodéfense. En riposte, l'armée nettoie et tire... généreusement! On tape dans le tas et les malheureux paysans, spécialement dans la presqu'île de Camau, ne savent plus que faire.

— Si vous êtes parvenu à ce que la police nationaliste vous laisse circuler librement, c'est déjà très bien mais avec les autres, ces Viêt-Cong, vous n'avez jamais eu d'ennuis pendant vos pérégrinations à travers le pays?

— Pour eux aussi, je suis « l'antiquaire », c'est-à-dire un homme qui ne se mêle pas de politique, ni des dissensions intérieures... qui passe son temps à aller d'une ville à l'autre pour y dénicher un trésor artistique, qui valorise aussi le patrimoine national en faisant des dons spectaculaires d'objets rares à différents musées... Je n'intéresse même pas les Américains! C'est tout dire!... C'est pourquoi il fallait que vous nous arriviez ici avec la qualité de « peintre » et non pas d'ingénieur diplômé : à notre époque, on se méfie toujours des techniciens! On se dit : « Mais qu'est-ce qu'il vient donc faire par ici, celui-là? » Tandis qu'un peintre! N'en est-ce pas un qui a inventé la Colombe de la Paix? Alors!

— C'est vous qui avez eu cette idée du « peintre »? Avouez-le?

— Je n'ai jamais d'idées, moi! Je suggère seulement... A d'autres, dont l'autorité est beaucoup plus grande, de prendre les décisions... En ce qui vous concerne, j'ai simplement pu constater qu'en haut lieu ils s'étaient ralliés, pour une fois, à la solution la plus intelligente...

Toujours à l'avant de la jonque, attendant avec calme la première vision qui justifiait sa présence sur une telle embarcation, « le peintre » ne pouvait s'empêcher de repenser sans cesse à l'homme qui avait réussi à se faire passer depuis des années pour « l'antiquaire »! Décidément ce Serge Martin, dont la voix doucereuse ignorait les éclats, dont les moindres gestes étaient mesurés, dont les suggestions d'apparence anodine avaient toujours une raison secrète, ce personnage énigmatique, dont il avait l'impression de dépendre complètement et qui le tenait pratiquement à sa merci, était un homme très fort... Un être exceptionnel aussi comme on en rencontre, tout au plus, deux ou trois pendant une existence... Avant de faire la connaissance de « la vieille chouette », Jacques avait compris que, là également, devait exister une volonté de fer. Après la conversation de la rue Saint-Lazare, il avait acquis la certitude de ne pas s'être trompé : le colonel Sicard avait quelque chose du surhomme. Et voici que, deux jours plus tard, il en avait découvert un second, l'attendant dans un quelconque bâtiment de douanes à Tan-Son-Nhut. La vie était à ce point étrange qu'à quelques heures d'intervalle, elle lui avait révélé les deux surprises prodigieuses! Et c'était avec ces hommes-là qu'il était entré à nouveau dans la ronde infernale d'un espionnage poussé jusqu'à l'extrême limite de la subtilité...

Brusquement, alors qu'il pensait pouvoir encore rêvasser sur la jonque jusqu'à ce que la brume se fût dissipée, une masse sombre se dressa à tribord, immobile, émettant un bruit sourd, régulier, rappelant celui du marteau-pilon, suivi après chaque choc d'un jaillissement de vapeur...

Jacques se retourna vers Hô qui, cette fois, fit l'effort de parler. Mais il ne prononça que deux mots :

— Les Anglais!

Le navire britannique avait l'aspect assez sinistre de ces centaines de cargos que l'on voit amarrés le long des docks tristes et interminables de Londres, de Liverpool ou de Southampton : c'était bien un navire fait pour s'accommoder du brouillard.

Lentement, la jonque louvoya — Hô prouva qu'il était un marinier expert — pour se rapprocher. Jacques comprit tout de suite que ce cargo, dont le nom *The Buffle* apparaissait nettement sur la coque, devait être avant tout un navire-atelier. La jonque était à quelques encâblures de la proue quand un homme du cargo cria dans un porte-voix :

— *Do not come too near, please!*

Pourquoi la jonque se serait-elle approchée davantage? C'était inutile : les deux câbles d'acier et les tuyaux de caoutchouc, descendant à bâbord le long de la coque avant de s'enfoncer dans l'eau, étaient suffisants pour indiquer à un technicien comme Jacques que deux scaphandriers étaient en train de travailler à plusieurs pieds de profondeur. Il savait d'ailleurs que la méthode de renflouement employée généralement par les Britanniques était celle, classique, du « pompage ».

L'épave, dont ils s'occupaient en ce moment, était sans doute restée droite en coulant. Un scaphandrier avait dû descendre, muni de baguettes de fer très flexibles qui lui avaient permis de prendre les contours de la déchirure de la coque. Puis il était remonté pour permettre qu'une tôle de cette forme fût découpée dans l'atelier du bord. Ensuite il était redescendu avec la tôle pour qu'un deuxième scaphandrier, immergé entre-temps, pût la souder sous l'eau : c'était ce travail qui était en pleine exécution.

Même la coque étant rebouchée, il resterait encore de l'eau à l'intérieur du navire. L'air comprimé la chasserait grâce à un tube de forme spéciale, arrondi à sa base pour pouvoir être introduit dans l'épave perpendiculairement à la coque. Dès que l'eau serait chassée, le bateau commencerait à remonter... Comme le tuyau d'air comprimé n'était pas encore mis en place, l'ingénieur en conclut que cette remontée ne serait pas immédiate : elle serait précédée du délicat travail d'équilibrage permettant à la coque de remonter à l'horizontale. Peut-être même faudrait-il remettre de l'eau pour éviter que l'épave ne se retournât pendant la montée ?

Travail qui serait exécuté sous la direction du « renfloueur » et d'une façon tout à fait empirique puisque aucune école de Génie Naval n'a pu encore établir des moyens rigoureux de renflouement. C'était la raison pour laquelle, généralement, les renfloueurs étaient plutôt des aventuriers que des scientifiques. Même lorsque l'épave est repérée et le travail commencé, on ne peut jamais savoir exactement quand le bateau sortira ! Il arrive parfois qu'une brèche ayant été bouchée, on en découvre une autre ! Ou bien qu'un simple hublot, qui bat, annule à lui seul l'effet de l'air comprimé sans pouvoir cependant être repéré à cause de l'absence totale de bulles d'air. Le bateau peut aussi se retourner par suite des différences brutales de pression, ou simplement sous l'effet d'une vague très forte ou d'une marée prématurée. Avec une telle méthode, le renflouement peut durer trois heures... ou un an ! Aussi n'est-elle utilisée que par les gens qui ont le temps... Mais les Anglais n'ont-ils pas toujours le temps ?

C'était à se demander si ceux-ci étaient tellement pressés de renflouer une épave qui — ils le savaient aussi bien que les équipes concurrentes — n'offrait après tout, pour eux, qu'un intérêt très relatif ? Ce n'était pas « la bonne épave » : celle qui contenait le document. Dès lors, le véritable intérêt n'était-il pas d'attendre patiemment que les Russes l'eussent renflouée dans leur secteur ? Rien ne prouvait que l'*Intelligence Service* n'avait pas également, quelque part dans les environs, un ou plusieurs agents qui attendaient, eux aussi, l'heure H pour tenter de subtiliser à la dernière minute le document ? Ce dont on pouvait être certain, en tout cas, était qu'à bord du navire-atelier anglais, comme sur ses concurrents français et italien, devaient se trouver des appareils de repérage et d'observation ultra-perfectionnés, auprès desquels les fameuses jumelles marines de l'antiquaire ne devaient être qu'un jouet d'enfant, et qui permettaient de surveiller à distance, seconde par seconde, les progrès des Russes.

Ces premières constatations acquises, la jonque innocente s'éloigna du *Buffle* pendant que Jacques pensait : « Ils doivent être en train de nous observer de près... La seule attitude à prendre est de ne pas paraître nous occuper d'eux : après tout, ne sommes-nous pas un tout petit navire d'artistes ? »

Le double avertissement de Serge Martin et du policier n'avait rien d'exagéré : une chaleur moite et caniculaire, accentuée encore par la réverbération de l'eau, tombait avec un poids écrasant pendant que la jonque se dirigeait vers une autre silhouette de navire : il y en avait quatre sur l'estuaire, séparées l'une de l'autre à peu près par la même distance qui devait délimiter les différents secteurs. Deux de ces navires se trouvaient à peu près dans le même alignement mais l'un d'eux était beaucoup plus rapproché de l'entrée du chenal. Son pavillon tricolore indiquait que là se trouvait l'équipe officielle de la C.I.R.M. du président Ekko. C'était la seule qu'il fallait éviter. Serge Martin l'avait dit dans la Chevrolet :

— Votre sampanier a reçu des instructions pour ne pas trop s'approcher de nos compatriotes. Il est inutile que ces gens-là, dont je connais, hélas! la curiosité, entrent en relations avec vous. Vous êtes « le peintre » : vous devez le rester! C'est-à-dire un homme inconnu des renfloueurs d'épaves et qui ne se promène sur une vieille jonque que pour trouver dans l'estuaire de nouveaux éclairages et des horizons insoupçonnés sur la Mer de Chine... Contentez-vous de rôder du côté des gens qui nous intéressent vraiment.

La seule observation que l'ingénieur crut utile de recueillir sur le travail effectué par le cargo français était que sa position à l'entrée de la rivière — là où le fond ne dépassait pas sept mètres et où les mâts de navires coulés émergeaient encore de l'eau — obligeait les techniciens de la C.I.R.M. à employer une méthode assez ancienne inventée par le Russe Makaroff au temps des tsars. Après avoir bouché la brèche faite dans la coque, au moyen d'une toile étanche, ils étaient en train de hisser à un mât spécial une voile qui permettrait à l'épave de remonter à son niveau de flottaison. Ensuite un remorqueur n'aurait plus qu'à la tirer jusqu'à un port où elle serait mise en cale sèche. Mais comme les Anglais, les Français paraissaient ne mettre aucune hâte dans ce travail !

Le navire italien s'appelait le *San Giovanni* : à l'inverse du cargo anglais, le *San Giovanni* semblait fait pour les mers brûlantes... Il n'aurait pas été dépaysé dans la baie de Naples. Son équipage travaillait torse nu et nu-tête sans paraître craindre le moins du monde les insolations. Ces solides gaillards de Palerme ou de Tarente, dont l'épiderme était imprégné de soleil depuis l'enfance, allaient et venaient sans précipitation sur le navire et sur les deux radeaux, accolés contre sa coque, et où étaient placés des flotteurs. Ils chantaient en travaillant et ce fut dans une joyeuse bordée de cris zézayants qu'ils accueillirent la jonque. Le peintre répondit d'un geste amical, en disant au sampanier :

— Ceux-ci, au moins, n'engendrent pas a mélancolie !

— Ils sont toujours ainsi, répondit Hô avec flegme. Aussi ne les prend-on pas très au sérieux au Viêt-Nam !

— Vous avez tort ! Sachez que les techniciens italiens sont, de loin, les plus forts spécialistes du monde dans ce genre de travail. N'allez surtout pas croire qu'ils ne font rien parce qu'ils chantent ! La méthode de renflouement qu'ils emploient est la seule qui puisse être utilisée en cet endroit où la marée se fait sentir.

— Monsieur remarque tout ! dit Hô.

— Si la marée est forte, il y a de grandes différences de niveau! Quand elle est basse, l'eau est au niveau le plus bas : il faut alors placer de chaque côté de l'épave à renflouer les deux flotteurs qui sont fixés sur les radeaux. Un câble d'acier, dont les extrémités sont reliées aux deux flotteurs, est glissé sous la quille de l'épave. Dès que la marée est haute, l'eau revient à son niveau le plus haut, entraînant automatiquement les flotteurs qui remontent en soulevant, grâce au câble, l'épave qui remonte elle aussi. Certaines marées en Europe, spécialement à l'embouchure des rivières, atteignent des différences de niveau d'eau de 17 mètres! C'est, en France, le cas de la Rance entre Saint-Malo et Dinard. Différence qui va bientôt être utilisée pour capter cette force colossale capable de faire tourner la plus grande centrale hydroélectrique du monde.

Hô regardait le peintre avec un étonnement où commençait à percer un peu d'admiration : Jacques en éprouva une certaine satisfaction. N'était-il pas indispensable que la confiance régnât entre le vieux sampanier et lui pour les rudes journées qu'ils allaient peut-être vivre? Puis il conclut :

— Cette façon d'opérer s'appelle la « méthode d'inertie ».

Le soleil était à son méridien quand la jonque se dirigea vers le secteur russe. Le navire, qui ne portait pas de nom mais un numéro, le *N. 625*, peint en lettres blanches sur sa coque gris fer était d'un tonnage sensiblement plus important que ceux des trois autres. Un bâtiment dont la silhouette insolite pouvait évoquer aussi bien le pétrolier de haute mer que le ferry-boat : le pont central était très bas, presque au niveau de l'eau alors que la proue et la poupe apparaissaient démesurément surélevées... Navire silencieux d'où ne parvenaient aucun bruit de machine, aucun ordre, où l'on ne voyait circuler personne comme s'il avait été abandonné... Mais, dès que la jonque se fut rapprochée, un canot automobile, contournant la poupe du *N. 625,* qui l'avait caché jusqu'à cet instant, fonça sur l'embarcation de Hô.

Jacques s'était allongé nonchalamment sur le dos en rabattant son large chapeau sur sa figure comme ces estivants qui dorment, bercés par le roulis, en faisant une cure de soleil... Et il ne bougea pas quand une voix rauque, venant du canot tout proche, cria dans un porte-voix quelques mots en russe.

Hô, toujours appuyé à sa barre, eut un vague geste à l'intention des occupants du canot automobile qui portaient tous, malgré la chaleur, des vestes de cuir noir et qui étaient coiffés de casquettes plates sur lesquelles brillait l'étoile soviétique. Le geste de Hô avait voulu dire qu'il ignorait la langue dans laquelle avaient été lancées les vociférations. Il fit cependant un deuxième geste pour expliquer qu'il comprenait que l'on n'aimait pas le voir rôder dans le secteur et qu'il allait faire son possible pour s'éloigner au rythme de sa voile!

De nouveaux cris en russe parvinrent pendant que le bruit du moteur du canot s'atténuait. « Le peintre », se dorant au soleil, n'avait toujours pas bougé comme si rien ne pouvait l'arracher au sommeil bienfaisant... Mais, quand la jonque ne fut plus à portée de voix ni du canot ni du *N. 625,* il demanda tranquillement au sampanier, sans même éprouver le besoin de retirer le chapeau qui lui recouvrait le visage :

— Tu as compris ce qu'ils t'ont dit?

— Non. Je ne connais pas leur langue... Tout ce que je sais, c'est qu'ils n'avaient pas l'air contents!

— Ils t'ont déjà vu par ici?

— C'est la première fois où je m'approche aussi près : il le fallait pour exécuter les ordres de M. Martin.

— Il en a de bonnes, lui! On voit bien qu'il n'est pas à notre place! Je vais quand même te dire ce qu'ils ont crié...

D'abord ils t'ont donné l'ordre de déguerpir en t'expliquant que ce n'était pas un endroit propice pour la pêche et qu'il n'y avait pas de poissons dans ces parages... Ce en quoi ils mentent effrontément : il y a un poisson... un gros poisson ! Seulement celui-là, ils se le réservent ! Ensuite ils t'ont averti que si tu revenais, ils porteraient immédiatement plainte auprès des autorités vietnamiennes parce que ce secteur leur était réservé... Oui, mon vieux Hô ! Ces gens-là n'y vont pas par quatre chemins ! Ils pensent tout de suite aux autorités ! Ce ne sont pas de joyeux drilles comme les Italiens... Ils ne chantent pas, eux ! C'est peut-être pourquoi leur bateau sans nom paraît plutôt lugubre ? De toute façon, tu as bien fait d'obtempérer... On verra plus tard... demain, ou après-demain, ou jamais ! Qui sait ?... Pour le moment, tu vas te débrouiller pour me faire continuer cette agréable promenade uniquement pour le plaisir de la navigation... Inutile, pour cette seconde partie de notre programme, de me ramener vers tous ces gros navires dont certains ont l'air de vouloir se montrer si méchants à l'égard des humbles jonques inoffensives ! Arrange-toi pour donner à tous ces « gros », qui doivent continuer à nous observer, l'impression que véritablement nous ne sommes que des dilettantes... Et n'oublie pas de te rapprocher peu à peu de notre point de départ pour que nous puissions rejoindre notre petite crique cachée dès que la nuit sera venue... Maintenant, je dors !

Il se tut, toujours allongé, savourant la brise qui se faisait un peu plus légère, écoutant aussi la musique douce du clapotis...

Ce ne fut que trois heures plus tard, quand il comprit que le soleil commençait à décliner rapidement à l'horizon, qu'il ôta le chapeau lui recouvrant le visage. Avait-il réellement dormi ? Ou avait-il pensé aux premières « visions d'art » qu'il venait de découvrir ?

Il dit à Hô en lui montrant le chapeau en paille de riz :

— C'est vraiment très pratique... Regarde...

Le vieux sampanier aperçut, pratiqués dans le large rebord, une multitude de petits trous faits au moyen d'un poinçon.

— Tu vois, quand on fait semblant de dormir en se plaçant cette protection sur le visage, on voit tout sans bouger... Pendant que ces excités en canot, qui ne m'intéressaient guère, t'invectivaient à bâbord, j'ai eu tout le loisir de contempler le *N. 625* à tribord... Toi, naturellement, tu n'en as pas eu le temps! Pourtant tu as les yeux malins et fureteurs de ta race... Tu n'as rien remarqué d'assez spécial, entassé à l'avant, presque à la proue?

— Non.

— Et à l'arrière?

— A part le drapeau rouge avec sa faucille et son marteau d'or...

— A l'avant, ce qui ressemblait à de gros sacs est une pile de flotteurs en nylon ou en perlon qui ne sont pas encore gonflés...

— Peut-être bien... Et à l'arrière?

— Il y a une pompe gigantesque. Du moment qu'elle est déjà en place à cet endroit, c'est que les choses vont aller vite... très vite! l'U.R.S.S. a, depuis quelques années déjà, la réputation de ne pas aimer perdre son temps. Voici à peu près ce qui va se passer... Leur méthode de renflouement est assez différente de celles de leurs concurrents : il ne s'agit plus d'agir par simple « pompage » ou par « inertie » mais par la « méthode de force »... Suis-moi bien : l'un de leurs scaphandriers a dû descendre pour procéder à l'opération ASDIC...

— ASDIC?

— C'est un mot technique assez barbare qui signifie simplement qu'une fois l'épave repérée, on lui fixe une petite ficelle très mince — et non pas une grosse qui serait dérivée

127

par le courant — au bout de laquelle est attachée une bouée minuscule destinée à marquer l'emplacement précis de l'épave. C'est exactement à droite de cet emplacement que s'est amarré le *N. 625*... Tu peux être certain que l'épave est couchée sur sa déchirure, donc qu'il est impossible de boucher la brèche : ce qui complique singulièrement le travail! La seule façon de faire remonter le navire est d'envoyer au fond les flotteurs en nylon avant de les gonfler : on les fera descendre en les lestant de poids. Ces flotteurs seront placés de chaque côté du navire couché sur le fond, qui, ici, est sablonneux. Deux scaphandriers descendront alors, et, selon la méthode d'inertie, passeront sous le bateau — en creusant dans le sable — des câbles qui aboutiront, à leurs deux extrémités, aux flotteurs immergés. Quand le dispositif sera en place, on enverra de l'air à forte pression et l'on gonflera les flotteurs de nylon tout en les libérant des poids qui les maintenaient au fond. Ceci permettra de redresser le navire sur sa base. Il ne restera plus qu'à le faire remonter, par la méthode classique de pompage... Voilà, mon cher vieux Hô, ce que vont faire les techniciens russes! Avoue que ce sera du beau travail! Note bien que si je t'explique tout cela, c'est uniquement parce que Serge Martin m'a dit que tu étais un ami... et j'aime assez intéresser mes vrais « amis » à mes petites découvertes, surtout quand j'aurai besoin d'eux bientôt...

— Oui, monsieur Fernet.

— Tu sais même mon nom? C'est cependant la première fois que tu le prononces... Dis-moi, Hô, pourquoi nous aides-tu ainsi? Aimerais-tu la France à ce point?

— J'aime M. Martin.

— Tout le monde l'aime dans ce pays!

— Peut-être pas tout le monde parce qu'on le trouve trop intelligent... Mais sûrement moi!

— Pourquoi?

— Il m'a sauvé la vie...

— Il y a longtemps?

— Pas tellement...

— C'est très bien de lui être reconnaissant... Seulement je vais te confier un secret : ce Serge Martin est un fieffé menteur !

— Qui ne ment pas, monsieur?

— Sais-tu en quoi il m'a trompé?... Il m'a dit hier que je serais ébloui par la beauté des aurores et des crépuscules sur l'estuaire de cette rivière de Saigon... Et je constate qu'il n'y a pas eu plus de crépuscule ce soir que d'aurore ce matin! La nuit est tombée sans même que nous ayons eu le temps de nous en apercevoir! Puisqu'elle est là, que faisons-nous, Hô?

— Nous débarquons, monsieur... J'ai exécuté vos ordres : nous sommes dans la crique.

— Figure-toi que je m'en doutais un peu! dit Jacques en souriant.

A peine la jonque se fut-elle immobilisée qu'une voix suave et douce, venant de la berge, demanda :

— Alors, mon cher rapin, cette croisière s'est bien passée?

— On ne peux mieux, cher antiquaire!

— Peut-on savoir quelles sont vos premières impressions?

— Excellentes!

Le retour dans la nuit avait été silencieux, comme si les deux hommes n'avaient rien eu à se dire. Ce ne fut qu'après le dîner, silencieux également et servi par Kim, quand ils se retrouvèrent dans le salon devant deux whiskies que Serge Martin finit par demander :

— Avez-vous été satisfait de mon vieil ami Hô?

— Il connaît son métier. Le contraire m'aurait d'ailleurs étonné : vous m'avez l'air de savoir assez bien choisir vos collaborateurs.

— Il le faut dans ce pays! Puis-je vous demander à nouveau quelles sont vos impressions?

— Les Russes utilisent la méthode la plus difficile mais la plus efficace : ils ont fait venir un matériel qui est très supérieur à celui de leurs concurrents et qui leur permettra de mener rapidement les opérations. Ils ne doivent pas être loin d'être prêts...

— Autrement dit, « techniquement », vous avez compris?

— Je le pense.

— Et « picturalement »?

— Ce qui veut dire?

— Avez-vous fait quelques croquis?

— Ils seraient inutiles.

— C'est donc que vous vous sentez capable de commencer à peindre?

Le peintre ne répondit pas.

— Pendant que j'observais avec mes jumelles vos pérégrinations sur l'estuaire, il m'est venu une idée : j'ai pensé que demain vous devriez retourner là-bas et faire arrêter la jonque à un certain point, situé à égale distance entre le navire russe et le cap Saint-Jacques... Une fois là, confortablement protégé des ardeurs solaires par un large parasol que Hô placerait à l'avant de son bateau, vous pourriez commencer à peindre la vision du cap Saint-Jacques sans vous occuper des Russes auxquels vous tournerez délibérément le dos pendant toute la journée... Ça les intriguera et, comme ils ont sûrement à bord des instruments d'optique perfectionnés, ils ne cesseront pas de vous observer. Ils verront que vous peignez... Le soir vous rallierez notre petite crique et vous nous rapporterez le fruit coloré de votre travail... Pour vous faciliter la tâche, je me suis permis de dessiner sur l'une des toiles, que vous aviez laissées ici et que j'avais emportée en cachette dans le coffre de ma voiture, une première esquisse du panorama que vous découvrirez demain... Ce sera pour vous une sorte de « mise en place » de votre tableau...

Il sortit de derrière un guéridon recouvert de cuir de Chine, qui l'avait cachée jusque-là, une toile :

— Voici exactement l'esquisse que vous auriez pu faire aujourd'hui si vous vous étiez trouvé à l'endroit où la jonque stationnera demain... Vous voyez les contours du cap Saint-Jacques et l'entrée du port où l'on trouve les pilotes qui s'embarquent sur les navires qui doivent remonter la rivière jusqu'à Saigon... Je crois que c'est assez net. Vous n'avez plus qu'à barbouiller l'ensemble de couleurs dans la manière connue de Jacques Fernet... N'oubliez jamais que ce garçon-là fait preuve d'une certaine naïveté dans le choix de ses coloris... Il aime les oppositions : ses ciels sont très bleus, ses terres — dans le cas présent ce sera le promontoire du cap — sont assez rouges et les eaux, c'est-à-dire cet amalgame des eaux de la rivière et de celles de la mer de Chine, plutôt jaunâtres... N'hésitez pas à prendre avec vous, au besoin, les reproductions photographiques des œuvres précédentes de Jacques Fernet que vous avez apportées de Paris : cela pourra vous donner des idées...

— Ce sera tout pour demain ? demanda Jacques avec ironie.

— Ce sera déjà beaucoup car la toile devra être terminée pour la tombée de la nuit !

— Vous vous fichez de moi ?

— Vous avez tant de talent ! Un talent qui s'ignore mais qui se révélera vite ! De mon côté, d'un observatoire que j'ai découvert et d'où je pourrai, sinon vous surveiller, du moins vous « protéger », je me livrerai au même travail que vous : le soir, rentrés ici, nous confronterons les résultats... Et nous serons équitables : la toile qui nous paraîtra se rapprocher le plus de la « manière » de Jacques Fernet sera la bonne...

— Vous comptez donc la vendre ?

— Pourquoi pas ? Mais auparavant, j'ai l'intention de la valoriser en la faisant connaître... Vous rendez-vous compte de son importance artistique ? La première toile que le grand Fernet a peinte vingt-quatre heures après son arrivée au Viêt-Nam ! Il n'y a là un excellent élément publicitaire...

— Pourquoi agir ainsi ?

— Vous comprendrez mieux demain soir... N'êtes-vous pas fatigué ?

— J'avoue que cette journée sur l'eau, et sous le soleil...

— Je vous avais prévenu qu'il était tuant ! Allez dormir, cher ami... Et toutes mes félicitations pour la rapidité avec laquelle vous avez compris que les Russes étaient des gens sérieux ! Bonne nuit !

Au moment où les flocons de brume allaient se dissiper, le bruit caractéristique du canot à moteur de la police se fit entendre. Quelques instants plus tard, la vedette était à nouveau à côté de la jonque. Cette fois les policiers vietnamiens n'en descendirent pas mais celui qui avait parlé la veille, cria avec bonne humeur en français :

— Bonjour, monsieur Fernet... Vous êtes bien matinal !

— Il le faut ! répondit Jacques déjà installé à l'avant de la jonque. J'ai l'intention de faire ma première toile dans la journée.

— Vous ne perdez pas de temps ! Peut-on savoir ce que vous avez l'intention de peindre ?

— La pointe du cap Saint-Jacques.

— Vous avez choisi un excellent emplacement... Bon courage !

Pendant que la vedette s'éloignait, Jacques réfléchissait :

il avait omis de dire à Serge Martin qu'il avait déjà subi un premier contrôle de la police, la veille. C'était là une erreur : la sollicitude et surtout l'amabilité de cette police fluviale, dont l'un des membres savait s'exprimer en français, avait quelque chose d'insolite.

Dès qu'il retrouva l'antiquaire le soir, il lui en fit part mais celui-ci se contenta de répondre :

— C'est excellent que la police indigène s'intéresse à vous et à votre travail. Vous verrez qu'elle finira par vous prendre au sérieux... C'est la seule visite que vous avez reçue ?

— La seule. La jonque n'a pas bougé de l'endroit où Hô l'a conduite selon vos instructions.

— Avouez que le lieu était idéal pour avoir une vue d'ensemble du cap ?

— Idéal !

Quand ils se retrouvèrent le soir dans le salon, le vieil homme dit :

— Et maintenant, soyez gentil de me montrer votre chef-d'œuvre.

Après avoir longuement regardé la toile en silence, il déclara :

— Savez-vous qu'elle aurait pu être pire ? Je suis assez surpris mais vous êtes doué ! Évidemment, tout cela sent la hâte d'un débutant qui veut absolument terminer le travail...

— Mais vous m'avez dit qu'il fallait que ce soit fait dans la journée.

— C'est vrai : n'oublions jamais que Jacques Fernet est un peintre ultra-rapide ! Cependant il ne faut pas confondre rapidité et précipitation... Quand même, ce n'est pas trop mal : il y a un ciel, il y a de l'eau, il y a un cap lointain... Un peu flou, le cap ! Notez bien qu'il serait très acceptable à Paris dans une galerie de la rive gauche où les gens ont l'intelligence de ne pas s'occuper de la véracité à une époque où la photographie est là pour l'apporter... Mais au Viêt-Nam, où la peinture n'en est encore qu'à ses premiers balbutiements, les gens cherchent surtout à retrouver sur une toile l'exactitude : j'avoue que c'est assez stupide, mais c'est ainsi! Et c'est pourquoi, sans que vous soyez encore jamais venu chez eux, ils ont aimé vos peintures genre « carte postale ». Aussi vous en voudraient-ils beaucoup si, une fois arrivé dans leur pays, vous leur présentiez des œuvres où la véracité s'estomperait devant le génie créateur. Que vous le vouliez ou non, vous êtes condamné à faire « vrai »!

— Alors, je n'y arriverai jamais!

— Mais si.

Il alla chercher une autre toile qu'il avait dissimulée, comme la veille, derrière le même guéridon chinois.

— Maintenant, je vais vous montrer mon travail...

Pendant quelques secondes, Jacques Fernet demeura ébahi : il avait sous les yeux la reproduction exacte de la vision qu'il avait eue pendant toute la journée et qu'il n'avait cependant pas réussi à peindre... Il ne put que dire :

— Évidemment, c'est ça!

— Notez bien que je ne suis pas persuadé qu'en valeur pure, cette décalcomanie soit supérieure à votre essai qui a au moins le mérite de la fraîcheur... Seulement, ça plaira plus ici! Alors? Vous n'avez pas de regrets? Nous optons pour ma toile?

— Puisqu'il le faut...

— Je sens, dans ce renoncement forcé, déjà poindre une rancune d'auteur... Ce qui prouve une fois de plus que vous êtes un artiste-né! Il ne reste plus qu'une petite formalité à remplir... Prenez le pinceau que j'ai préparé et signez cette toile en bas à droite, là où Jacques Fernet a pris l'habitude de le faire...

— Ce sera un faux!

— Au point où nous en sommes!... Tenez : voici une autre toile de Jacques Fernet que j'ai achetée — parfaitement : je l'ai payée! — la veille de votre arrivée... Ceci pour vous permettre d'imiter la signature... Cela n'est pas très sorcier... Faites-vous la main ou plutôt « le pinceau » deux ou trois fois avant sur ce bout de toile vierge...

Jacques prit le pinceau et s'exécuta.

— C'est très bien : la première signature est un peu hésitante, la deuxième trop appuyée, la troisième trop grande... La quatrième sera la bonne! Apposez-la directement sur « notre » cap Saint-Jacques... Doucement... C'est parfait! N'y touchez plus! Laissons sécher et buvons un scotch...

Le verre en main et après avoir avalé la première gorgée, il s'était reculé pour juger de l'effet produit par la toile qu'il avait placée sur un fauteuil :

— Je vous assure que c'est un remarquable « Jacques Fernet »!

— Ne serait-ce pas vous qui auriez peint les autres?

— Dieu m'en garde, bon ami! Je veux bien jouer de temps en temps les faussaires, mais pas pour ce genre de peinture! Une fois suffit... Ceci dit, peut-être serons-nous contraints de collaborer bientôt ensemble à une deuxième toile, mais je pense que notre « collaboration picturale » s'arrêtera là!

Il avait frappé sur le gong : Kim apporta un plateau sur lequel étaient posés d'autres verres et une bouteille de forme assez étrange.

— J'attends quelques invités, dit l'antiquaire.

Quand le boy fut sorti, il demanda en désignant la bouteille :

— Avez-vous jamais bu du schoum?

— J'ignore même ce que c'est!

— Une vulgaire liqueur faite avec de l'eau-de-vie de riz...
Mes invités l'apprécieront plus que le whisky : ils sont
nationalistes en tout, même dans leurs goûts !

— Vous recevez souvent ainsi ?

— Jamais ! Cette soirée est tout à fait exceptionnelle...
Pouvez-vous me prêter votre chevalet ? Il sera plus indiqué
pour mettre en valeur « votre » cap Saint-Jacques... Quant
à l'autre toile, je crois qu'il est préférable de la cacher.

— Vous pouvez même la faire disparaître ! Je n'ai aucun
orgueil d'auteur !

— Gardons-la en réserve... On ne sait jamais ! Vous
pourrez toujours la remporter à Paris, quand vous y
retournerez pour l'offrir à l'une de vos connaissances ou
même pour la conserver chez vous : elle vous rappellera vos
promenades en jonque... Mais je crois que nos invités
arrivent...

Les phares d'une voiture venaient de se refléter sur les
stores en bambou déjà baissés.

Quatre visiteurs vietnamiens, dont deux portaient des
flash-caméras, venaient d'être introduits par Kim.

— Messieurs, leur dit Serge Martin dans leur langue avec
une grande affabilité, je tiens d'abord à m'excuser pour
cette réception un peu tardive mais je suis persuadé que
vous me pardonnerez à la seule vue de cette toile... Vous
avez devant vous la première œuvre que notre grand ami
Jacques Fernet vient de peindre au Viêt-Nam. Et vous
constaterez que ce travailleur infatigable n'a pas attendu
longtemps, selon la promesse qu'il vous avait faite il y a
trois jours à l'aérodrome... Vous reconnaissez le cap Saint-
Jacques... Ne pensez-vous pas que notre ami a bien fait
de choisir un tel sujet ? Ce cap ne constitue-t-il pas la
première vision qu'offre votre admirable pays à tous ceux
qui arrivent à Saigon par la mer ?

Les visiteurs restaient béats d'admiration.

— Et j'ai tenu à ce que vous, messieurs les journalistes, ayez la primeur de cette vision avant que la toile n'aille rejoindre dès demain après-midi toutes celles qui se trouvent déjà exposées à la galerie. Ne sera-ce pas très émouvant de penser que cette première œuvre peinte sur le vif va être entourée de celles qui ont été peintes d'imagination en France ? M. Fernet vous donne l'autorisation de prendre pour vos journaux toutes les photographies que vous voudrez : ainsi vos lecteurs pourront déjà découvrir ce chef-d'œuvre dans vos éditions de demain matin avant les amateurs qui iront à la galerie.

Les éclairs de magnésium crépitèrent, suivis de toasts au schoum et au whisky portés au succès grandissant de l'artiste qui sut rester modeste... Quand l'un des journalistes, avant de repartir, lui demanda : « Serait-ce indiscret de savoir quel sera le sujet de votre prochaine toile ? Une marine ou un paysage ? » Jacques Fernet eut une courte hésitation mais, une fois de plus, celui qui paraissait devoir jouer de plus en plus le rôle de son « public-relation » vint à son aide :

— M. Fernet a en ce moment une très nette prédilection pour les marines... Je vous demande, messieurs, de ne pas oublier de mentionner dans vos articles que cette nouvelle toile sera dès demain après-midi exposée au milieu des autres...

Quand ils se retrouvèrent seuls, « le peintre » ne put s'empêcher de demander :

— Vous croyez que c'était vraiment très utile de présenter aussi vite ce tableau ?

— C'était indispensable ! Vous-même ne m'avez-vous pas dit qu'à votre avis les Russes n'étaient pas loin d'être prêts ? Pour nous aussi, il s'agit donc d'agir vite...

— Je ne vois vraiment pas où vous voulez en venir avec toutes ces histoires de peinture !

— C'est pourtant simple! Réfléchissez : demain matin par les principaux journaux du pays, les Russes, comme d'ailleurs leurs concurrents, vont apprendre qu'il vous a suffi de quarante-huit heures pour peindre votre première toile... Quand ils en verront les photographies, ils feront un recoupement automatique : cette vision du cap Saint-Jacques correspond exactement à celle que vous pouviez avoir, sous votre parasol et sur votre jonque, pendant que vous leur tourniez le dos... Peut-être même enverront-ils, dès l'après-midi, à la galerie un quidam qui aura pour mission de voir de plus près le résultat? Il ne sera pas ébloui s'il n'aime pas ce genre de peinture, mais il ne pourra pas dire à ses compatriotes que vous avez chômé sur votre jonque... Conclusion : comme la police vietnamienne, les Russes penseront que vous êtes réellement peintre.

— Et après?

— Ce jour-là, mon cher, vous pourrez entrer en contact avec eux...

— Vous croyez cela? Vous vous figurez qu'ils attendent après un obscur barbouilleur de toiles alors qu'ils ne sont ici que pour réaliser une fantastique opération?

— Vous ne devriez pas oublier que depuis l'instant où vous avez pénétré dans les bureaux de la C.I.R.M. tout s'est passé et déroulé exactement comme on vous l'avait prédit... Il n'y a aucune raison pour que ça ne continue pas! Mais c'est suffisant pour ce soir : il se fait tard...

— Demain, même programme? Petite promenade sur la jonque?

— Non. Demain matin, repos. A votre réveil, vous aurez la joie de voir en première page des journaux, que vous apportera Kim, la photographie de « votre » toile. Demain après-midi, nous la porterons solennellement à la galerie, où d'autres journalistes nous attendront. Après de nouvelles félicitations, nous rentrerons ici où je vous expliquerai le travail du lendemain...

— Je recommencerai à peindre?

— Sûrement, puisque vous y avez pris goût!

— Toujours sur la jonque?

— Non. A terre!

— Vous avez pourtant vanté aux journalistes ma prédilection actuelle pour les marines?

— Mon cher, il y a une foule de peintres qui se contentent, pour ce genre de peinture, de travailler sur la terre ferme! Vous avez peint le cap Saint-Jacques vu de l'estuaire... Pourquoi maintenant ne pas peindre l'estuaire vu du cap? Entendons-nous : sous un certain angle qui serait exactement l'inverse du précédent... Imaginons que vous soyez à terre : qu'est-ce que vous verriez sur l'eau?

— Le bateau russe!

— Voilà!... Et savez-vous où vous installerez votre chevalet? Tout prêt d'une grande bâtisse, assez laide d'ailleurs, qui a été construite, voici une quarantaine d'années, par un colon français qui l'a abandonnée au moment de la guerre contre le Viêt-Minh et qui est rentré en France. La maison est restée assez longtemps inoccupée avant de trouver de nouveaux habitants qui l'ont louée à bas prix. Et devinez quels sont ces occupants? Les Russes, mon cher! Nos bons « techniciens » russes qui y ont établi leur Quartier Général et le lieu de détente de leurs équipes de renflouement quand elles ont le droit de descendre à terre... Vous voyez que nous nous rapprochons d'eux... Bonne nuit et oubliez tout cela! Pensez plutôt aux belles Saigonnaises qui vous accueilleront demain à la galerie quand nous y apporterons votre nouveau chef-d'œuvre et dont les yeux, brillants de désir, auront des lueurs d'attendrissement pour ce peintre blond qui sait allier des qualités de charme personnel à un art dont la rapidité tient presque du prodige...

★

... Était-ce le souvenir de ces paroles évoquant le charme indéniable des Vietnamiennes ? Brusquement la silhouette imaginée de l'une de ces femmes d'Asie s'imposa à lui, balayant tous les souvenirs du passé et le ramenant au présent. Pour la deuxième fois, il réalisait qu'il se trouvait toujours allongé sur son lit dans la chambre voisine de celle de l'antiquaire.

La femme à laquelle il pensait était la *taxi-girl*, cette Maï qui resterait encore plus mystérieuse pour lui que pour tous les autres puisqu'il ne pourrait jamais connaître son visage... Dans la demi-inconscience qui le faisait passer brutalement du rêve à la réalité, il avait l'impression de se trouver encore sur la piste du *Grand Monde*, enlaçant le corps admirable, respirant le parfum subtil de l'inconnue... Et il ne put s'empêcher de se remémorer une légende que lui avait raconté un soir — alors qu'il gisait désespéré sur un autre lit, celui de l'hôpital — l'homme qui se prétendait « son vieil ami ».

La voix très douce de Serge Martin avait commencé :

— Il y avait une fois, non loin de Hué, une région que dépeuplaient de gigantesques vautours. Tous les habitants avaient fui. Survint un étranger, qui venait d'au-delà des mers, et qui était beau comme un jeune dieu. Fatigué par son long voyage, il s'assit sur un gong en peau de buffle abandonné au milieu du Palais Royal désert. Et voilà qu'il commença à respirer un parfum délicieux. Et voilà que ce parfum attira à nouveau les vautours... Leurs ailes obscurcissaient le soleil, cachant le ciel. Le combat entre le courageux étranger et les vautours dura pendant des heures... Des dizaines de milliers de vautours furent tués. Les deux derniers, pris de peur, s'enfuirent pour toujours.

» Fatigué, le jeune homme se rassit sur le gong. Quelque

chose le piqua aussitôt. Il se leva pour regarder s'il n'y avait pas d'épine mais, ne trouvant rien, il se rassit et bondit, à nouveau piqué. Prenant alors son sabre, il fendit en deux la peau du gong, et une jeune fille admirable en sortit, répandant autour d'elle un merveilleux parfum...

— Je suis, dit-elle, Néang Soe Kraaup, la fille-aux-cheveux-qui-sentent-bon, fille du roi de ce royaume. J'ai vu par le petit trou du gong ce que vous avez fait : tous les terribles oiseaux, qui ont dévasté mon pays, sont morts ! Mon père saura reconnaître vos services quand il reviendra. Mais il est parti avec tout le monde ! Peut-être est-il mort ? Pour m'emmener, et afin que l'odeur qui s'échappe naturellement de mes cheveux n'attire pas les oiseaux et qu'ils ne me tuent pas, il m'avait enfermée dans ce gong et un petit trou avait été fait pour que l'air pût s'y renouveler ! C'est par ce petit trou que je vous ai piqué parce que vous le bouchiez et que j'étouffais ! Il est probable que l'on a oublié de charger le gong sur un éléphant et que le roi mon père est parti croyant m'emporter...

» — Je suis heureux ! répondit l'étranger.

» A partir de ce moment, les deux jeunes gens s'installèrent dans le palais désert et ne se quittèrent plus. Ils y vécurent sans rien faire d'autre que s'aimer. »

Cette vieille légende avait amené un très vague sourire sur les lèvres de l'homme brutalement devenu aveugle. Et l'antiquaire, satisfait, avait conclu :

— N'êtes-vous pas l'étranger blond d'au-delà des mers ? Bientôt peut-être rencontrerez-vous la fille-aux-cheveux-qui-sentent-bon ?

Cette nuit, il l'avait trouvée. Le gong, qui servait de prison à Maï, était gigantesque : c'était ce *Grand Monde* où on l'obligeait à faire la *taxi-girl* sous la surveillance d'une horrible *taï-pan*... Les vautours étaient les Chinois qui dirigeaient l'établissement et, parmi eux, le sinistre M. Sun... L'étranger, c'était lui, Jacques, qui devait délivrer la fille parfumée et l'arracher à sa lamentable condition... Ne lui devait-il pas déjà une immense reconnaissance pour l'avertissement qu'elle lui avait donné ? Si elle avait agi ainsi, n'était-ce pas parce qu'elle l'aimait déjà, même sachant qu'il ne pourrait pas la contempler ?

Serge Martin, pendant qu'ils revenaient de Cholon, la lui avait décrite sur sa demande. N'avait-il pas dit : « Son visage est l'un des plus purs que j'aie jamais rencontré depuis cinquante années où je vis dans ce pays... » Un homme d'un tel raffinement ne pouvait se tromper.

L'aveugle se plut alors à imaginer ce visage en essayant de se souvenir de tous ceux des belles Saigonnaises qui l'avaient entouré à l'époque de son exposition. Mais même l'imagination était impuissante : Maï devait être encore plus belle que les plus belles, plus racée que les plus fines... Perdu dans la contemplation d'une femme de rêve, il n'avait pas remarqué qu'une nouvelle fois, dans l'ombre de la nuit, une présence s'était rapprochée de son lit. Ce fut le léger déclic d'une carabine automatique, que l'on arme, qui le ramena brutalement à la réalité... A nouveau, son sang se glaça : Serge Martin allait-il vraiment le tuer ? Ne faisait-il pas partie, lui aussi, des vautours ? N'était-il pas le plus dangereux de tous, cachant, sous l'hypocrisie de l'amitié, la froide détermination d'abattre ?

Comme la première fois, l'homme étendu eut assez de volonté pour contrôler sa respiration et continuer à donner l'impression qu'il dormait paisiblement. Les secondes silencieuses qui suivirent furent angoissées : l'homme, debout auprès du lit et armé, ne bougeait pas... Enfin la voix, qui pouvait se montrer si douce quand elle racontait des légendes, murmura dans un souffle :

— Vous dormez ?

Jacques ne répondit pas.

Après quelques instants, l'antiquaire s'éloigna lentement. Il mit un temps infini à rejoindre sa chambre, frôlant à peine le plancher. L'aveugle comprit que, pour faire encore moins de bruit, son visiteur marchait pieds nus comme les sampaniers... Puis il entendit la porte de communication grincer très légèrement en se refermant.

Si Serge Martin fermait maintenant cette porte, ce ne pouvait être que parce qu'il pensait qu'aucun danger ne pouvait plus survenir avant le lever du jour. Mais pourquoi avait-il armé ainsi la carabine, tout près du lit ? Peut-être avait-il eu l'impression que le tueur annoncé par Maï était déjà dans la chambre ? Instinctivement Jacques écouta, tendant son ouïe à l'extrême, et huma l'air de la chambre : il était bien seul. Aucune autre odeur que celle de l'antiquaire, qui venait de la quitter, n'y flottait...

Fatigué par ce nouvel effort, las surtout de ne songer qu'au danger, il préféra ramener ses pensées vers la *taxi-girl* à laquelle il prêta successivement tous les visages rencontrés à Saigon. Entraîné par cette vertigineuse ronde de beauté, il revint insensiblement à l'après-midi où, aidé par Serge Martin, il avait apporté à la galerie la toile du cap Saint-Jacques dont tous les journaux du matin avaient déjà parlé et devant laquelle s'étaient bousculées de nouvelles admiratrices... Après ce second triomphe, l'antiquaire et lui étaient rentrés dans la maison des merveilles, où le whisky, servi par Kim, les attendait. Là, dans le calme retrouvé, Serge Martin avait continué à lui exposer le minutieux plan d'approche qui allait lui permettre, dès le lendemain, d'entrer peut-être en contact avec les Russes.

— Cher ami, avait commencé ce soir-là Serge Martin, profitons de ce que votre chevalet est resté dans ce salon depuis hier pour y placer une nouvelle toile vierge... Et je vous demande quelques minutes de grande attention : pour l'exécution de votre deuxième œuvre, nous allons procéder d'une façon diamétralement opposée à celle que nous avons utilisée pour la première... Je ne vous cache pas, m'étant rendu compte de vos possibilités artistiques, que celle-ci sera infiniment plus délicate à peindre! Comme vous travaillerez à terre, vous risquez — et il faut souhaiter qu'un tel risque se réalise! — que des curieux viennent se placer derrière vous pendant que vous barbouillerez votre toile, ne serait-ce que pour voir ce que vous peignez ou même aussi pour faire quelques commentaires plus ou moins obligeants sur votre art. Surtout, ne vous formalisez pas! Laissez les autres parler entre eux et continuez à travailler comme si vous étiez seul au monde!

» Mais il est indispensable que vous donniez à tous, profanes ou gens vaguement qualifiés, l'impression que vous connaissez votre art. Il vous faudra donc peindre directement sans repasser sur un croquis préparé à l'avance... Contrairement à la réputation de peintre ultra-rapide que vient de vous apporter l'exposition de la toile précédente, vous ne travaillerez cette fois qu'avec une extrême lenteur... S'il le faut, vous mettrez une semaine à réaliser cette vision de l'estuaire : le premier jour, c'est-à-dire demain, vous ne vous occuperez que du haut de la toile où vous mettrez en place votre ciel... Vous serez l'homme qui hésite, qui mélange ses coloris, qui jette une touche, qui la ponce, qui l'efface pour la remplacer par une autre, le peintre-qui-n'est-jamais-satisfait... Cette lenteur vous permettra d'attirer de plus en plus l'attention de ces « locataires » dont je vous ai signalé la présence dans la grande maison voisine. Je vous indiquerai demain matin, avant le lever du jour, l'emplacement exact où devront être installés votre chevalet, votre pliant et le parasol qui vous protégera du soleil. Avec un tel attirail, que l'on a déjà remarqué sur la jonque, je vous garantis que vous ne passerez pas inaperçu!

» Qui pouvez-vous intriguer là où vous serez? Peut-être quelques indigènes, mais j'en doute! Le coin est relativement désert et assez éloigné de la ville du cap Saint-Jacques proprement dite. La seule habitation proche est celle qu'occupent les Russes. Donc, fatalement, pour peu qu'ils se donnent la peine de jeter de temps en temps un coup d'œil autour de leur demeure, ils seront les premiers à s'intéresser à votre travail. Mais ne vous faites pas trop d'illusions! Ce sont des gens excessivement prudents, qui ne doivent quitter leur maison de repos qu'avec circonspection. Je me suis laissé dire qu'on ne les voyait en sortir que pour se rendre, à cinquante mètres de l'endroit où vous peindrez, sur une sorte d'embarcadère de fortune où viennent s'amarrer les canots automobiles qui leur permettent d'assurer la liaison entre la maison que nous pourrions appeler leur P.C. terrestre et le gros navire numéroté, ancré à un demi-mille dans l'estuaire.

» Je vous conduirai là-bas demain avant le lever du jour. Le seul petit inconvénient sera qu'il me faudra arrêter la voiture assez loin sur la route pour ne pas trop me faire remarquer à proximité de la maison. Cette première fois, je serai quand même obligé de vous accompagner jusqu'à l'emplacement rêvé où vous pourrez peindre ensuite à votre aise... Puis je disparaîtrai comme un oiseau de nuit... Le soir, vous rejoindrez l'endroit où j'aurai laissé la voiture : comme par hasard, elle passera, venant de Kung-Tau et se dirigeant vers Saigon... Vous n'aurez qu'à faire le signe cher aux auto-stoppeurs : je vous promets de m'arrêter! Si nous allions dormir?

L'homme, coiffé du chapeau en paille de riz, s'était installé avec tout son matériel à une centaine de mètres de la grande maison isolée et face à l'estuaire. Assis sous son parasol, l'artiste ne semblait nullement pressé : de temps en temps, après avoir fait sur sa palette de savants mélanges de couleurs, il se risquait à donner une touche légère au sommet de sa toile, là où devrait, logiquement, apparaître le ciel... Lentement, très lentement, ce ciel commença vaguement à se dessiner alors que le reste de la toile demeurait immaculé, mais il n'acquit une certaine consistance qu'en fin d'après-midi au moment où la lumière commençait à décliner.

Un peintre qui ne trouve plus l'éclairage propice, n'a qu'à plier son matériel et à rentrer chez lui. Ce que fit l'homme dont la silhouette — accablée par le poids du chevalet replié, de la boîte à pinceaux, du pliant et du parasol refermé — s'éloigna dans la nuit qui venait. Un kilomètre plus loin, juste au moment où il débouchait d'un sentier, saturé de l'odeur lourde des mangliers, sur la route de Saigon, une voiture passa, silencieuse et tous feux éteints...

Quelques secondes plus tard, l'artiste était installé dans la conduite intérieure, à côté du conducteur qui lui demanda pendant qu'ils roulaient déjà :

— Tout s'est bien passé ?

— Tout...

— Le temps était idéal...

— Idéal !

— Vous n'avez pas été trop ennuyé par... les curieux ?

— Je n'ai pas vu un seul être vivant, à l'exception d'un chien...

— Pensez-vous que ce quadrupède était russe ?

— A son aspect misérable, il devait plutôt être indigène ! Il était d'ailleurs très indiscret, ce chien sans race ! Il s'est permis de rester assis sur son derrière, comme s'il contemplait lui aussi l'estuaire, pendant tout le temps où j'ai été là... Et quand j'ai plié bagages, il voulait absolument me suivre : j'ai eu toute la peine du monde à me débarrasser de lui ! Il devait avoir faim... Demain, j'apporterai du sucre.

— Ne faites pas cela, malheureux ! Cet animal ne vous lâcherait plus ! Et... « les voisins » ?

— La maison est aussi silencieuse que leu_ navire. C'est à se demander si elle est habitée!

— Elle l'est, soyez-en sûr! Soyez certain aussi que l'on vous y a repéré d'une fenêtre... Seulement, il faudra peut-être du temps avant que « l'on » ne se manifeste... Vous n'avez remarqué aucun va-et-vient entre la maison et l'embarcadère?

— Non. Il n'y avait même pas de canot automobile amarré.

— Peut-être ces messieurs sont-ils tous à bord du *N. 625?* Mais cela me surprendrait... Êtes-vous satisfait de votre ciel?

— Je vais me faire un plaisir de vous le montrer dès que nous serons arrivés...

L'antiquaire se borna à dire, après avoir jeté un rapide regard sur l'ébauche:

— Vous faites des progrès... Mais je vous le répète: n'allez surtout pas trop vite! Ne soyez pas plus pressé que vos voisins... Demain, vous vous contenterez de parfaire ce ciel et vous n'ajouterez rien de plus sur la toile.

Le lendemain, le surlendemain, le quatrième jour, les choses se passèrent exactement de la même façon. Aucun être humain ne vint s'intéresser au travail de l'artiste, personne ne passa même, aucune embarcation n'aborda au débarcadère, la maison demeura silencieuse. Pour Jacques Fernet, ce fut la solitude totale, propice à une longue méditation dont le fruit se réduisait à une seule question, qu'il eut tout le temps de se poser et de se reposer: « Vont-ils, oui ou non, se décider à se montrer? » Mais, peu à peu, une pensée, assez décevante, commença à se superposer à l'obsédante question: « Pourquoi se montreraient-ils, après tout? Rien ne prouve qu'un peintre puisse les intéresser... Et dans ce cas, que suis-je venu faire ici? »

Le seul être vivant était le chien qui, lui aussi, faisait preuve de ténacité en restant, immobile, toujours assis, à quelques mètres du peintre qui l'avait baptisé d'office « Achille » en souvenir d'un autre chien qu'il avait connu pendant sa jeunesse. Jacques avait beau lui demander :

— Mais enfin, pourquoi es-tu ici, toi aussi ? Mon pauvre vieux, tu es tellement maigre que malgré la défense de « l'antiquaire », je t'ai apporté quelques provisions...

Achille se jetait voracement sur la nourriture avant de se rasseoir en se pourléchant les babines, le regard humide de reconnaissance. Bien qu'il parût être devenu un ami, Jacques ne pouvait s'empêcher de confier chaque soir à Serge Martin :

— Je reconnais que c'est assez stupide, mais ce chien m'agace ! Il me gêne surtout... Il a une de ces façons de me regarder ! Ce serait à croire qu'il appartient, lui aussi, à un Service de Renseignement ! Si encore il aboyait, on serait fixé ! Mais il se tait !

— Peut-être aime-t-il réellement la peinture ?

La toile avançait très lentement... Après quatre longues journées, le ciel était à peu près terminé.

— Ce soir, dit l'antiquaire, il faut que je vous montre comment « attaquer » le bas du tableau, c'est-à-dire le morceau de sol sur lequel vous peignez ainsi que le débarcadère... Toujours désert, le débarcadère ?

— Toujours !

— Et le *N. 625,* que fait-il dans l'estuaire ?

— Il ne bouge pas.

— C'est donc qu'il a trouvé, lui aussi, l'emplacement rêvé ? Avez-vous l'impression que l'on y travaille ?

— Impossible de m'en rendre compte à pareille distance !

— Je puis vous certifier que l'on y a procédé aujourd'hui, sur le pont avant, à des essais de gonflage des flotteurs en nylon...

— Ce sont vos fameuses jumelles marines qui vous l'ont dit?

— Ce sont mes jumelles...

— Dites-moi : où vous cachez-vous donc pendant toute la journée, après que vous m'avez déposé le matin sur la route?

— Je ne me cache pas... Je fais comme les caméléons : je m'intègre au paysage...

Tout en parlant, il avait brossé sur une toile d'essai ce qui devrait être le bas de la nouvelle œuvre de « Jacques Fernet ».

— Comme cela, entre votre ciel et ce lopin de terre, vous avez un début d'encadrement de l'estuaire... Travaillez cela demain mais n'essayez pas de peindre l'eau avant que je ne vous le dise!

— C'est pourtant ce que je trouve le plus facile à faire!

— Pas autant que vous le croyez!

— J'ai pourtant, au centre, un fameux point de repère : le *N. 625!*

— Justement, quand vous en serez là, il ne faudra pas peindre ce navire. Il ne faudra aucun navire! D'abord ces bateaux-là sont laids et dépareraient votre toile. De plus, ils la feraient dater très vite. Les seuls navires que l'on puisse, à la rigueur, montrer sur une marine sont ceux qui ont des voiles.

— Je pourrai très bien remplacer le *N. 625* par une jonque...

— Celle de Hô... avec vous allongé à l'avant, peut-être? Ah ça! Vous êtes complètement fou! Vous voulez donc qu'un « curieux » éventuel ait l'impression que vous ne peignez cette toile que pour y placer un navire à un point bien déterminé? Vous pourriez mettre des cotes aussi, et ce serait complet! Non, croyez-moi : pas de navire! L'estuaire seul, dans toute sa splendeur...

Le cinquième soir, dès que le peintre se retrouva dans la voiture, il dit à son confident :

— Il y a du nouveau...

— Je sais, répondit l'antiquaire. Un canot automobile était amarré ce matin à l'embarcadère quand vous êtes arrivé.

— Je me demande vraiment pourquoi vous utilisez mes services ?

— Ils me sont très précieux !... Poursuivons, voulez-vous ? Le canot était là, sans passager ni même gardien. C'est exact ? Il est resté ainsi jusqu'à 10 heures du matin... A ce moment, vous avez vu six hommes...

— Sept !

— Félicitations pour la précision ! Je voulais me rendre compte si vous ne vous étiez pas laissé envahir par une douce somnolence sous votre parasol... Il n'en a rien été : vous avez bien compté... Ils étaient sept... Sept gaillards en noir qui sont montés dans le canot qui a aussitôt pris le large dans la direction du *N. 625* qu'il a atteint quelques minutes plus tard. Nous sommes d'accord ?

— Oui.

— Une seule question : ces sept bonshommes sont passés à quelques mètres de vous ?

— De moi et du chien !

— C'est vrai ! Je l'oubliais, celui-là ! A-t-il bougé ou couru vers eux quand il les a vus ?

— Non.

— Conclusion : si cet animal est un espion, il ne peut être qu'à la solde d'une autre puissance ! Il ignore délibérément les Russes ! Donc, ils ont passé tout près de vous... Ont-ils paru intrigués par votre présence ?

— Ils ne m'ont même pas regardé !

— Surtout ne vous vexez pas ! C'est très bon, cela ! N'est-ce pas la preuve qu'ils vous ont repéré depuis le premier jour et qu'ils sont maintenant fixés sur votre compte : pour eux vous n'êtes que le peintre qui expose en ce moment à Saigon. S'ils pensaient autre chose, ils vous auraient déjà fait comprendre — comme cela s'est produit quand la jonque de Hô s'est trop rapprochée de leur navire — que votre présence, à quelques mètres de leur maison, ne leur plaisait pas... Le départ du canot mis à part, il ne s'est rien passé d'autre pendant la journée?

— Si!... J'ai reçu une visite...

— Voilà qui est nouveau...

— Vous qui voyez tout à distance, vous n'avez donc pas remarqué, au début de l'après-midi, la présence d'un « curieux » dans mon dos pendant que je m'acharnais à trouver la teinte définitive des contours de l'estuaire?

— Ma foi non! Ce curieux est resté longtemps?

— Une bonne demi-heure.

— Et il n'a rien dit?

— Rien.

— Blanc ou jaune?

— Russe sans aucun doute... Il est sorti de la maison, puis, après une observation silencieuse de mon travail, il y est rentré...

— Et vous ne l'avez pas revu?

— Non.

— J'espère au moins que, pendant qu'il était là, vous avez « peint » correctement?

— J'ai fait de mon mieux...

— Bien que vous ne vous soyez pas retourné, puisque vous étiez censé être absorbé par votre art, avez-vous pu étudier un peu le bonhomme?

— Un grand blond, nu-tête, vêtu d'un chandail et d'un pantalon bleu foncé. Quand il est reparti, j'ai remarqué que sa démarche roulait un peu : ce doit être un marin.

Serge Martin prit son temps avant de dire :

— Eh bien, cher ami, cette fois nous progressons nettement! « On » est venu voir votre travail de plus près : c'était ce que nous recherchions. Demain, vous retournez là-bas...

Jacques était installé depuis longtemps devant son chevalet quand il s'aperçut que quelqu'un, placé derrière lui, observait son travail. Il se retourna et reconnut le même géant blond dont le regard très clair lui sembla à la fois souriant et triste. Le peintre se remit au travail comme un homme qui a l'habitude d'avoir ainsi, souvent, dans son dos, des gens qui, eux, n'ont rien d'autre à faire que flâner. Ce qui surprenait le plus le « peintre » était que l'homme avait réussi, cette fois, à sortir de la maison et à s'approcher à quelques pas de son chevalet sans qu'il se fût rendu compte de rien.

Il continua à peindre, s'attaquant — sur les conseils de Serge Martin — aux eaux boueuses et jaunâtres qui occuperaient tout le centre resté encore intact jusque-là, de la toile. L'antiquaire n'avait-il pas dit la veille, après avoir appris la venue du « curieux » sorti enfin de la maison :

— Comme il y a beaucoup de chances pour qu'il revienne, lui ou un autre, dès demain pour voir si votre tableau avance, vous allez maintenant en peindre le centre, c'est-à-dire les eaux, en omettant bien entendu le *N. 625*... Si par hasard votre visiteur était pris d'une envie — soit spontanée : ce qui m'étonnerait! soit plutôt « commandée » — de vous parler, il a une entrée en matière toute trouvée... Je vous parie qu'il vous demandera pourquoi vous ne peignez pas aussi le navire.

— Et je répondrai?

— Que ce navire est magnifique, ce qui n'est d'ailleurs pas vrai, mais les Russes sont assez susceptibles et très fiers de tout ce qui porte leur pavillon... Qu'il est splendide mais qu'il ne vous intéresse pas plus que les trois autres gros bateaux ancrés dans l'estuaire. N'oubliez pas non plus, si l'homme vous attaquait dans sa langue, que vous l'ignorez complètement! Vous êtes censé ne savoir que le français et un peu le vietnamien... Comme je pense que ce bonhomme ne parle pas vietnamien, il ne lui restera plus que le français pour se faire comprendre de vous.

— Et s'il ne le sait pas?

— Ne vous inquiétez pas : de deux choses l'une, ou il a reçu l'ordre de ne pas vous dire un mot et il ne parlera dans aucune langue, ou il a reçu celui de lier conversation et, dans ce cas, il parle français! Et comme nous avons tout fait ces derniers temps pour qu'ils sachent, ne serait-ce que par la voie de la presse, que vous êtes français, je vous garantis que l'homme de liaison ne commencera pas par « good morning » ni par « Buon giorno ». Ce qui vous prouvera immédiatement qu'ils savent très bien qui vous êtes... enfin qu'ils croient le savoir!

« Jacques Fernet » continuait à peindre avec conviction... L'homme, toujours debout derrière lui, ne bougeait pas, restant aussi silencieux que le chien qui, lui, s'était éloigné comme s'il redoutait la présence du nouveau venu.

Après un bon quart d'heure d'observation, le géant blond repartit vers la maison et Jacques pensa que ce ne serait pas encore aujourd'hui qu'ils feraient connaissance... Ce en quoi il se trompait. Quelques minutes plus tard, l'homme ressortait de la maison, accompagné cette fois d'un autre homme, brun celui-là mais portant le même pantalon et le même chandail bleu marine.

Tous deux vinrent se placer derrière le peintre et restèrent silencieux, pendant un nouveau quart d'heure. Brusquement, le brun dit en russe à son camarade :

— Ça me plaît, mais pourquoi ne peint-il pas notre navire?

Jacques pensa que décidément l'antiquaire était prophète! Mais il ne se retourna même pas quand il entendit le blond lui demander en russe :

— Monsieur, peut-on savoir pourquoi vous oubliez « notre » navire sur votre toile?

Il y eut un silence, suivi d'un éclat de rire sonore des deux hommes, avant que le brun ne confiât au blond :

— Tu vois bien qu'il ne sait pas le russe! Parle-lui dans sa langue...

Aussitôt le géant dit dans un excellent français, avec une politesse voulue :

— Monsieur, nous savons que vous êtes un peintre très connu dans ce pays... Nous faisons partie de l'équipage du navire que vous voyez là-bas... Serait-ce vous déranger que de vous demander pourquoi vous ne mettez pas notre navire sur votre tableau?

Le peintre sembla faire un effort pour s'arracher à la double vision de l'estuaire réel et de sa reproduction sur la toile avant de se retourner, cette fois, pour dire :

— Je pourrais, messieurs, ne pas répondre à votre question mais puisque vous m'affirmez appartenir à ce navire, je dois vous avouer que je ne trouve pas qu'il apporterait une note très esthétique sur ma toile! Il est beau certes, mais trop important! On ne verrait plus que lui! Et qu'est-ce que c'est au juste que ce navire? Un pétrolier? Un cargo destiné à transporter du riz?

Après que le blond eut fait le traducteur pour son compagnon, les deux hommes eurent un nouvel éclat de rire. Le peintre, lui, se contentait de sourire intérieurement : puisqu'il n'y en avait qu'un seul à parler français, cela lui permettrait — à lui qui était censé ignorer le russe — de connaître la véritable opinion des deux « curieux » sur son propre compte.

Le blond finit par répondre, quand leur accès d'hilarité fut calmé :

— Notre navire est spécialisé dans les travaux de renflouement et de sauvetage en haute mer.

— Ce doit être très intéressant. On m'avait dit en effet

l'autre soir à Saigon, quand j'y avais fait la remarque qu'on apercevait un certain nombre de gros bateaux ancrés dans l'estuaire que j'avais l'intention de peindre, que c'était normal puisque ces navires y procédaient à des travaux. Je pense que les autres bâtiments font comme vous ?

— Oui, mais ils ne sont pas russes !

— Je l'ai vu à leurs pavillons... Il y a, je crois, un anglais et sûrement un français... Quant au dernier, je ne me souviens plus de sa nationalité.

— Italien.

— C'est bien cela : italien ! Je dois reconnaître que c'est, de loin, votre navire qui est le plus imposant ! Comment s'appelle-t-il ?

— Dans notre flotte, beaucoup de nos bateaux ne portent que des numéros...

— Vraiment ? Je trouve que c'est presque dommage... C'est si émouvant le nom d'un bateau ! N'est-ce pas ce qui lui donne sa personnalité ? Il est vrai que l'U.R.S.S. doit en posséder tellement que ça ne doit pas être aisé de trouver un nom nouveau pour chaque navire !

— La flotte russe est la première du monde ! répondit avec fierté le géant qui continuait, après chaque réplique du « peintre » à faire le traducteur pour son camarade.

— Si vous saviez comme j'aime entendre votre langue ! avoua Jacques. Et comme je voudrais la comprendre ! Elle a d'admirables sonorités... Des inflexions tendres également... Ne semble-t-elle pas faite d'un mélange de brutalité et de douceur ? N'est-elle pas une langue d'artiste ?

— Nous avons en Russie d'aussi grands artistes que vous en France !

— C'est certain ! Malheureusement chez nous, on ne connaît pas bien vos peintres... Par contre vos écrivains, vos musiciens, vos danseurs, vos admirables chœurs et même votre étonnant Cirque de Moscou sont très populaires !

Savez-vous qu'on aime beaucoup la Russie en France et qu'elle y a toujours été estimée à travers les siècles?

— La Russie porte aussi la France dans son cœur... Vous avez eu de grands philosophes et de grands auteurs classiques.

— Ce qui est merveilleux avec vous, les Russes, c'est que tous, vous aimez et protégez les Arts...

Cette dernière phrase prononcée, le peintre se remit tranquillement au travail comme s'il était à nouveau seul... Il pensa que l'habileté, pour cette première conversation, était de ne pas trop la prolonger...

Pendant quelques instants, les deux Slaves restèrent encore immobiles, le regardant peindre et n'échangeant entre eux aucun commentaire. Puis le blond dit en français :

— Bon courage, camarade!

— Merci! répondit Jacques sans éprouver le besoin d'utiliser, lui aussi, l'appellation de « camarade ».

Pourquoi se montrer trop pressé de devenir amis? Ne valait-il pas mieux laisser les autres venir à lui?

Les Russes s'éloignèrent comme à regret pour rentrer dans la maison.

Le soir, après que le peintre eut relaté sa conversation de l'après-midi à l'antiquaire, celui-ci déclara :

— Maintenant il faut agir vite! Il n'est plus question pour vous de continuer à barbouiller une œuvre assez confuse. Bien qu'ils semblent vous avoir décerné de vagues compliments, les « camarades » risqueraient d'avoir quelques doutes sur votre talent!

Il avait sorti de sa cachette habituelle une toile presque entièrement terminée, représentant le même tronçon d'estuaire que celui que Fernet avait tant de mal à peindre :

— Voici ce que sera devenu votre tableau pendant la nuit et peut-être aussi la matinée de demain, si nous avons la chance que vos admirateurs ne reviennent pas vous rendre visite avant midi!

— Évidemment, c'est très réussi!

— Dites plutôt : « très Jacques Fernet »!

— Vous ne craignez pas que les « camarades » ne s'aperçoivent de la substitution?

— Non! Dites-vous bien qu'en U.R.S.S. on sait utiliser les compétences au maximum! Si ces doux gaillards s'y connaissaient en peinture, ils seraient certainement employés ailleurs que sur un *N. 625!* Et puis il n'y a pas tant de différence avec ce qu'ils ont vu aujourd'hui...

— Pourtant les couleurs?

— Elles sont un peu plus poussées, voilà tout! Si par hasard, celui qui parle français vous en faisait la remarque, répondez que l'une de vos méthodes de travail préférée est de passer un certain temps sur une sorte de toile d'essai, puis de l'abandonner — après en avoir vu les défauts — pour peindre la toile définitive en quelques heures pendant lesquelles votre pinceau se laisse entièrement guider par la fièvre créatrice d'une inspiration faite à la fois des images que vos yeux ont enregistrées et de la mise en place que vous avez étudiée sur la première toile... Cette explication confirmera, dans l'esprit des « camarades » votre réputation de peintre ultra-rapide! Je pense aussi qu'elle vous permettra d'opérer adroitement pour la suite des événements...

— Que voulez-vous dire?

— J'ai de plus en plus la conviction que les choses vont se passer selon un certain processus... Mais n'anticipons pas! Pour le moment, nous faisons disparaître votre œuvre que nous remplaçons par la mienne! Je vous avais dit, voici quelques jours, qu'il nous faudrait collaborer encore à une autre toile... Demain, ce sera la mienne que vous placerez sur votre chevalet à tous les vents...

— Je ne vois pas très bien ce que je pourrai y ajouter,

ne serait-ce que pour me donner une contenance devant les curieux : votre tableau est terminé!

— On peut toujours rajouter une touche par-ci, par-là... quitte à l'effacer après! Voyez, par exemple, ce coin de ciel : un peu de bleu en plus ne lui ferait aucun mal! Enfin, vous avez toujours la ressource d'apposer la signature « Jacques Fernet » en bas à droite : vous avez appris à l'imiter. Profitez même du moment où « ils » seront là — s'ils reviennent! — pour mettre ce point final à cette nouvelle œuvre... Et, après-demain, les « camarades » apprendront qu'elle a été rejoindre les précédentes à la galerie. Dès lors, s'ils hésitaient encore, ils n'auront plus jamais aucun doute sur votre profession : vous êtes PEINTRE!

Installé devant « son » nouveau tableau, Jacques ne reçut pas de visites dans la matinée et ne vit aucun mouvement d'hommes sur l'embarcadère. Alors qu'il commençait à se demander s'il retrouverait jamais les curieux de la veille, il aperçut, sortant de la maison au début de l'après-midi, le géant blond tout seul. Dès qu'il se fut planté derrière lui, l'homme eut une exclamation de surprise avant de dire en français :

— Vous avez beaucoup avancé le tableau!

— Il est pratiquement terminé... Mais je ne suis pas encore satisfait de mon ciel...

— Je crois que vous avez raison de ne pas avoir peint notre navire au centre. Il aurait apporté une tache trop sombre sur vos couleurs...

— Vous aimez la peinture?

— Je préfère la musique! Mais j'aime tout ce qui vient de France... Vous venez de Paris?

— Oui... et vous? de quelle ville d'U.R.S.S.?

— Je ne suis pas russe mais polonais! répondit l'homme avec un orgueil mal dissimulé. Je suis né à Gdynia sur la Baltique : c'est pourquoi je suis marin.

— N'auriez-vous pas préféré être dans la marine de votre pays ?

— Aujourd'hui tout s'est unifié... Et on ne nous demande plus notre avis : j'ai été enrôlé dans la marine de l'U.R.S.S. comme technicien.

— Ingénieur ?

— Non : plongeur-scaphandrier.

— Ah! Vous êtes l'un de ces hommes qui descendent à des profondeurs incroyables, enfermés dans ces vêtements qui leur donnent l'aspect de Martiens ?

Le Polonais eut son rire sonore.

— Il doit falloir beaucoup de courage pour pratiquer un tel métier! Moi je ne pourrais jamais!

— Ce n'est pas un métier d'artiste!

— Et vous aimez vraiment la musique ?

— Comme tout le monde, en Pologne... Il y a deux ans, à Varsovie, j'ai eu la chance d'écouter quelques jeunes pianistes français qui venaient pour le concours annuel d'interprétation de Frédéric Chopin : ils étaient excellents... Comme j'aimerais connaître votre pays!

— Ce serait à croire que vous y avez été, tellement vous parlez bien notre langue!

— Je l'ai apprise pendant la guerre : j'appartenais à l'escadre polonaise qui avait pu rejoindre l'Angleterre... et là, comme tous mes compatriotes, je me suis lié d'amitié avec les marins français de vos Forces Libres... J'ai aussi une sœur qui habite le Nord de la France où elle a émigré en 1937 avec son mari qui travaille dans une mine. Nous nous écrivons le plus souvent possible et toujours en français : ça me permet de ne pas trop l'oublier.

— En somme vous avez tous les courages! Si l'on m'avait dit qu'un jour, pendant que je terminerais une toile au cap Saint-Jacques, j'y parlerais de musique et d'art avec un Polonais, je ne l'aurais pas cru! La vie est étrange... Vous êtes marié en Pologne ?

— Non. J'ai encore à Gdynia ma mère et deux sœurs plus jeunes... Et vous, vous êtes marié ?

— Je suis comme vous : célibataire avec une maman... Dites-moi... Peut-être vais-je vous paraître assez indiscret, mais à quel genre de travail exact se livre le *N. 625* ainsi que les autres navires étrangers dans l'estuaire ?

— Nous sommes là pour renflouer des épaves qui gênent la navigation.

— Mais pourquoi diable les Vietnamiens ne font-ils pas ce travail eux-mêmes ?

— Ils n'ont pas de navires, ni d'équipes spécialisées.

— Et pourquoi s'être adressés à quatre nations différentes ?

— Je ne sais pas, peut-être pour que ça aille plus vite ? De toute façon, nous allons bientôt remonter la première épave.

— Avant tous les autres ?

— Notre matériel est plus puissant et surtout plus moderne.

— Ce doit être passionnant de remonter ainsi une épave ! Celle dont vous parlez a été coulée depuis longtemps ?

— Plus de quinze années au moins... C'est l'impression qu'elle m'a donnée quand j'ai inspecté la coque.

— C'est vous qui avez fait ce travail ?

— Avec deux camarades russes... Nous sommes six équipes de scaphandriers et nous nous relayons... Je suis à terre parce que ce sont mes jours de repos.

— Combien en avez-vous ?

— Trois par semaine. Je reprendrai le travail après-demain.

— Ce doit être un métier très dur ?

— Quels sont les métiers qui ne le sont pas ?

— Vous êtes bien payé, au moins ?

Le géant blond eut une courte hésitation avant de répondre :

— Comme les camarades...

— Il y a d'autres Polonais à bord ?

— Non. Il y a un Lituanien. Le reste de l'équipage est soviétique.

— Qui dirige les travaux ? Le capitaine ?

— Non : lui commande le navire. Nous dépendons des ingénieurs.

— Je vais vous paraître très ignare, mais je ne suis qu'un peintre... Comment s'y prend-on pour renflouer une épave ?

— Cela dépend... Pour celle qui va remonter...

— Vous êtes certain qu'elle remontera ?

— Il le faut !

Le visage de l'homme s'était rembruni. Jacques enchaîna vivement :

— Alors comment s'y prend-on ?

— Celle-ci est couchée sur le sable.

— A une grande profondeur ?

— Seize mètres...

Mais le Polonais redevint subitement muet : le « camarade », qui l'avait accompagné la veille, venait de sortir de la maison avec un troisième homme et tous deux vinrent se placer derrière le peintre pour contempler son travail. Après un long silence, le nouveau venu dit en russe à son compatriote :

— Tu avais raison : ce n'est pas un mauvais peintre...

Le Polonais traduisit aussitôt pour l'artiste :

— Mes camarades trouvent que vous travaillez bien.

— Remerciez-les et dites-leur que je suis particulièrement sensible à cet hommage.

Après un nouveau silence, les trois hommes s'éloignèrent sans rien ajouter et rentrèrent dans la maison.

Quand le peintre eut relaté, le soir, sa conversation avec le géant, l'antiquaire déclara :

— J'ai l'impression que ce brave Polonais n'a pas envie de trop parler en présence des camarades russes ! Ce qui est excellent pour nous et prouve que nous pourrions peut-être faire de lui un ami... J'ai constaté que vous n'aviez pas encore apposé votre signature au bas de la toile : c'est donc que vous estimez que « le travail » n'est pas fini ?

— On ne peut rien vous cacher !

— Donc demain vous retournez là-bas : comme notre futur « ami » vous a dit qu'il avait encore un jour de repos, il est plus que probable qu'il reviendra rôder autour de votre installation... Profitez-en pour intensifier la sympathie ! Parlez de musique !

— Je m'y connais encore moins qu'en peinture !

— Vraiment vous êtes trop modeste ! Dites-lui, par exemple, que dans votre enfance, votre mère vous a emmené écouter le grand Paderewski quand il a donné l'un de ses derniers récitals à Paris... Évoquez au besoin les amours de Chopin et de George Sand ! Il y a mille sujets, saupoudrés d'atmosphère musicale, dont on peut parler sans connaître la différence qui existe entre un dièse et un bémol ! Courage, bon ami ! Nous touchons au but...

Lorsque Jacques planta à nouveau son parasol, il fut assez surpris de voir une réelle animation au débarcadère : trois canots automobiles faisaient une navette incessante entre le P.C., installé dans la maison, et le navire au large. A chaque voyage, de petits groupes de quatre à cinq hommes arrivaient ou repartaient. Il en fut ainsi pendant une partie de la matinée jusqu'à ce que les trois embarcations rapides eussent rejoint définitivement le *N. 625*. Plus personne alors n'entra ou ne sortit de la grande bâtisse.

Ce ne fut qu'après une bonne heure de calme absolu que le Polonais se risqua à sortir de la maison pour s'approcher à nouveau du peintre. Mais ce dernier comprit, à l'hésitation de la démarche de son visiteur, qu'il prenait des précautions, comme s'il craignait d'être vu. Un long temps, selon son habitude, le géant demeura immobile dans le dos de Jacques. Enfin, il se décida à dire d'une voix presque timide :

— Bonjour, camarade...

— Bonjour...

— Si vous saviez comme ça me fait plaisir de pouvoir parler un peu votre langue !

— Alors profitons-en ! Vous devez être le seul à connaître le français dans toute votre équipe ?

— Il y en a sûrement d'autres... mais ils ne le disent pas !

— Pourquoi ?

Le Polonais ne répondit pas.

— Après tout, j'ignore votre nom. Le mien est Jacques Fernet. Vous voyez : je commence à l'inscrire au bas de ce tableau qui sera terminé ce soir.

— Vous ne reviendrez pas demain ? demanda le Polonais avec une pointe de regret.

— Vous ne voudriez pas que je peigne, pendant toute mon existence, cet estuaire ! Je lui ai déjà consacré deux toiles... Ça suffit ! Demain, ou après-demain, j'irai dans une tout autre région du pays : j'ai envie de peindre des rizières...

— D'ailleurs demain, je n'aurais pas pu vous voir... Je reprends mon travail cette nuit.

— Vous travaillez aussi la nuit ?

— C'est exceptionnel : la remontée de l'épave va commencer...

— Et pendant cette remontée vous restez sous l'eau ?

— Je surveille les flotteurs pour qu'ils ne se déchirent pas contre la coque.

— Vous ne m'avez toujours pas dit votre nom ?

— Raczinski...

— Eh bien, camarade, je regretterai nos petites conversations...

— Moi aussi...

— C'est vrai : n'étions-nous pas devenus déjà des amis ?

Il y eut un silence.

— Je comprends pourquoi, continua Jacques, il y avait tout ce mouvement de canots automobiles tout à l'heure : c'est parce que le grand moment approche !

— Oui... Un commissaire du peuple est arrivé cette nuit de Moscou.

— Un commissaire du peuple ? Eh bien ! l'U.R.S.S. attache donc une telle importance à la remontée de cet amas de ferraille rouillée ? Quel genre de bateau est-ce donc que vous allez remonter ?

— Un cargo...

— Tout cela pour un vulgaire cargo ? Il a coulé dans une tempête ?

— Non. Il a été envoyé au fond pendant la guerre par une torpille aérienne.

— C'était un navire russe ?

— Non.

— De quel pays alors ?

— Je ne sais pas.

— Mais vous avez bien dû voir, pendant vos plongées sous l'eau, son nom sur la coque ?

— Il n'y a pas de nom...

— Lui aussi ? Sans doute a-t-il un numéro, comme le N. 625 ?

— Pas de numéro !

— Le cargo-fantôme !... J'avoue que ce doit être émouvant — et même très beau — de voir ainsi émerger du fond de la mer un navire qui y est resté englouti pendant des années !

— A moi ça ne me fait plus rien : j'ai vu remonter tellement de ces épaves !

— Où cela ?

— Partout... dans la Baltique, dans la mer Noire, dans l'Océan Arctique même...

— Évidemment... Mais pour moi qui n'ai jamais assisté à un tel spectacle, je crois que ce serait assez fantastique!

— Vous n'avez qu'à rester ici pendant les jours qui vont venir.

— Mais je n'ai plus rien à peindre à cet endroit, Raczinski!

— Pourquoi ne pas peindre le navire apparaissant à la surface?

— Peindre d'ici? Je suis trop loin! Ce qui doit être intéressant à peindre dans un renflouement, ce sont les détails... Je suis un peintre précis, moi! Méticuleux même! Je veux que mes tableaux soient le reflet de la réalité.

— Je sais... C'est pourquoi nous vous admirons, mes camarades et moi.

— Vos camarades aussi?

— Ils m'ont dit que tous les journaux du Viêt-Nam parlaient de vous.

— Oh! Vous savez : il ne faut pas trop se fier à la presse!

— Je sais aussi que vous avez actuellement une grande exposition à Saigon.

— Je suis stupéfait de découvrir qu'un scaphandrier de la Marine Soviétique soit tellement au courant de manifestations artistiques!

— Nous nous intéressons à tout!

— Je vois...

— Hier soir l'un des camarades, qui est venu regarder avec moi votre tableau, a parlé de vous au commissaire venu de Moscou et il lui a dit que vous étiez un très bon artiste.

— Il a dit cela? Et qu'a répondu le commissaire?

— Rien.

— Comment s'appelle-t-il ce commissaire ?

— Le camarade Alexys Grotoff... C'est un grand ingénieur de notre marine. Il est très célèbre... D'ailleurs, vous allez le voir...

De l'un des canots automobiles qui venaient de revenir, deux hommes étaient descendus pour aller vers la maison mais après que l'un d'eux — en qui Jacques reconnut le troisième homme de la veille — eut parlé à son compagnon en lui désignant le parasol, ils changèrent de direction et vinrent se placer à côté du Polonais, redevenu muet, derrière le peintre.

Jacques ne se retourna pas, rajoutant une dernière touche à son ciel pour se donner une contenance mais, pour la seconde fois depuis qu'il « peignait » en ce lieu, son cœur battit plus vite. L'antiquaire n'avait pas exagéré quand il avait dit, la veille au soir : « Nous touchons au but ! »

Derrière lui, les trois hommes restaient silencieux. Puis, brusquement, celui qui venait là pour la première fois et qui n'était pas, comme les autres, vêtu d'un simple chandail et d'un pantalon bleu marine mais habillé d'un complet gris clair en tissu léger, dit en français avec un fort accent slave :

— Votre tableau est réussi, monsieur Fernet. Vous comptez l'exposer aussi à Saigon ?

— Certainement ! Mais à qui ai-je l'honneur de parler ?

— Alexys Grotoff, Ingénieur en Chef de la Marine de l'Union des Républiques Socialistes Soviétiques...

— Enchanté ! répondit Jacques après avoir refermé sa boîte à pinceaux et en se levant.

— Vous nous quittez déjà ?

— Ce tableau est terminé, monsieur Grotoff.

— Qu'allez-vous peindre, maintenant ?

— Je l'ai déjà dit au camarade Raczinski : des rizières.

— Vous n'aimeriez pas faire un tableau pour nous ? Mais il faudrait qu'il fût beaucoup plus grand que celui-ci...

— Pour vous ? J'avoue ne pas comprendre...

— Pour l'Union des Républiques Socialistes Soviétiques qui serait toute disposée à le commander à un artiste de votre qualité.

— Je n'aime pas beaucoup la peinture officielle! Je préfère suivre mon inspiration...

— Quelle plus belle inspiration pourriez-vous avoir, vous qui êtes un remarquable spécialiste de peintures marines, que celle d'une épave sortant de la mer ?

L'artiste parut hésiter avant de répondre :

— Ce doit être, en effet, un moment inoubliable qui mériterait d'être fixé sur une toile... D'autant plus que je n'ai jamais entendu parler de tableaux ayant traité ce sujet... On a peint beaucoup de naufrages, d'innombrables batailles navales, mais, à ma connaissance, jamais de renflouement d'épaves! Et il n'y a aucune raison pour que tous ceux qui admirent, par exemple, un « Radeau de la Méduse » ne soient pas enthousiasmés par le renflouement d'un navire effectué par les techniciens russes...

— Voilà précisément ce que nous aimerions que l'on découvrît sur votre tableau : l'incontestable supériorité de nos méthodes de renflouement et de nos équipes sur celles des autres pays... Vous n'êtes pas sans avoir remarqué qu'en plus de nous, se trouvent dans les eaux de l'estuaire des navires anglais, italien, et même français qui doivent chacun effectuer un travail similaire au nôtre sur d'autres épaves coulées. Eh bien, je puis vous affirmer que demain nous allons leur donner à tous une leçon magistrale! Ce sera l'honneur de la Marine de l'Union des Républiques Socialistes Soviétiques que d'être celle qui va réussir à renflouer la première épave de l'estuaire! C'est ce triomphe de notre technique qu'il faut peindre, monsieur Fernet, pour que le tableau puisse être ensuite exposé à notre Musée de Peinture Moderne de Moscou... Ainsi un nouvel aspect de notre puissance et de notre grandeur restera immortalisé pour nos compatriotes! Et ce sera grâce à vous qui deviendrez célèbre en Russie où vous mériterez l'estime de tous. Nous savons aussi récompenser les vrais artistes : vous serez invité officiellement, avec tout le voyage et le séjour offerts par notre gouvernement, au moment où votre tableau entrera au Musée. Je demanderai aussi que l'on vous décore de l'Ordre de nos Arts et Lettres... Ensuite vous pourriez très bien, comme vous le faites ici en ce moment, rester un certain temps en U.R.S.S., pour y peindre tout ce qui vous inspirerait... Le gouvernement achèterait vos toiles et vous deviendriez l'un de nos peintres d'État. Ça ne vous sourit pas?

— Je sais depuis longtemps qu'on encourage infiniment mieux les artistes chez vous que chez nous! Mais j'aime bien aussi ma petite vie à Paris!

— Tout le monde aime Paris, mais qui peut l'aimer plus que nous, les Russes? Vous acceptez notre offre?

— J'avoue qu'elle est tentante... Seulement une difficulté technique se présente pour moi : une telle toile devrait être, si l'on veut y trouver des détails sur la façon dont vous opérez un renflouement, de dimensions considérables : au moins six mètres sur cinq, si ce n'est plus!

— Je vous l'ai dit : il faut un très grand tableau où l'on verra notre navire et, à côté de lui, l'épave qui commencera à apparaître, supportée par les flotteurs gonflés : cela pourrait être admirable!

— Sans doute... Mais savez-vous que l'exécution d'une telle œuvre demanderait beaucoup de temps?

— Qu'importe le temps si c'est réussi!

— J'aime votre façon de comprendre l'art, monsieur Grotoff!

— Appelez-moi « camarade Grotoff »!

— A condition que vous m'appeliez « camarade Fernet »!

— Je ne vous aurais pas dit longtemps « Monsieur »...

Nous ne réservons cela qu'aux gens que nous n'apprécions pas... Nous sommes tous camarades!

— Vous avez raison! répondit Jacques en serrant chaleureusement les deux mains que lui tendait le commissaire du peuple.

— Combien de temps estimez-vous qu'il vous faille pour terminer une telle œuvre?

— Je suis incapable de vous le dire.

— Pourtant vous avez dans la presse de ce pays`la réputation d'être un artiste qui travaille très vite?

— C'est exact pour les petites toiles mais pas pour la vôtre! Vous m'avez bien dit que ce serait demain que vous remonteriez l'épave?

— Nous commençons cette nuit mais elle ne pourra pas apparaître avant demain au plus tôt en fin de matinée, si tout va bien!

— Il faudrait donc que je sois sur place pour prendre les premiers croquis rapides...

— Vous serez sur place!

— Mais pas ici : c'est beaucoup trop loin!

— J'ai entendu dire qu'il y a quelques jours vous avez peint, d'une jonque, une toile qui est exposée maintenant dans une galerie de Saigon?

— Vous êtes merveilleusement renseigné!

— Nous nous renseignons toujours avant d'accorder notre amitié...

— Comme je vous comprends!

— Pourquoi ne pas utiliser à nouveau cette jonque, d'où vous verriez de plus près notre navire et l'épave, pour faire ces premiers croquis?

— Ce serait, en effet, une idée... D'autant plus que son sampanier m'a paru habile.

— Il faudra qu'il fasse très attention de ne pas s'approcher trop près à cause des énormes remous que fera l'épave en remontant à la surface. Je dirai à l'un de nos canots de surveillance de vous indiquer la limite de sécurité à ne pas dépasser...

— Très bien. Combien de temps estimez-vous que l'épave restera ensuite à côté du navire, là où elle aura apparu?

— Cela dépendra... Mais vous pouvez compter au moins sur trois ou quatre jours.

— Et ensuite, qu'est-ce que vous en ferez?

— Nous verrons...

— De toute façon, je crois que ces trois ou quatre jours seront suffisants pour me permettre de terminer tous mes croquis... Mais peut-être faudra-t-il aussi que je monte soit sur l'épave, soit sur votre navire pour que l'on m'y explique certaines particularités essentielles de votre technique?... Car, ignorant tout, je risquerais de peindre des choses inutiles!

— J'aime cette précision, camarade! Quand il sera temps, nous vous donnerons l'autorisation exceptionnelle de monter à bord de l'un ou l'autre et même, s'il le fallait, des deux navires.

— Merci! Mon travail en sera grandement facilité. Ensuite j'emporterai mes croquis que j'utiliserai pour pouvoir attaquer le tableau... Seulement je dois vous prévenir : je ne pense pas pouvoir trouver ici, au Viêt-Nam, une toile de dimensions suffisantes! Je pourrais évidemment la faire venir de Paris, mais ce serait long... D'autant plus que je n'ai pas l'intention de m'éterniser dans ce pays où je ne suis venu que pour assister au vernissage de mon exposition et pour peindre quelques nouvelles œuvres sur le vif... Je pense être de retour à Paris au plus tard dans deux mois.

— Et vous préféreriez faire « notre » tableau à Paris?

— Sans aucun doute! J'y ai mon atelier!

— Dans ce cas, nous allons dire à notre attaché culturel de l'ambassade de Paris qu'il se mette en rapport avec vous.

— Ce serait parfait! Dès que le tableau sera terminé,

je l'en avertirais pour qu'il le fasse prendre et expédier à Moscou.

— Où vous viendrez, n'est-ce pas?

— J'y compte bien!

— Camarade, tout me paraît organisé...

— Une dernière question... A quelle heure dois-je me trouver demain, sur la jonque, à proximité de votre navire?

— Au lever du jour mais il vous faudra attendre...

— Pour ne pas perdre de temps, je pourrai déjà faire quelques croquis de votre navire.

— Excellente idée! A demain, camarade Fernet!

— A demain, camarade Grotoff!

Suivant l'exemple du commissaire, les trois autres hommes passèrent devant l'artiste, en se suivant dans un étrange défilé, pour lui serrer les deux mains en silence. Le dernier fut le Polonais dont le visage, éclairé par un large sourire, exprimait la satisfaction.

Resté seul, Jacques replia son matériel avant de se diriger vers le petit sentier qu'il connaissait maintenant par cœur. Pendant cette marche, il ne sentit même plus le poids, ni l'encombrement de tout ce qu'il transportait : jamais le chevalet, la toile, la boîte à pinceaux et le parasol ne lui avaient semblé plus légers... N'était-ce pas cet attirail invraisemblable qui lui avait permis d'établir le contact inespéré? Et il souriait en pensant que, décidément, « la vieille chouette » avait plus d'un tour dans son sac...

— Vous voyez bien qu'il fallait s'entêter! conclut Serge Martin après avoir écouté le récit de l'après-midi. L'ami Hô vous attendra demain dans la crique et, cette fois, vous verrez que les agités, qui vous avaient si mal accueilli au cours de votre première promenade, sauront se montrer aimables...

— Ce qui m'inquiète, c'est que je ne vois pas très bien,

même en faisant tous les croquis du monde, comment je vais parvenir à m'emparer du fameux document!

— N'est-ce pas déjà beaucoup de vous dire qu'avant quarante-huit heures vous aurez mis le pied sur le cargo où il est caché? Une fois à bord, je crois qu'il vous faudra faire preuve de cette même initiative et de ce même sang-froid qui ont fait que l'on vous a considéré, pendant la dernière guerre, comme l'un des plus remarquables agents alliés opérant au Japon... Ne serez-vous pas à nouveau en territoire japonais sur le cargo?

— Il n'a été que très provisoirement japonais pour les besoins du camouflage! Initialement le bâtiment était australien, parti de Port-Adélaïde pour tenter de rallier le Canada!

— Et il risque de devenir prochainement un navire soviétique! C'est inouï comme un vieux cargo peut changer ainsi de nationalité! Tout cela à cause d'un simple plan où sont mentionnées les coordonnées d'un gisement d'uranium situé quelque part dans l'archipel indonésien! C'est à se demander si les hommes ne sont pas tous devenus fous!

— Ils le seront encore bien davantage quand ils sauront qu'un pays détient enfin le plan! J'en arrive à me demander s'il n'aurait pas mieux valu, pour la tranquillité du monde, que ce cargo restât enfoui pour toujours au fond de l'estuaire?

— Mon cher, le monde ne sera plus jamais tranquille... D'ailleurs, il ne l'a jamais été! Et n'oublions pas que la puissance atomique n'est plus en exclusivité chez un seul peuple! On trouve maintenant de l'uranium un peu partout mais en très petites quantités : c'est pourquoi il est cher! Il est certain que ceux qui mettront la main sur un gisement considérable deviendront les maîtres du marché en faisant baisser les prix.

— Vous croyez cela? Avez-vous déjà vu baisser celui du pétrole?

— Il baissera justement à cause de l'utilisation industrielle de plus en plus grande de la force nucléaire !

— Et vous ne craignez pas que, si l'on découvre enfin l'emplacement exact de ce gisement indonésien, les hommes en profitent pour pousser d'abord d'autres peuples à fabriquer, eux aussi, des armes atomiques ?

— Mais, bon ami, grâce à vos bons offices, on ne peut même pas imaginer que ce soit une autre nation que la France qui entre en possession du plan !

— Parce que vous nous croyez plus sages que les autres peuples ?

La réponse du vieil homme fut dans son regard imprégné de scepticisme. Puis il préféra éluder en disant :

— Nous ne sommes pas là pour philosopher mais pour agir ! Personnellement ma tâche est terminée : selon les instructions que j'avais reçues, je vous ai amené, si j'ose dire, à pied d'œuvre... A vous maintenant de vous débrouiller ! Mais, bien entendu, dès que vous aurez le document, je m'occuperai de votre départ qui devra être excessivement rapide... Car vous devez vous douter que vous n'aurez pas que les Russes à vos trousses ! De toute façon, vous pouvez encore dormir tranquille cette nuit : je ne pense pas que vous puissiez « opérer » directement avant quarante-huit heures... Maintenant, si cela peut vous rendre service que je vous aide de mes conseils, je suis prêt à écouter l'exposé de votre plan d'attaque.

— Il sera simple, parce qu'il n'y en a pas d'autre possible... Mais pour le mettre à exécution il me faut un allié sur l'épave même...

— Choisi dans l'équipe russe ?

— Oui.

— Pas facile à trouver !

— J'ai une lueur d'espoir : Raczinski...

— Le Polonais ?

— Je ne sais pas trop pourquoi mais j'ai de plus en plus l'impression que ce garçon-là n'a pas l'air enchanté de travailler pour les « camarades » russes!

— Il pense à Chopin! Peut-être ne serait-il pas fâché, selon une expression désormais consacrée, de « choisir la liberté »?

— C'était justement ce à quoi je pensais, noble antiquaire!

— Grand peintre, vous faites des progrès!

Depuis deux heures, la jonque tournait lentement autour du *N. 625.* Le cercle-limite à ne pas dépasser était automatiquement tracé par trois canots automobiles soviétiques qui, eux aussi, évoluaient inlassablement autour du gros navire mais à grande vitesse pour empêcher les importuns éventuels de trop s'approcher. Seule la jonque de Hô, avec ses deux passagers, avait le droit de rester à la limite. Installé à l'avant, le peintre prenait croquis sur croquis du *N. 625.* Parmi ces dessins, il en existait un qu'il avait soigneusement caché au fond d'un carton et qu'il n'exhiberait que s'il en sentait la nécessité. C'était ce que Serge Martin avait appelé un « croquis de secours » : il représentait le *N. 625* dans toute sa plendeur... Le véritable auteur en était l'antiquaire qui l'avait donné, le matin même, à Jacques en disant :

— Tenez-le caché et si, dans la soirée, le camarade Grotoff s'avisait de vous demander si vous avez pu faire du bon travail, montrez-lui toujours cela : il sera rassuré... Quant à l'épave qui doit émerger, contentez-vous de faire des croquis assez vagues en répétant qu'il est indispensable pour vous de la voir de plus près les jours suivants...

Un autre navire rapide tournait autour du *N. 625 :* la vedette de la police fluviale vietnamienne. Dès qu'il avait aperçu la jonque, son commandant avait donné l'ordre de mettre le cap sur elle et quand les deux embarcations avaient été bord à bord, il n'avait pas manqué de saluer le peintre d'un geste amical en lui criant :

— Vous allez avoir bientôt le sujet d'un tableau étonnant !

La vedette était repartie, reprenant sa ronde qui ressemblait à celle d'un étrange chien de garde qui tourne sans arrêt parce que son maître lui a donné l'ordre de ne rien laisser échapper... Cette vigilance accrue prouvait que les Vietnamiens n'hésiteraient pas à monter à bord de l'épave en même temps que ses nouveaux propriétaires et sans attendre d'y être conviés. Ce qui confirmait une phrase prononcée dans le bureau de la rue Saint-Lazare par le colonel Sicard : « Ne sous-estimons pas les qualités naturelles des Asiatiques : leur finesse et leur subtilité naturelles les incitent à une méfiance permanente. Ce sont des gens qui subodorent les choses. » Les Vietnamiens devaient être parfaitement renseignés sur le but véritable de ce renflouement.

Pensée qui amena Jacques à jeter un regard circulaire pour voir où les navires concurrents en étaient de leurs travaux. Ceux-ci ne semblaient guère avoir avancé mais on pouvait être certain qu'à bord du *San Giovanni,* du *Buffle* et du navire de la C.I.R.M., tous les appareils d'optique et de photographie à distance étaient braqués sur le *N. 625* pour voir s'il allait réussir dans sa tentative.

A bord du navire soviétique, l'activité était intense et le technicien, qui se cachait sous Jacques Fernet, fut assez surpris par l'importance de l'équipage. On n'entendait aucun ordre lancé dans les porte-voix ou par haut-parleurs : toute la manœuvre du renflouement était commandée au sifflet. Chacun semblait à sa place, sûr de lui, sûr aussi du succès final... La grosse pompe, placée sur la plage arrière, fonctionnait avec la régularité d'une horloge, reliée par de longs tuyaux blancs à l'épave qui, depuis des heures, devait remonter lentement sous l'eau, supportée par les flotteurs qui émergeraient en même temps qu'elle... L'épave qui, sous l'effet de l'air comprimé envoyé à une pression fantastique dans sa coque, se vidait peu à peu de l'eau qui l'avait envahie depuis dix-sept années!

Elle apparaîtrait à tribord du *N. 625* : l'équipage, massé de ce côté, le prouvait. Ils attendaient, à la fois calmes et anxieux, comme tous ceux qui appartiennent à l'éternelle épopée maritime... Quelle différence y avait-il entre ces hommes des temps modernes — utilisant les derniers progrès de la technique ou de la machine — et ceux que l'on appelait, au temps des boucaniers et des voiliers long-courriers, « les pilleurs d'épaves »? N'étaient-ce pas des marins de la même trempe, tous plus ou moins habités par le démon de l'aventure? Jacques les comprenait... Il les estimait aussi puisqu'il était fait comme eux! Combien d'épaves n'avait-il pas vu déjà renflouer dans sa carrière d'ingénieur du Génie Maritime? Il aurait dû être blasé devant un tel spectacle mais il savait qu'à chaque fois il y avait des variantes, que jamais une épave ne se présentait exactement de la même façon à la surface des flots, qu'un rien, qu'un imprévu, qu'une lame un peu forte pouvait faire tout chavirer et tout remettre en question pour des semaines, des mois, des années, pour toujours peut-être? que l'épave pouvait aussi redescendre à jamais vers les grands fonds, engloutissant ses secrets...

Il se moquait de ses croquis : la seule chose captivante, le seul intérêt, n'était-ce pas que l'épave apparût et que l'on réussît à la maintenir à flot dans de bonnes conditions pour pouvoir ensuite l'examiner, la visiter, la fouiller, la sonder du pont à la quille, lui arracher son fabuleux mystère? Il ne s'agissait plus cette fois de barils d'or ou de coffrets de pierres précieuses : ce que recherchaient les Russes, ce n'était qu'un carré de papier, sans doute enfermé dans une cachette hermétique et qui permettrait de conduire d'autres techniciens vers une terre riche de cet uranium dont l'humanité, aveuglée par l'insatiable désir de domination, croyait ne plus pouvoir se passer!

C'était uniquement pour cela qu'on l'avait envoyé de France et grassement payé. Il lui faudrait tenter à la toute dernière minute de ravir ce document qui était aussi bien capable d'intensifier la destruction que d'apporter un renouveau d'énergie à la vie... Comme les Russes — comme aussi ces Anglais, ces Italiens, ces Français qui les observaient — Jacques n'était plus qu'un pion dans la fabuleuse aventure. Qu'était-il de plus qu'un Raczinski, cet obscur scaphandrier polonais qui, en ce moment, devait remonter lentement, lui aussi, tout en surveillant des flotteurs ? Raczinski qui ne pensait plus à la musique ni à la peinture et qui n'était qu'un rouage de la gigantesque machine slave! Raczinski qu'il lui faudrait utiliser, comme les Soviets avaient déjà su le faire, mais dans un but diamétralement opposé! Pourquoi s'encombrer de scrupules? La lutte éternelle entre les peuples n'avait jamais cessé, ne pourrait jamais cesser! Une nouvelle bataille sourde et sournoise se préparait, qui éclaterait dès que l'épave apparaîtrait...

Et brutalement, alors que le soleil était déjà à son zénith, alors que les eaux jaunâtres de l'estuaire semblaient être aussi brûlantes qu'une mer de sable, la jonque fut happée dans un gigantesque remous qui, après l'avoir soulevée, la fit s'enfoncer comme si elle allait être engloutie par un typhon.

— Fais attention, Hô! hurla Jacques qui s'était cramponné à l'unique mât.

Le sampanier, arc-bouté sur la barre, n'avait pas répondu. Il y eut ainsi trois secousses fantastiques qui se succédèrent. A chaque fois que la jonque se retrouvait au sommet des vagues, Jacques apercevait le *N. 625* qui, lui aussi, malgré son tonnage, oscillait comme un bateau d'enfant ballotté sur un bassin... Quand la jonque retrouva enfin sa stabilité, la vision tant attendue commença à se présenter : le haut d'un mât, puis une cheminée, émergeant lentement, sortirent d'un bouillonnement intense... Puis deux énormes masses apparurent de chaque côté du mât et de la cheminée. On aurait dit les dos de deux baleines blanches : c'étaient les flotteurs gonflés. Peu à peu, entre ces monticules, des contours se dessinèrent, ruisselant d'eau : d'abord une proue, puis une poupe, une passerelle de commandement, des infrastructures, un pont enfin, délavé, étincelant sous le soleil... La machinerie inventée par le génie des hommes ne s'arrêterait plus de tourner, de pomper, de hisser jusqu'à ce que le navire eût été arraché à son engloutissement... Lentement, très lentement, le cargo continuait à monter. Bientôt la coque apparut : incolore, rouillée, semblant avoir honte de revenir à la surface dans cet état et camouflant son délabrement sous des plaques de boue jaunâtre mêlée à des algues brunes. Enfin le navire cessa l'étrange ascension... Et Jacques remarqua qu'il restait nettement au-dessous de sa ligne de flottaison.

Aussitôt deux hommes, utilisant comme câble deux amarres qui avaient été lancées du *N. 625,* se laissèrent glisser, tels des funambules, sur le pont désert de l'épave. Ils coururent jusqu'à la poupe à laquelle ils accrochèrent un morceau d'étoffe rouge orné de la faucille et du marteau. Le navire-fantôme avait retrouvé une nationalité : il était russe.

La gigantesque opération s'était faite dans le silence, seulement coupé par les cris stridents des mouettes qui tournoyaient déjà autour de la triste épave.

— Rapproche-toi! cria Jacques au sampanier.

Quand la jonque ne fut plus qu'à quelques encablures des deux navires maintenant bord à bord, Jacques constata que les policiers vietnamiens étaient également montés sur l'épave : eux aussi semblaient décidés à ne pas perdre de temps pour effectuer leur contrôle et se faire remettre les documents, selon la loi maritime.

Un canot soviétique frôla la jonque pendant que l'un de ses occupants, en qui le peintre reconnut l'un de ceux qui

étaient venus admirer son travail quand il était à terre, cria
en russe :

— Camarade, vous pouvez aller sur l'épave...

Mais Jacques faisant celui qui ne le comprenait pas, le
Russe lui fit un signe indiquant qu'il devait monter à
bord du canot. Celui-ci revint contre la jonque.

— Attends-moi par ici, dit le peintre à Hô avant de
sauter dans le canot avec son carton à croquis sous le bras.

Il grimpa sur l'épave au moyen d'une échelle de corde
accrochée au flanc tribord de la coque, répandant une odeur
de moisissure et de varech. En haut de l'échelle, sur le pont
détrempé qui offrait un spectacle de désolation, Jacques fut
accueilli par le commissaire Grotoff :

— Alors, camarade peintre, cette petite ascension n'a pas
été trop pénible? Je suis fier de vous accueillir sur un
nouveau navire de l'Union des Républiques Socialistes
Soviétiques... Il n'est pas en très bon état, mais il a quand
même sa valeur! Je pense que vous avez pu prendre
quelques croquis intéressants? Peut-on jeter un coup d'œil
sur ce que vous cachez dans ce carton?

— Je vous avoue avoir été tellement ému par l'extraordinaire vision de l'apparition de cette épave que je n'ai
pas encore pu dessiner grand-chose du renflouement lui-
même... Mais cela n'empêche pas que mes yeux sont déjà
remplis d'images inoubliables qui me permettront maintenant de faire tranquillement le tableau quand je serai de
retour en France. Par contre, j'ai eu tout le temps de faire
un dessin du *N. 625*...

Et il exhiba l'œuvre que lui avait remise Serge Martin.

A peine l'eut-il contemplée que le commissaire s'exclama :

— C'est remarquable! Tout à fait notre navire! Vraiment
vous êtes un artiste!

Il avait déjà fait signe à un homme d'un certain âge,
portant lui aussi la casquette à étoile rouge, mais dont la

tenue était nettement plus soignée que celle des autres membres de l'équipage. Quand l'homme se fut approché, Grotoff lui mit le dessin sous les yeux. Et l'homme eut un sourire.

— Le camarade Nilinski, qui commande le *N. 625,* est très satisfait! dit le commissaire avant d'ajouter en russe à l'intention de l'officier : Le camarade Fernet est un grand peintre français qui est aussi notre ami...

Après avoir salué militairement, Nilinski tendit la main à l'artiste. Cet échange de poignées de main sur le pont de l'épave, en un moment pareil, avait quelque chose de symbolique pour l'ex-agent 2 884. Certaines paroles de l'antiquaire lui revinrent en mémoire : « N'est-ce pas déjà beaucoup de vous dire qu'avant quarante-huit heures vous aurez mis le pied sur le cargo? »

— Si le camarade commandant veut bien l'accepter, dit-il, je me fais un plaisir de lui offrir ce dessin qui n'a rien d'un chef-d'œuvre et dont le seul mérite est d'avoir été fait sur le vif...

Dès que le commissaire eut traduit, le commandant tendit la main avec reconnaissance, en disant en russe :

— Je le ferai placer dans le carré des officiers.

— Attendez! dit Jacques. Juste une petite formalité.

Rapidement, au crayon, utilisant le carton pour sous-main, il apposa la signature « Jacques Fernet » en bas du dessin, à droite. Comme l'avait si bien dit Serge Martin, il n'en était plus à un faux près! La seule chose importante n'était-elle pas d'élargir le cercle de ses relations dans l'équipe russe?

L'officier de police vietnamien qui s'était approché, lui aussi, dit aux Soviétiques après avoir regardé le dessin :

— Monsieur Fernet peut tout faire : son exposition actuelle à Saigon le prouve!

Ce fut à cette seconde que Jacques découvrit que ce

policier toujours affable parlait aussi bien le russe que le français : ce qui le laissa de plus en plus perplexe à son sujet.

« Le peintre » regardait maintenant le pont.

— Évidemment, reconnut le commissaire, ce n'est pas très esthétique un navire qui est resté pendant des années sous l'eau! Mais cette vision doit vous apporter des éléments typiques pour la précision de votre tableau.

— Savez-vous de quel pays était ce navire? demanda ingénument le peintre.

— Japonais... Il a été coulé à cet endroit même par une torpille lancée d'un avion américain : c'est pourquoi le pont n'est pas tellement abîmé. La déchirure se trouve dans la coque.

— Qu'allez-vous faire maintenant de cette épave?

— Voyez : nos hommes sont déjà en train de faire un déblaiement pour que nous puissions procéder à une première inspection. Mais il y a encore de l'eau dans certaines parties, spécialement dans les cales avant. Nous sommes obligés d'utiliser à nouveau les scaphandriers...

Une pompe à main avait déjà été installée : deux scaphandriers s'apprêtaient à descendre à l'intérieur du navire. Vêtus de leurs souliers à semelles de plomb, de combinaisons étanches, le cou encerclé par la collerette métallique, coiffés du casque dont les hublots ne seraient fermés qu'à la toute dernière minute, ces hommes attendaient. Ils avaient un téléphone portatif et un micro.

Jacques reconnut, en l'un d'eux, Raczinski qui lui fit un sourire rapide avant qu'un autre homme n'eût fermé son hublot. Désormais, pendant toute la durée de son exploration au fond de l'épave, le Polonais ne recevrait de l'air que par le tuyau le reliant à la pompe à main actionnée par quatre marins qui se relayaient. L'ingénieur savait que cette méthode, un peu archaïque, était la plus sûre : les moteurs à essence envoyant de l'oxygène ou les bouteilles portatives, fixées sur le dos du scaphandrier, risquent toujours de tomber en panne ou de ne pas être complètement remplies. C'est alors l'asphyxie immédiate... Tandis que des hommes maniant à tour de rôle une pompe à bras n'ont aucune défaillance : ils savent trop que la vie de leur camarade dépend d'eux. Et celui qui est enfermé dans le scaphandre est moins nerveux : il a confiance.

Dès que les scaphandriers — suivis par leurs tuyaux qui commencèrent à se dérouler lentement au fur et à mesure que les deux hommes avançaient à l'intérieur du navire — eurent disparu dans une écoutille, Grotoff se coiffa d'un casque radiophonique et commença à leur donner à voix basse des ordres dans un micro, faisant l'office du « renfloueur ». Pour qu'on n'ait pas hésité à faire venir de Moscou, à la toute dernière minute, cet homme dont Raczinski avait dit : « C'est un grand ingénieur... Il est très célèbre », il fallait que l'exploration commencée fût d'une importance capitale.

Les policiers vietnamiens, eux, ne bougeaient pas : ils ne le pouvaient pas, devant attendre, pour pénétrer à l'intérieur du navire, que la visite de l'épave fût décidée par ses nouveaux propriétaires. Ils auraient alors le droit de les accompagner pour se faire remettre les pièces de bord dont ils donneraient une décharge. Ensuite les Russes pourraient faire de l'épave ce qu'ils voudraient.

Jacques commença à prendre de vagues croquis : de temps en temps, il se déplaçait, allant tantôt vers la proue, tantôt vers la poupe comme s'il cherchait des angles de vue différents... En réalité, ce va-et-vient innocent n'avait qu'un but : voir si d'autres hommes que les deux scaphandriers descendaient, eux aussi, à l'intérieur de l'épave. Très vite, il acquit la certitude que les deux scaphandriers étaient seuls. Ceci prouvait que ces deux hommes étaient non seulement parfaitement qualifiés mais qu'ils devaient avoir reçu à l'avance des instructions très précises, corrigées au fur et à mesure de leur exploration méthodique par les ordres que ne cessait de donner Grotoff dans son micro... Des ordres que Jacques aurait bien voulu connaître! Mais même sachant le russe et même en se rapprochant, il n'aurait rien entendu : Grotoff continuait à parler très bas comme s'il se méfiait de tout le monde autour de lui!

C'était en ce moment que la partie commençait à se jouer, sous le nez de la police vietnamienne impuissante et sous celui du peintre exaspéré qui devait cependant continuer à donner l'apparence du plus paisible des artistes... Les Russes étaient maîtres de la situation! Jacques ne se faisait aucune illusion : les instructions reçues par les scaphandriers ne pouvaient être que de cet ordre : « Inspectez minutieusement, et sans exception aucune, toutes les parois intérieures, toutes les cloisons étanches, tous les cloisonnements... Pour cela frappez méthodiquement sur chaque surface. Si l'une d'elles fait caisse de résonance, notez secrètement l'emplacement et signalez-le immédiatement par micro au renfloueur. S'il le faut, vous découperez immédiatement les tôles sur place pour voir si elles ne cachent rien. Et, si vous trouvez le moindre document, prenez-le et remontez-le discrètement. » L'ingénieur avait remarqué que chacun des scaphandriers était descendu en emportant un chalumeau conçu pour fonctionner sous l'eau.

Il savait d'avance aussi, par ce que lui avait dit le colonel Sicard, qu'il n'y avait aucune chance pour que les documents éventuels se trouvassent dans le coffre-fort du bord, presque certainement installé dans la cabine du commandant. Il y avait longtemps aussi qu'il n'y avait plus de livre de bord : ou celui-ci avait été jeté à la mer par le commandant australien, s'il en avait eu le temps au moment où les Japonais avaient pris le navire, ou — ce qui était plus probable — il avait été saisi par les Japonais eux-mêmes... Mais ce livre de bord n'avait pas dû offrir un grand intérêt : on pouvait être certain que le commandant australien n'y avait pas mentionné avoir reçu un document secret et encore moins l'endroit où il l'avait caché sur son navire ! Il n'était pas pensable non plus qu'il eût laissé le document dans son coffre, sinon les Japonais s'en seraient emparés et n'auraient pas couru le risque immense de ramener le cargo jusqu'à cet estuaire dans l'intention de procéder à ce même travail auquel les Russes étaient en train de se livrer.

Le document ne pouvait être qu'enfermé dans une pochette de protection spéciale, conçue pour ne pas être détériorée par l'eau, et placée elle-même entre deux cloisons métalliques parfaitement étanches, en un endroit que connaissait seul l'officier australien. Celui-ci, qui n'avait jamais révélé la cachette aux Japonais malgré les tortures subies, avait réussi, avant de mourir au camp de Singapour où il avait été interné, à confier à un de ses compagnons d'infortune que le document se trouvait toujours à bord du cargo... Mais il n'avait certainement pas pu lui donner de précisions, sinon les Anglais, qui avaient interrogé ce compagnon encore vivant après la libération de la presqu'île de Malacca, auraient agi et l'*Intelligence Service* n'aurait pas attendu que les accords officiels eussent été signés, d'abord avec le gouvernement français, puis avec les Vietnamiens. Il aurait tout tenté pour récupérer le document en secret, n'hésitant pas, au besoin, à utiliser des hommes-grenouilles. Les Anglais n'avaient-ils pas mené à bien pendant la guerre, des opérations sous-marines similaires tout aussi difficiles ? D'ailleurs, la présence du *Buffle* prouvait que le document, comme l'avait affirmé « la vieille chouette » se trouvait toujours à bord du cargo. Mais où ?

La tâche des Russes se révélait rude. Si leurs premiers sondages étaient vains, peut-être seraient-ils dans l'obligation de découper complètement le cargo en pièces détachées, du sommet du grand mât à la quille et de la proue à la poupe ! Et, quelles que soient la qualité de leur matériel ou la science de leurs techniciens, ils ne pourraient accomplir ce travail de Titan là où se trouvait actuellement l'épave, c'est-à-dire au centre d'un estuaire! Seuls les Japonais, poussés par l'énergie du désespoir en temps de guerre, l'auraient peut-être tenté. N'avaient-ils pas, une fois le cargo ancré à cet endroit dix-sept années plus tôt, fait venir des spécialistes? Mais ils avaient été pris de court par le bombardement aérien américain qui avait envoyé le navire à seize mètres de fond.

Le seul moyen, si les Russes décidaient de procéder à un tel découpage, était de remorquer le cargo dans un port où il serait mis en cale sèche. Quel port? Saigon? Il ne pouvait en être question : le port ne possédait pas de cales sèches assez vastes... Au cap Saint-Jacques lui-même? Le port n'était pas mieux équipé pour ce genre de travail. Où, alors? Dans un autre port, situé sur la côte du Viêt-Nam? Sûrement pas! Il y aurait trop de curieux, trop de risques d'indiscrétion aussi... La police vietnamienne prouvait qu'elle était bien organisée. Dans un port du Viêt-Minh? C'était la seule solution possible... Mais il faudrait procéder à un long remorquage contournant toutes les côtes du Viêt-Nam et longeant le golfe du Tonkin au moins jusqu'à l'avant-port de Haïphong... Tout dépendait des capacités de remorquage du *N. 625*. Plus Jacques regardait le navire soviétique et plus il était persuadé que celui-ci pouvait être apte à réussir une telle entreprise, malgré les risques qu'elle comportait.

La conclusion était simple : si, dans quelques jours, l'épave partait en remorque, ce ne serait que pour être complètement découpée loin des eaux territoriales du Viêt-Nam. Celles du Viêt-Minh étaient rêvées : les Soviets y étaient chez eux, le pays étant communiste. Si, au contraire, les Russes s'acharnaient à continuer à travailler sur place, c'était qu'ils avaient acquis la certitude d'y réussir rapidement. Dans les deux cas, la position de Jacques deviendrait rapidement difficile : il ne pourrait pas justifier longtemps ses visites sur l'épave sous le prétexte de continuer à prendre des croquis destinés à lui permettre de réaliser l'œuvre commandée. Le seul faible espoir qui lui restait était l'aide éventuelle — mais encore très problématique — du Polonais. Il fallait parvenir à tout prix à ce que le scaphandrier parlât pour révéler la nature exacte des ordres qu'il avait reçus et que continuait de lui donner en ce moment même par micro l'ingénieur Grotoff. Pour cela, Jacques devait gagner la pleine confiance du géant blond en quelques jours, peut-être même en quelques heures ? Mais comment reprendre un contact direct avec lui avant qu'il ne soit retourné à terre pour se reposer ?

Alors que le jour commençait à décliner, il vit deux nouveaux scaphandriers, transbordés du *N. 625,* qui se préparaient à descendre à leur tour dans l'épave pour relayer Raczinski et son compagnon. Dès que ceux-ci reparurent par l'écoutille, des marins ouvrirent leurs hublots pour qu'ils pussent parler directement à Grotoff. La conversation fut longue. Jacques, qui aurait fait n'importe quoi pour l'entendre, s'approcha délibérément du groupe des trois hommes : comme il avait donné aux Russes la conviction qu'il ignorait leur langue, il espérait que ceux-ci continueraient peut-être à parler sans se préoccuper de sa présence. Mais il n'en fut rien. Dès qu'il le vit près de lui, Grotoff lui dit :

— Je vois que vous êtes intrigué par l'accoutrement de ces hommes ! Aviez-vous jamais vu des scaphandriers d'aussi près ?

— Je n'en avais même jamais admiré ailleurs que sur des photographies ou au cinéma !

— Dans ce cas, camarade, voilà l'occasion inespérée pour vous de faire quelques nouveaux croquis... Et puisque le camarade Raczinski sait le français, profitez-en pour lui demander ses impressions... Pendant qu'il parlera, vous crayonnerez : vos dessins n'en seront que plus vivants et plus vrais!

Et, à la stupeur de Jacques, Grotoff le laissa seul en tête à tête avec le Polonais pour se diriger vers les deux nouveaux scaphandriers qui allaient descendre à leur tour dans l'épave.

Il fallait faire preuve d'une extrême prudence : la dernière remarque de Grotoff sur la supériorité de croquis, exécutés pendant que le visage de quelqu'un s'animait dans une conversation, prouvait la finesse de son auteur. La confiance du commissaire du peuple pouvait n'être qu'un piège et rien ne prouvait que le « camarade » Raczinski ne répéterait pas ensuite mot pour mot, à son chef, les questions que lui aurait posées le peintre français. A moins que Grotoff n'eût la certitude absolue que le Polonais, comme tous les membres de l'équipage du *N. 625,* saurait rester muet devant des questions trop précises. De toute façon, comme il n'était plus question de reculer, il n'y avait qu'à jouer le va-tout.

Après avoir commencé à dessiner fiévreusement, sur une feuille posée sur son carton, la silhouette assez étrange du scaphandrier, avec le hublot du casque entrouvert, il lui dit :

— Je suis heureux de vous revoir! Depuis hier et surtout ce matin, pendant que l'épave remontait, je n'ai cessé de penser à vous. Je me disais : « Mon ami Raczinski accomplit en ce moment sous l'eau un travail de surhomme! »

— Tout s'est passé normalement, répondit le Polonais dont le visage apparaissait ruisselant de sueur à travers l'ouverture et dont les traits étaient tirés par la fatigue.

— J'espère que vous allez vous reposer maintenant?

— Je vais d'abord manger. Ensuite j'essaierai de dormir... Cette nuit, d'autres équipes nous relaient.

— On va travailler toute la nuit?

— Il le faut!

— Et vous, vous reprendrez quand?

— Demain matin à 10 heures.

— Alors vous revenez à terre ?

— Oh, non ! Nous restons à bord de notre navire. Nous n'avons le droit d'aller à terre que pour le grand repos de trois jours.

Les choses, évidemment, ne se présentaient pas telles que Jacques les souhaitait. Il enchaîna cependant très vite :

— Quelles impressions avez-vous de cette première descente dans le navire ?

— Il est assez abîmé par sa longue immersion mais il est solide... Beaucoup plus que la plupart des navires japonais ! Ce serait à croire qu'il a été construit en Angleterre !

— Vraiment ? On arrive, même sous l'eau, à découvrir cela ?

La réponse du Polonais prouvait qu'il ignorait — et sans doute avec lui toute l'équipe russe à l'exception des quelques techniciens principaux — la véritable odyssée du cargo. Mais ce fut quand même après une courte hésitation que le peintre se décida à demander :

— Et vous avez découvert des choses... intéressantes ?

— Jusqu'à présent, rien !

La réponse était nette.

— Ce qui ne veut pas dire, ajouta très simplement Raczinski, que l'équipe qui va nous remplacer n'en trouvera pas. On fait parfois d'étranges découvertes dans ces renflouements...

— Lesquelles par exemple ?

— On trouve souvent des cadavres ou des squelettes qui ne sont pas tellement décomposés parce que les hommes s'étaient enfermés dans des compartiments du navire où les cloisons d'acier sont restées tout à fait étanches et ont résisté à la pression de l'eau.

— Malgré la profondeur et malgré les années ?

— Oui.

— Ça doit produire un effet terrible de se trouver ainsi

face à face avec des hommes qui ont été ensevelis vivants des années plus tôt?

— Cela fait partie de notre métier... Je me souviens que, dans la Baltique, nous avons renfloué un sous-marin allemand où nous avons retrouvé tout l'équipage mort par asphyxie lente aux postes de combat : les corps s'étaient conservés presque intacts sous les uniformes... Mais dès que nous avons fait pénétrer l'air, ils sont tombés en poussière à l'intérieur des uniformes.

— Quelle horreur!

Le Polonais éclata de rire.

— Alors? demanda Grotoff en revenant vers eux. Le camarade Raczinski vous raconte-t-il des choses passionnantes?

— Il ne me parle que de cadavres... et ça l'amuse! répondit Jacques en refermant précipitamment son carton à dessin pour que le commissaire ne pût pas voir les croquis qui n'étaient que d'informes gribouillis.

— Je ne pense pas qu'il y en ait dans cette épave, dit Grotoff. L'équipage japonais a dû avoir le temps de se jeter à l'eau pendant qu'il était bombardé. Et puis les hommes, ça ne compte pas!

— Vous croyez cela sincèrement, camarade?

— Oui... Les Japonais étaient alors encore plus vos ennemis que les nôtres. Il faut faire disparaître ses ennemis, camarade peintre, sinon ce sont eux qui vous tuent! Ne soyez pas trop sensible! Je sais bien que, si vous ne l'étiez pas, vous ne seriez pas artiste.

Il désignait maintenant le carton :

— Ce sont les croquis que vous avez faits sur l'épave?

— Ils sont encore trop informes! Je vais les retravailler ce soir...

— Mais vous me les montrerez demain?

— C'est promis!

— Si vous réussissez un beau scaphandrier, vous l'offrirez au camarade Raczinski comme vous l'avez fait avec le camarade commandant pour l'excellent dessin du navire... Maintenant je crains que vous n'ayez plus assez de lumière pour travailler correctement.

— C'est exact.

— La nuit tombe vite sur cet estuaire... A quelle heure reviendrez-vous ?

— Mais, camarade, quand ça ne gênera personne !

— Vous ne nous gênez pas. Je vous ai déjà dit que vous étiez pour nous un ami !

— Je m'en suis aperçu...

— Alors à demain !

— Je serai là de bonne heure... Au revoir, camarades !

La dernière vision qu'il eut dans le jour finissant, fut celle de la pompe qui venait de se remettre en mouvement. Les tuyaux s'enfonçaient à nouveau dans l'écoutille, apportant la vie à la deuxième équipe de scaphandriers. Ensuite il y en aurait une troisième, puis une quatrième : cela n'arrêterait plus jusqu'à ce que l'épave, auscultée parcelle par parcelle, tôle par tôle, eût enfin livré son secret...

Pendant que la jonque s'éloignait des deux masses sombres — qui déjà semblaient ne plus faire qu'un tout dans la brume envahissante — « le peintre » était de plus en plus songeur : ces Russes n'auraient aucune défaillance, aucun découragement ! Ils iraient jusqu'au bout... Peut-être serait-ce l'une des équipes de nuit qui découvrirait le document ? Et quand lui, pseudo-Jacques Fernet, reviendrait demain matin, ce serait trop tard ! Le plan serait déjà à bord du *N. 625* : toute l'extraordinaire supercherie, inventée par les services de « la vieille chouette », se révélerait inutile... Tout : le lancement publicitaire des toiles, le voyage de Paris au Viêt-Nam décidé à la dernière minute, les heures perdues à jouer les artistes, l'exposition à la galerie de Saigon, les raisonnements subtils de l'antiquaire... Tout !

« Jacques Fernet » n'aurait plus qu'à reprendre l'avion pour la France où il devrait dire à ceux qui lui avaient fait confiance : « Je n'ai pas réussi ! » Non ! Cela n'était pas possible ! La fantastique aventure, si merveilleusement agencée au départ, ne pouvait pas se terminer d'une façon aussi stupide ! Il fallait ramener le document...

Son regard avait croisé celui, impavide, du vieux sampanier accoudé à la barre :

— Et toi, Hô, qu'est-ce que tu penses de tout cela ?

— Je ne pense jamais...

— Tu as bien quand même une vague idée sur cette épave ?

— Ces Russes sont très forts, monsieur Fernet...

Le soir, après l'avoir écouté avec une grande attention, Serge Martin dit :

— Donnez-moi tout de suite vos croquis... Pendant que nous bavarderons, je redessinerai le tout et spécialement votre scaphandrier... Ainsi demain matin, quand vous reviendrez sur l'épave, vous serez paré et vous aurez surtout une excellente raison d'aborder le Polonais avant qu'il ne reprenne son service à 10 heures. Car vous avez cent fois raison : ce n'est que par lui qu'il nous reste encore une chance...

Alors que l'antiquaire commençait à dessiner d'un crayon rapide et très sûr, Jacques expliqua :

— Comme je vous l'ai dit tout à l'heure, le détail qui m'a le plus frappé pendant ce renflouement est que l'épave, une fois remontée, se soit stabilisée un peu au-dessous de sa ligne de flottaison. Je n'ai pas eu besoin d'attendre que Grotoff m'ait dit qu'il restait encore une quantité d'eau importante dans les cales pour savoir que c'était en effet la cause essentielle de la position du navire. Mais je me suis aussitôt demandé pourquoi, ayant un matériel aussi puissant de pompage, les Russes ne l'avaient pas utilisé au maximum pour vider complètement la coque. Cela pouvait s'expliquer, à la rigueur, par la nécessité de maintenir l'épave droite pendant sa délicate remontée, mais c'était là une réponse qui ne me donnait pas satisfaction. Il existait sûrement une autre raison, plus impérieuse... Je l'ai trouvée dès que j'ai vu descendre la première équipe de scaphandriers à l'intérieur... Les Russes, estimant que la force d'attraction de leurs flotteurs gonflés était suffisante pour faire remonter la coque — ce en quoi ils avaient raison — ont chassé le moins d'eau possible du cargo pour empêcher toute autre personne que des scaphandriers, et spécialement les policiers vietnamiens, de pénétrer à l'intérieur du navire dès qu'il serait à la surface. Ce qui donnerait le temps à leurs hommes de faire, au fur et à mesure de leur lente progression, un premier sondage complet des cloisons intérieures.

— Je reconnais que c'est adroit !

— Ça l'est... Quand cette minutieuse inspection sera terminée, la grosse pompe du *N. 625* videra en moins d'une heure toute l'eau restante. Cela signifiera que la « visite officielle » du camarade Grotoff, escorté des Vietnamiens, pourra commencer sans courir le risque que ceux-ci découvrent la moindre pièce de bord et encore moins le document ! Ou il aura déjà été subtilisé par les scaphandriers, ou il sera encore dans une cachette qui ne se révélera que quand le cargo sera découpé ultérieurement dans la cale sèche d'un « port ami ».

— Voici votre scaphandrier, dit Serge Martin en lui présentant un croquis. Ne trouvez-vous pas qu'il a fière allure ?

— Où diable avez-vous appris à dessiner et à peindre ?

— Mon cher, si l'on veut réussir dans le commerce des choses d'Art, il faut posséder quelques notions de tout ! Je crois que lorsqu'il se verra demain, le camarade Raczinski sera aussi satisfait que le camarade commandant pour le croquis de son affreux bateau! Souvenez-vous aussi de ce que je vous ai prédit, il y a deux jours : « Vous ne pourrez pas opérer directement avant quarante-huit heures. » Elles seront écoulées demain, ces quarante-huit heures... A vous de jouer!

Dès que la jonque se fut suffisamment rapprochée du *N. 625* et de l'épave accolée, Jacques put faire deux constatations : les flotteurs, soutenant le cargo, avaient disparu et celui-ci atteignait sa ligne de flottaison normale. Ce qui confirmait ses pronostics : l'épave ne contenait plus d'eau. Et, si elle n'en contenait plus, c'était parce qu'elle avait été entièrement sondée par les équipes de scaphandriers. Il avait suffi d'une nuit pour que les Russes fussent renseignés dans un sens ou dans un autre. Le travail nocturne accompli avait dû être intense. Grotoff avait certainement profité de la nuit pour doubler et tripler même les équipes. Maintenant ou il était en possession du document, ou l'épave ne resterait pas longtemps dans l'estuaire.

Quand le peintre arriva en haut de l'échelle de corde, il trouva un changement très net : le pont avait été déblayé, nettoyé, séché même. L'épave avait presque repris une allure de navire.

Le premier homme qui accueillit Jacques fut Grotoff lui-même qui s'écria aimable :

— Voilà notre grand artiste! A-t-il pu se reposer des émotions nouvelles que lui a apportées la vision d'une épave émergeant de l'eau?

— Vision inoubliable, camarade! Elle m'a surtout laissé une très forte impression sur votre magnifique technique... Et vous? Je pense que vous n'avez pas beaucoup dormi?

— Nous nous reposerons plus tard... Avez-vous pu travailler sur vos croquis?

— Les voici...

— Excellents! Votre scaphandrier est une réussite... Le camarade Raczinski va être enchanté... D'ailleurs vous allez pouvoir lui offrir immédiatement ce portrait.

— Portrait! Un bien grand mot! Dites plutôt : silhouette.

Grotoff avait appelé d'un geste le Polonais que Jacques retrouva, débarrassé du scaphandre, tel qu'il l'avait connu à terre : en chandail et en pantalon bleu marine. C'était l'indication que l'équipe de Raczinski n'aurait pas à descendre dans l'épave à 10 heures, comme cela avait été prévu la veille.

— Regarde ce que le camarade peintre a fait de toi! dit Grotoff en présentant le croquis au Polonais.

Une fois de plus, le large sourire revint sur le visage du géant blond qui resta muet de surprise.

— Je vous le donne, camarade Raczinski, dit Jacques.

— Merci camarade... Je le rapporterai à ma mère quand je retournerai à Gdynia.

— Et tu pourras lui dire, ajouta Grotoff avant de s'éloigner, que c'est l'œuvre d'un artiste français qui aime les Républiques socialistes...

— Je le lui dirai, camarade...

Jacques se retrouva seul avec Raczinski. C'était l'occasion inespérée qui ne se représenterait peut-être plus jamais!

— Je suis heureux, dit-il avec une grande gentillesse, de vous offrir ce modeste dessin en souvenir des quelques moments de conversation que nous avons eus ensemble.

— Je ne vous oublierai jamais! répondit le Polonais dont le regard clair sembla se voiler. Puis il attendit que Grotoff fût assez loin pour dire encore : C'est la première fois que je reçois un cadeau d'une telle qualité...

— N'exagérons rien!

— Si, je sais : pour moi ce dessin, c'est un peu la France...

— Vous m'avez dit n'est-ce pas, que vous aimeriez la connaître?

— Oui...

194

— Et y vivre?

Le visage du géant eut une subite expression de crainte, suivie très vite d'un faible sourire après qu'il eut jeté un regard circulaire pour voir s'ils étaient bien seuls. Alors seulement, il répondit à voix basse par un seul mot :

— Oui!

— Cela pourrait s'arranger, dit le peintre également à mi-voix en le tutoyant pour la première fois : Peut-être pourrai-je te faire aller directement du Viêt-Nam en France mais, pour cela, il faudrait que tu me rendes un service...

Il ne put poursuivre. Grotoff était déjà revenu, demandant :

— Camarade Fernet, cela vous intéresserait-il de descendre avec nous dans l'épave pour la visiter, maintenant qu'elle est débarrassée de l'eau? Nous devons, de toute façon, procéder à cette visite avec la police vietnamienne et je viens de demander à son chef s'il verrait un inconvénient à ce que vous nous accompagniez... Je lui ai fait comprendre que cela pourrait vous servir pour des tableaux futurs... Il a répondu qu'il n'y avait aucun empêchement et que, comme tous ses compatriotes, il avait une grande admiration pour votre talent... Cette visite va commencer tout de suite... Vous venez?

— Mais... avec plaisir, camarade!

Désespéré, il fut contraint de suivre Grotoff et les policiers, qui l'attendaient déjà à l'entrée de l'écoutille, pendant que Raczinski, figé à l'endroit où il l'avait laissé sur le pont, continuait à le regarder avec une anxiété où filtrait l'inquiétude.

La visite fut exactement celle qu'il prévoyait : elle n'apporta aucun élément intéressant ni pour lui ni pour les policiers. Si Grotoff avait décidé de la faire sans tarder, c'était qu'il savait très bien que l'on ne découvrirait rien. Regardant attentivement chaque paroi, chaque cloison, Jacques remarqua que les Vietnamiens faisaient preuve de la même minutie que lui... Seul le camarade Grotoff ne semblait attacher aucune importance particulière à cette inspection du vieux navire. De temps en temps, il se contentait de dire en français :

— Ce cargo a été bien construit... Il aurait pu séjourner encore pendant des années au fond de l'eau sans inconvénient!

Puis il ajouta à l'intention de Jacques :

— Je ne m'étais pas trompé : mes hommes n'y ont trouvé aucun cadavre...

Jacques ne répondit pas, sachant déjà que la seule révélation que lui apporterait cette visite « officielle » serait que le Russe ne parlait pas le vietnamien. Quant au policier, Jacques eut l'impression que, de temps en temps, au cours de la visite, il lui jetait quelques regards complices qui semblaient vouloir dire : « Je ne me fais pas plus d'illusion que vous! » Mais, très vite, il chassa cette pensée assez ridicule : il n'y avait aucune raison pour que le Vietnamien cherchât à faire de lui un complice puisqu'il était convaincu, lui aussi, de n'avoir affaire qu'à un simple peintre.

Arrivés dans la cabine du commandant, ils restèrent en arrêt devant un coffre-fort encastré dans une paroi et dont la porte était fermée.

— Peut-être allons-nous trouver là les papiers du bord? dit Grotoff avant de demander au chef de la police : Nous le faisons ouvrir?

— Ouvrez...

Deux hommes du *N. 625*, qui accompagnaient le commissaire du peuple, commencèrent à crocheter la serrure de sûreté. Incontestablement, c'étaient des spécialistes : en moins de deux minutes, la porte blindée s'ouvrit, découvrant un coffre vide.

— Le contraire m'aurait étonné! dit Grotoff. A chaque fois que l'on inspecte le coffre du commandant d'un navire

qui a été coulé, il en est ainsi! On n'y trouve jamais rien :
plus de livre de bord, pas de documents, pas de papiers,
pas d'argent, même pas de cartes marines! C'est à se
demander s'il n'existe pas, au fond de la mer, des génies
malfaisants dont la principale occupation est de faire tout
disparaître dès qu'un navire touche le fond! Ceci n'a
d'ailleurs aucune importance pour nous... Nous ne sommes
pas des pilleurs d'épaves et il y a longtemps que nous ne
croyons plus à la découverte de fabuleux trésors engloutis!
Laissons cet espoir aux aventuriers!

Après trois heures, pendant lesquelles aucune partie du
cargo ne fut oubliée, la visite était terminée. Quand ils se
retrouvèrent sur le pont, Grotoff demanda au chef de la
police :

— Êtes-vous satisfait?

— Oui, répondit celui-ci impassible.

— Et vous, camarade peintre?

— Oh, moi! Cette étrange promenade, à l'intérieur de ce
navire qui suinte la désolation, me laisse une impression
lugubre : je m'imaginais être dans un tombeau d'acier...

— Ah! ces artistes! Je sens que ça ne vous inspirera pas
des croquis très gais!

Toujours silencieux, le chef de la police avait apposé son
paraphe au bas d'une feuille de papier, qu'il venait de sortir
d'un porte-documents et qu'il tendit à Grotoff en disant :

— Voici l'autorisation de notre gouvernement vous
donnant la possibilité de faire désormais l'usage que vous
voudrez de cette épave qui vous appartient.

— Je vous prie de remercier, au nom du gouvernement
des Républiques Socialistes Soviétiques, le gouvernement
de la République du Viêt-Nam pour la diligence dont il
vient de faire preuve.

— C'est normal, répondit le policier. Le plus tôt vous
nous débarrasserez de cette épave, qui était dangereuse
pour la navigation dans l'estuaire, le mieux ce sera!

— Comptez sur nous! dit Grotoff.

Après l'avoir salué militairement, le chef de la police s'adressa à Jacques :

— Voulez-vous que nous vous ramenions à terre, monsieur Fernet?

— Je vous remercie... mais j'ai ma jonque qui m'attend...

— C'est vrai. A bientôt, monsieur Fernet!

Il lui tendit la main : geste qu'il n'avait pas fait pour Grotoff. Puis, après un ordre bref destiné à rassembler ses hommes, il quitta l'épave. Quelques instants plus tard, la vedette rapide, arborant le pavillon rouge rayé de trois bandes jaunes horizontales de la République du Viêt-Nam, s'éloignait.

Tout en la regardant prendre le large, Grotoff dit doucement :

— Ils sont étranges, ces Asiatiques... On ne sait jamais très bien ce qu'ils pensent... Ils resteront toujours un mystère pour vous et pour nous... Surtout pour nous!

— Oh! vous savez : je ne les comprends guère plus que vous, camarade! dit Jacques.

— Vous les devinez mieux parce que vous connaissez leur pays que vous peignez... Je ne dis pas que l'ensemble du peuple français les comprenne mieux que nous les Russes : s'il en avait été ainsi, sans doute la France serait-elle toujours dans ces régions... Seulement vous, camarade, vous êtes un Français à part : un artiste! Donc un homme plus sensible...

Et comme Jacques le regardait avec étonnement, il ajouta :

— Vous avez bien vu que ce policier vous a préféré à moi : il vous a serré la main!... Je suis d'ailleurs très content qu'il n'ait pas accompli ce geste d'amitié à mon égard : cela m'aurait mis dans la regrettable obligation de me montrer aimable en l'invitant à bord de notre navire comme ça va être pour moi un plaisir de le faire pour vous... Oui, le camarade commandant Nilinski a préparé une petite réception sur le *N. 625* en votre honneur...

— Ce n'est pas vrai ?

— Si, camarade ! Je pense aussi qu'un peu de vodka vous fera oublier la sinistre impression que vous a laissée la visite de cette épave... On nous attend...

Quelques secondes plus tard, après avoir franchi — derrière Grotoff — la passerelle qui avait été lancée pour permettre de passer directement de l'épave sur le pont du *N. 625* — Jacques se retrouva dans le carré des officiers du navire soviétique.

Il y fut accueilli par le commandant entouré de son état-major, devant une table sur laquelle étaient disposés des verres, des bouteilles de vodka, d'immenses boîtes de caviar, des blinis, des cornichons au sel : toutes les spécialités d'un buffet russe bien garni. Au-dessus de la table, la dominant, protégé par un cadre accroché à la paroi, le dessin offert la veille semblait présider la réception.

— Que pensez-vous de notre petite surprise ? demanda Grotoff en désignant le cadre. Ne trouvez-vous pas que cette œuvre est tout aussi à l'honneur ici que celles qui sont exposées actuellement dans une galerie de Saigon ?

— C'est un honneur infiniment plus grand pour moi ! répondit « le peintre ». Et j'adresse toutes mes félicitations pour le choix du cadre... Sincèrement, mon dessin ne méritait pas un tel écrin !

— Il vous plaît ? Vous voyez que nous avons aussi à bord des artistes, même des encadreurs !

Après que les verres eurent été remplis, le camarade commandant, imité par tous ses officiers, en leva un en disant en russe :

— Camarades, buvons au grand artiste qui représente ici l'art du peuple français !

A son tour le camarade peintre leva son verre avant de répondre en français :

— Au peuple et à la grande Marine de l'Union des Républiques Socialistes Soviétiques qui a été la première de toutes à réussir l'exploit de renflouer une épave dans cet estuaire!

Les verres furent vidés d'un trait, puis aussitôt remplis, puis vidés à nouveau. Les toasts se succédèrent jusqu'à ce que le camarade commissaire eût crié avec force en russe :

— Assez!

Puis, dans le silence retrouvé, devant les officiers immobiles, il dit en français :

— Camarade Fernet, nous avons une deuxième surprise pour vous... Puisque vous m'avez dit être heureux à l'idée de venir travailler en U.R.S.S., j'ai la joie de vous annoncer que vous y serez bientôt.

A ce moment, Jacques perçut une légère vibration du navire et il ne put s'empêcher de dire, faisant un effort surhumain pour conserver son calme :

— Mais... Il me semble que le navire bouge?

— C'est exact, camarade! répondit Grotoff en le regardant froidement.

Il y eut un moment de silence pendant lequel pas un seul des officiers n'abandonna la rigidité du garde-à-vous. Jacques se sentit perdu : il était prisonnier sur ce navire mystérieux dont il ignorait tout. Plusieurs fois déjà, au cours de sa carrière d'agent de renseignement, il avait connu des situations désespérées mais encore jamais une où il s'était senti dans un tel état d'infériorité, seul, face à un adversaire qui venait de jeter bas le masque, tout en sachant conserver une impassibilité totale. Il ne parvenait pas à réaliser qu'il avait pu se laisser berner de la sorte, comme un apprenti... Il n'était surtout pas concevable que l'extraordinaire machine d'approche, mise au point par la vieille

chouette et ses collaborateurs, pût s'enrayer aussi brusquement... Peut-être restait-il encore une chance de salut?
Mais ce serait lui seul qui pourrait la trouver...

Aussi fut-ce avec calme qu'après avoir bu une nouvelle
gorgée de vodka, il demanda, souriant, comme si cette
deuxième « surprise » l'amusait :

— Où allons-nous, camarade Grotoff?

— En Russie, camarade peintre!

— Directement? Vous abandonnez donc l'épave?

Le camarade commissaire éclata de ce rire sonore, exactement le même que celui de Raczinski, bientôt suivi en
écho par celui de tous les autres, déferlant... Quand la joie
collective commença à s'atténuer, Grotoff finit par dire :

— Suivez-moi sur le pont, camarade Fernet...

Là, Jacques vit que le *N. 625* se dirigeait lentement vers
le large en remorquant l'épave...

Grotoff, qui ne cessait de l'observer, semblait savourer
son triomphe. Un long moment se passa avant qu'il ne
parlât :

— Pourquoi regretter cet estuaire et ce Viêt-Nam,
camarade? Vous n'y laissez personne derrière vous... Ce
n'est pas votre pays! Alors qu'en U.R.S.S. vous vous
sentirez chez vous... De deux choses l'une : ou vous êtes
un espion et vous êtes perdu, ou vous n'êtes réellement
qu'un peintre et vous avez devant vous la perspective d'une
gloire nouvelle... Qui êtes-vous exactement, Jacques Fernet?

— Vous le savez aussi bien que moi...

Après une courte hésitation, Grotoff déclara :

— Nous pensons que véritablement vous n'êtes qu'un
artiste...

— Alors, je ne comprends pas toute cette mise en scène.

Grotoff retrouva à nouveau son rire, pendant qu'il lui
donnait une bourrade dans le dos :

— Elle était indispensable, camarade! Si vous aviez été
un espion, vous n'auriez pas eu ce sourire amusé quand

vous nous avez demandé où nous allions! Vous auriez blêmi!.... Et je me demande bien ce qu'un espion pourrait venir chercher sur notre navire ou sur une épave n'offrant aucun autre intérêt que celui d'une revente à la ferraille! Alors? Maintenez-vous votre décision de venir peindre en Russie?

— Je vous le répète : j'en serais enchanté... Mais ça ne me plaît pas d'arriver en U.R.S.S. dans de telles conditions! Cela ressemble à un enlèvement! Et l'on vous a déjà accusés trop souvent d'avoir agi ainsi... Croyez-moi : c'est une méthode qui vous fait du tort! Ne serait-ce pas tellement mieux si j'allais vous rendre visite de mon plein gré et parce que ça me plaît? Sans y être contraint! Par exemple au titre de ces échanges culturels qui ont plus fait pour votre propagande que n'importe quelle épreuve de force... Ne pensez-vous pas que j'ai raison?

Le Russe réfléchit avant de répondre :

— Vous êtes très subtil, camarade peintre! Nous avions convenu qu'une fois de retour à Paris, vous vous mettriez au travail sur la grande toile qui nous intéresse et que, quand elle serait terminée, vous entreriez en contact avec l'attaché culturel de notre ambassade...

— Je suis toujours d'accord.

— Mais ne croyez-vous pas que ce serait tellement mieux pour vous de rester dès maintenant avec nous? Considérez que vous n'êtes nullement un prisonnier mais notre invité d'honneur... Vous pourriez déjà travailler à bord et faire, en attendant l'œuvre maîtresse que nous espérons pour notre Musée d'Art Moderne, d'autres tableaux de dimensions moins importantes mais qui nous permettraient d'avoir déjà les éléments d'une exposition pour votre arrivée à Moscou?

— Je reconnais qu'une telle idée n'est pas pour me déplaire...

— Camarade, il ne faut pas nous en vouloir si, tout à l'heure, nous vous avons fait un peu peur en vous donnant l'impression que nous repartions pour la Russie.

— Je ne vous en veux absolument pas pour la bonne raison que je n'ai jamais eu peur! Pourquoi aurais-je éprouvé un pareil sentiment? Je n'ai rien à me reprocher, ni à votre égard ni à celui de personne! C'est sans doute assez banal, mais je ne suis qu'un honnête homme, qui vit de son Art...

— Dans quelques instants, continua Grotoff, dès que nous serons sortis de l'estuaire, nous stopperons... Il le faut pour que nous puissions vérifier si notre remorquage de l'épave est suffisamment au point pour nous permettre d'aborder la haute mer : ce travail demandera toute la nuit et ce ne sera que demain, au lever du soleil et au moment de la marée, que nous repartirons définitivement... Vous m'avez demandé à réfléchir : je vous comprends... Je vous laisse jusqu'à demain matin 6 heures... Si vous n'êtes pas de retour sur notre navire à ce moment-là, cela voudra dire que vous préférez rentrer d'abord en France avant de venir nous rendre visite en U.R.S.S... Et croyez bien que nous ne vous en voudrons pas! L'un de nos principes les plus absolus est, contrairement à ce que fait croire la mauvaise publicité des pays capitalistes, de respecter le libre arbitre de chacun... Je pense aussi que vous aurez à terre l'esprit plus tranquille pour prendre votre décision...

— Je vous sais gré de cette nouvelle marque de confiance. Seulement, comment vais-je faire pour retourner d'ici à terre?

— Regardez, camarade... Votre jonque nous a suivis... Nous avons avancé très lentement : le vieux pêcheur, qui tient la barre de votre curieuse embarcation, n'a eu aucun mal à nous escorter! Il devait bien se douter aussi qu'il vous reverrait et que vous ne pouviez pas vous embarquer sans quelques toiles qui vous permettront de travailler à notre bord... J'avoue que c'est l'une des rares choses qui manquent sur le *N. 625!*

— Vous devez y avoir tant de choses plus intéressantes et surtout plus utiles!

— Si vous nous revenez demain, je me ferai un plaisir de vous faire visiter le navire... Cela vous donnera une petite idée de ce que peut être la Marine de l'Union des Républiques Socialistes Soviétiques...

Le *N. 625* venait de stopper.

— Vous êtes libre, camarade! dit Grotoff. Nous avons été très honorés de votre visite... A demain, j'espère!

— Même si je décidais de ne pas partir tout de suite, je vous promets de venir vous souhaiter bon voyage avant votre départ. Je vous le dois en remerciement de l'accueil très chaleureux et très amical que j'ai reçu de vous tous... Au revoir, camarade!

Pendant que la jonque, sur laquelle il venait de retrouver Hô, s'éloignait, « le peintre » ne pouvait détacher son regard de la vision du navire soviétique immobilisé à quelques encablures devant l'épave. Et il répondit d'un large geste au salut amical que le commissaire du peuple lui adressa une fois encore du haut du *N. 625*.

— Qu'est-ce que tu as pensé de ma petite escapade? finit par demander Jacques au vieux sampanier.

— Je me suis dit que si M. Fernet était monté sur le navire russe, c'était certainement parce qu'il avait une excellente raison de le faire...

— Au moins, toi, tu ne te compromets pas! Et qu'est-ce qui t'a donné l'idée de nous suivre? Nous aurions très bien pu gagner la pleine mer sans même te dire adieu!

— M. Fernet n'aurait pas pu agir ainsi...

— Et pourquoi?

— Parce qu'il ne m'avait pas laissé de message pour M. Martin.

— C'est vrai : j'ai presque failli l'oublier au milieu de tous les « camarades »! Ramène-nous vite à la crique...

— Franchement, avoua Jacques en terminant le récit de la journée à l'antiquaire, quand j'ai senti le bateau bouger, j'ai eu peur! Non pas tellement pour moi mais j'ai craint de me trouver en face de la faillite totale de notre plan.

— Je reconnais qu'il y avait de quoi... Ceci établi, si vous le voulez bien, tirons nos conclusions, comme nous l'avons fait chaque soir, devant nos whiskies... D'abord, il n'est pas exclu que vos charmants camarades russes ne soient parfaitement renseignés sur votre véritable identité... Mais cela m'étonnerait quand même! N'oublions cependant pas que Grotoff n'a pas hésité à prononcer devant vous le mot « espion »... Si telle est sa conviction, vous devez aller jusqu'au bout en acceptant les risques de la profession... Si, au contraire, ces messieurs sont convaincus que vous n'êtes qu'un artiste, vous devez également accepter les risques de cette aimable profession : c'est-à-dire qu'il faudra vous mettre sérieusement à la peinture! Vous y parviendrez vite! Je vous l'ai déjà dit : vous êtes doué! Vous serez dans l'obligation de dessiner et de peindre à bord. Et malheureusement je ne serai pas à vos côtés pour « corriger » votre coup de pinceau! On ne m'a pas invité, moi...

— Parce que vous avez déjà décidé que je devais m'embarquer sur le *N. 625?*

— Cher ami, je vous répète que je ne prends jamais de décisions majeures. Je me contente d'exécuter, selon les modalités qui se présentent, les ordres reçus... Si vous voulez bien m'accompagner, je vais me faire une joie de vous faire visiter ma cave... Les grands crus y sont rares mais ceux que vous allez y découvrir ne manquent pas d'une certaine saveur...

Il s'était levé. Jacques le suivit.

La descente d'un escalier les conduisit devant une porte basse dont les fermetures paraissaient infiniment plus hermétiques que celles du coffre-fort du cargo. Après y avoir introduit trois clefs différentes, Serge Martin la poussa en disant :

— Nous y sommes.

Dès qu'ils furent dans le sous-sol voûté, il referma derrière eux la porte, dont l'épaisseur ne fut pas sans étonner Jacques, avant de la reverrouiller avec soin. Une faible lampe, suspendue à la voûte, jetait une lumière irréelle sur des casiers où étaient alignées des bouteilles de toutes formes.

— Vous pouvez constater que j'ai une très nette prédilection pour le Saint-Émilion. Ma réserve de champagne n'est pas non plus négligeable...

Il avança la main vers cette réserve qui pivota instantanément pour découvrir un réduit où l'ex-agent 2 884 n'eut aucune peine à reconnaître une installation complète de poste émetteur.

— Asseyez-vous, dit avec calme l'antiquaire. J'estime que nous nous trouvons devant un dilemme : devez-vous rester à terre ou faudra-t-il que vous partiez demain matin sur le *N. 625?* Seul Paris pourra nous donner la réponse... Nous allons appeler la capitale.

— Vous êtes suffisamment bien équipé pour y parvenir sans risque d'être repéré?

— Je suis admirablement équipé...

Coiffé d'un casque d'écoute, il avait déjà commencé à manipuler la manette de l'émetteur.

Une réponse codée ne fut pas longue à venir. Après l'avoir fait répéter par son correspondant, Serge Martin posa le casque sur la table d'écoute en disant :

— Cela pourra demander une bonne heure mais nous serons fixés...

— Ce n'est pas Paris que vous venez d'appeler !

— Décidément, vous êtes un remarquable technicien ! Je viens de transmettre ma question au relais... J'ai un excellent relais, très puissant et tout proche...

— Au Viêt-Nam ?

— Dans l'estuaire même... Vous ne voudriez tout de même pas que le navire, battant pavillon français, de la C.I.R.M. ne soit à l'entrée du chenal que pour en exhumer quelques épaves inutilisables ? Ce bateau sans prétention est en relation étroite avec Paris... Il va nous retransmettre la réponse... Vous comprenez maintenant pourquoi il eût été déplorable que vous fissiez connaissance avec son équipage ? Certes, les Russes ont une très bonne équipe à bord de leur *N. 625,* mais je vous garantis que celle de nos compatriotes ne lui est nullement inférieure ! Que diriez-vous, pour tromper l'attente, d'un Irroy 47 ? Car il m'arrive aussi de posséder quelques vraies bouteilles...

Quand le bouchon eut sauté et que la mousse eut débordé des verres, le vieil homme en prit un qu'il leva en le contemplant :

— J'aime ce champagne dégusté dans une cave, comme cela se pratique à Reims ou à Épernay ! C'est vraiment la boisson qui nous donne de l'esprit, à nous autres Français... Je suis certain que ce soir, vous allez lui trouver cette saveur assez particulière dont je vous parlais... La plus grave erreur de la majorité des gens est de croire que les vrais plaisirs de l'existence empêchent de faire du bon travail...

La bouteille était vide quand un signal rouge clignota sur le poste. Serge Martin se recoiffa aussitôt du casque en disant :

— Voici la réponse...

Dès que le message fut pris, il se pencha sur la bande qu'il déchiffra en silence avant de confier :

— Notre code est remarquable : il offre l'avantage d'être

suffisamment nouveau pour que les indiscrets n'aient pas
encore eu le temps de découvrir ses mystères...

Après avoir retiré à nouveau le casque, il déclara :

— Mon cher, la réponse est formelle : vous embarquez
demain sur le *N. 625,* muni d'une provision de toiles
vierges, de votre chevalet et de la boîte à pinceaux... Il est
même spécifié qu'en plus de la mission essentielle qui vous
incombe, vous aurez celle d'étudier avec le plus grand soin
ce mystérieux navire... Cela ne vous sera pas très difficile
puisque le camarade Grotoff a offert lui-même de vous le
faire visiter !

— Si la visite ressemble à celle de l'épave, je ne décou-
vrirai rien !

— Qui sait ?... Nous remontons dans le salon pour
terminer nos whiskies ?

— Je n'aime pas beaucoup les mélanges !

— Il en faut cependant pour aboutir dans notre métier !
Plus on mélange tout et plus on a de chances de réussir !
A condition, bien entendu, de conserver soi-même les idées
claires ! Et de ce côté-là, je suis tranquille : les vôtres le sont.

Au moment où ils allaient quitter la « cave » dont le
panneau de casiers, cachant le réduit, venait de reprendre sa
place normale, Jacques demanda :

— Dites-moi : Kim connaît l'existence de cette cave ?

— Évidemment ! Mais comme tout bon serviteur, il sait
que seul son maître en possède les clefs... Pour lui ce n'est
qu'une cave, rien de plus...

Quand ils se retrouvèrent devant les whiskies, l'antiquaire
dit en soupirant :

— Vous avez de la chance, vous allez faire un bien beau
voyage !

— Vous trouvez ?

— Si j'avais votre âge, j'aurais volontiers échangé ma
place contre la vôtre... Réalisez-vous que vous serez sur un
navire passionnant qui en remorquera un autre ? Vous

connaîtrez un moment extraordinaire : celui où le remorquage cessera! Parce qu'enfin il ne pourra pas s'éterniser, ce remorquage! A mon avis, comme je vous l'ai déjà laissé entendre, l'épave terminera définitivement sa carrière dans la cale sèche d'un port du Viêt-Minh où elle sera découpée sans pitié au chalumeau par la brillante équipe des techniciens de Grotoff... Cela ne pourra pas se passer avant une bonne semaine : tout le temps nécessaire pour vous permettre de faire définitivement du Polonais votre meilleur ami... Un ami qui vous dira tout, dont vous deviendrez le confident... Ainsi vous saurez quel est le morceau du cargo intéressant... Et quand vous l'aurez subtilisé — ou tout au moins son contenu — je vous conseille de fausser rapidement compagnie à vos petits camarades russes... Le seul impedimentum sera pour vous Raczinski... Vous serez tenu, en remerciement de sa collaboration, de lui faire découvrir le chemin de la liberté! Sinon le malheureux aurait des comptes à rendre! Vous qui aimez l'aventure, reconnaissez que vous allez être servi!

— Elle ne prend pas du tout la tournure que l'on m'avait laissé prévoir rue Saint-Lazare!

— Et vous vous en plaignez? Vous êtes tous pareils, les jeunes! Vous voudriez que les choses se passent exactement comme on vous les a prédites! Mais, mon cher, les prédictions sont une chose et le déroulement imprévu des événements une autre!... J'ai remarqué que vous aviez une excellente mémoire... Aussi allez-vous graver dans votre tête un numéro de téléphone : le 28-26-24 à Hanoï? Répétez?

— 28-26-24 à Hanoï.

— Un numéro très facile! Ne l'écrivez jamais, surtout! Dès que vous aurez quitté, en compagnie de Raczinski, le camarade Grotoff et ses sbires, vous vous débrouillerez pour rejoindre Hanoï et là, de n'importe quelle cabine téléphonique, vous appellerez ce numéro. On vous y répondra immédiatement à toute heure du jour ou de la nuit... Ce sera une voix de femme... Vous direz simplement : « *L'antiquaire se rappelle à votre bon souvenir...* » ceci en vietnamien. Répétez ?

— *L'antiquaire se rappelle à votre bon souvenir.*

— Parfait! La voix vous répondra alors de vous trouver à une heure H à un endroit déterminé de la ville... Vous irez et là quelqu'un se présentera à vous en disant, toujours en vietnamien : « *J'ai de nouvelles pièces de collection.* » Ce sera le signe d'authenticité de ce guide.

— Qui sera un homme ou une femme?

— Peu importe! Cette personne vous prendra en charge avec votre compagnon pour vous faire revenir au Viêt-Nam où je vous accueillerai.

— Ici?

— Je ne le pense pas : ce serait dangereux... Ce sera à moi seul que vous remettrez le document...

— Si je l'ai!

— Vous l'aurez!... Ensuite, je vous accompagnerai bien gentiment à Tan-Son-Nhut où vous reprendrez l'avion régulier pour Paris.

— Toujours avec ma qualité de peintre?

— Toujours!

— Vous ne pensez pas que mon « absence » pourra étonner les gens?

— Pourquoi? Elle n'excédera par un mois ou deux : le temps d'assister au découpage du cargo... Et comme j'ai déjà fait savoir, par voie de presse, que vous aviez maintenant l'intention de vous promener à l'intérieur du pays pour y peindre des rizières! Rassurez-vous : à votre retour dans ces parages, une bonne douzaine de toiles nouvelles seront terminées pour pouvoir être exposées à la Galerie... Ah! Un conseil : quand vous quitterez le *N. 625,* ne vous encombrez pas trop des chefs-d'œuvre que vous aurez pu faire à bord pendant cette nouvelle croisière... Je sais que c'est toujours triste pour un artiste d'abandonner ce qu'il a créé, mais il le faudra ! Et puis, ce seront quelques souvenirs de votre passage que vous laisserez aux camarades russes : une façon comme une autre de vous acquitter de la dette d'hospitalité que vous leur devez... On ne sait jamais : rien ne prouve que le camarade Grotoff, qui a pour vous tant d'admiration, ne les fera pas exposer au fameux Musée d'Art Moderne de Moscou.

— Vous êtes cynique !

— Il faut aider les musées !... Mon cher ami, il me reste à vous souhaiter de prendre du repos pour la dernière nuit que vous allez passer sous ce toit... Quand nous nous reverrons, ce ne sera que pour quelques heures pendant lesquelles je n'aurai guère le loisir de vous dire toute la joie que m'a apportée votre venue... J'avoue que demain soir, je me sentirai très seul... C'est vrai : je m'étais habitué à ces petites conversations, devant nos whiskies... Nous prenons le dernier ?

— Non merci. Cela suffit.

— Vous avez raison de rester sobre. Pendant que vous dormirez, je vais préparer vos bagages et demain matin, nous nous dirons au revoir à la crique où la jonque de Hô vous attendra pour vous conduire jusqu'au *N. 625* où, n'en doutez pas, vous allez sûrement être accueilli par des transports de joie du camarade Grotoff. Que de verres de vodka en perspective !

— Tout autant que vous, j'ignore ce que me réserve l'avenir... Mais, quoi qu'il arrive, je conserverai de vous, Serge Martin, un souvenir assez rare...

— On dit ça... par gentillesse ! Mais vous m'oublierez... Et vous aurez raison ! La seule chose que j'espère est que, si un jour vous entendez prononcer devant vous ce mot banal d'*antiquaire,* il aura pour vous une résonance assez particulière... Bonne nuit, camarade !

La jonque les attendait dans la crique. Dès qu'il les vit arriver, chargés des bagages du peintre, le sampanier dit :

— Ce ne sera peut-être pas nécessaire d'embarquer tous ces colis...

— Et pourquoi cela? répondit Serge Martin. Es-tu fou? Tu ne te figures pas que notre ami va partir sans une provision de toiles et sans ses affaires personnelles?

— M. Fernet ne pourra pas partir sur le *N. 625*... continua avec calme le sampanier.

— Vraiment? Tu y vois un empêchement?

— Un empêchement majeur, monsieur Martin : le *N. 625* a levé l'ancre il y a plus de deux heures, en mettant le cap vers le nord-est...

— En pleine nuit? Tu ne pouvais pas nous prévenir?

— Comment l'aurais-je pu? J'ai pensé plus sage d'attendre ici.

— Bien entendu, il est parti en remorquant l'épave?

— Non, monsieur Martin, l'épave est restée là où M. Fernet l'a vue hier soir.

— Qu'est-ce que tu dis? Ils ont laissé des hommes dessus?

— Je ne crois pas puisqu'ils l'ont fait sauter au moment où le *N. 625* appareillait.

— Sauter?

— Ce fut une très grande explosion que l'on a entendue dans tout l'estuaire!

L'antiquaire parut contrarié :

— Comment se fait-il, confia-t-il à mi-voix à Jacques, que les observateurs du navire de la C.I.R.M. ne m'aient pas averti immédiatement par radio?

— Peut-être l'ont-ils fait, mais vous n'étiez plus dans « la cave »!

Après un temps de réflexion, Serge Martin déclara :

— Hô, tu as en partie raison : les bagages personnels de M. Fernet vont rester ici. Nous les reprendrons tout à l'heure quand nous reviendrons. Par contre, tu vas embarquer sur ta jonque une toile, le chevalet, la boîte de pinceaux et nous deux! Parce que cette fois, cher ami, je vous accompagne dans votre promenade... En route! Direction : l'endroit précis où l'épave a sauté... Tel que je te connais, Hô, tu as déjà dû aller faire un petit tour par là?

— Oui, monsieur Martin.

— Et qu'as-tu découvert?

— Rien... Aucun débris ne flotte : c'est comme si l'épave avait été pulvérisée par l'explosion...

L'antiquaire ne répondit pas et resta silencieux jusqu'à ce que la jonque, glissant dans la nuit, eût atteint l'entrée de l'estuaire.

— C'est ici, dit le sampanier.

— Aucune trace en effet! remarqua Serge Martin. Dites-moi, Fernet, vous avez l'impression que c'est à peu près à cet endroit que le *N. 625* avait stoppé hier en fin d'après-midi?

— Ce n'est pas une impression, c'est une certitude!

— Hô, à ton avis quelle est la profondeur ici?

— Beaucoup plus grande que dans le chenal... Pas loin de 100 mètres...

— Autrement dit, il ne sera plus jamais question de renflouer ce cargo! Et nous devons nous trouver à la limite des eaux territoriales du Viêt-Nam?

— Nous y sommes en effet, répondit le sampanier.

— Ils ont tout calculé! C'est très bien joué! Et on peut être certain que ce qui reste du navire est couché par le fond en morceaux inutilisables : sa destruction a été, cette fois, beaucoup plus complète que sous l'effet d'une bombe ou d'une torpille aérienne... Ils ont eu tout le temps de la préparer... Le jour va bientôt se lever : nous n'avons plus qu'à revenir à la crique. Attendre ici serait du temps perdu...

Mais, au moment même où l'antiquaire disait ces mots,

la jonque fut brutalement éclairée par le faisceau d'un projecteur éblouissant pendant qu'une voix criait en vietnamien :

— Halte! Police!

Dès que la vedette rapide fut à proximité de la jonque, la voix reprit en français :

— Vous, monsieur Fernet? Que faites-vous donc ici à pareille heure?

— J'avais rendez-vous, figurez-vous! répondit Jacques. Seulement j'ai l'impression qu'il est manqué! Vous voyez mon matériel : je m'apprêtais à monter à nouveau à bord du *N. 625,* selon l'aimable invitation qui m'en avait été faite hier soir par le « camarade » Grotoff, pour pouvoir continuer aujourd'hui mes croquis d'essai...

— Mais c'est M. Martin qui est avec vous? Bonjour, monsieur Martin! Vous aussi, on vous avait invité?

— Ma foi non, lieutenant Dàng-Ngoc-Tuê! J'avoue n'avoir accompagné mon bon ami que par pure curiosité... Il m'a raconté tellement de choses merveilleuses sur le renflouement auquel il a eu la chance d'assister hier et sur l'extrême amabilité des Russes que j'ai eu envie de faire leur connaissance.

— Peut-être vous faites-vous quelques illusions en pensant que, vous aussi, ils vous auraient laissé monter à leur bord?

— Qui sait? Après tout un antiquaire n'est-il pas, lui aussi, un artiste dans son genre? Et puisque ces gens-là aiment protéger les artistes...

— Monsieur Martin, ils savent avant tout mesurer l'honneur de leurs invitations et choisir leurs hôtes... Je suis persuadé qu'en parvenant à se concilier leurs bonnes grâces, M. Fernet avait réalisé un grand exploit! Qu'allez-vous faire maintenant, monsieur Fernet?

— Retourner à terre! Je ne vois pas d'autre solution

puisque mes nouveaux amis m'ont déjà faussé compagnie! Entre nous, lieutenant, je trouve qu'il y a là, de leur part, un manque total de civilité!

— Monsieur Fernet, puisque vous prenez la très sage décision de retourner à terre, pourrais-je vous demander de passer sans faute cet après-midi à nos bureaux de la direction de la Police Fluviale à Saigon?

— Moi? Mais qu'y ferais-je, mon Dieu?

— Je vous y attendrai, ainsi que M. Martin... J'estime qu'une petite conversation entre nous est indispensable... A tout à l'heure!

Le faisceau lumineux s'éteignit pendant que la vedette s'éloignait.

Une heure plus tard, la jonque atteignait la crique. Le retour avait été morne. Pas un mot n'avait été échangé entre ses occupants. Au moment de quitter Hô, Serge Martin lui dit :

— Bien entendu, puisque tu as la chance de ne pas avoir été convoqué par le lieutenant Dàng-Ngoc-Tuê, tu ne sais rien! Tu restes le misérable sampanier qui est quantité négligeable... Je ne pense pas qu'on t'interrogera mais, si cela arrivait, reste muet : tu sais très bien le faire... Et continue à observer, avec toute ta discrétion habituelle, ce qui se passera sur l'estuaire... Mais avant, tu iras faire un tour du côté de la maison où ils avaient installé leur « centre de repos » pour voir s'il s'y trouve encore du monde. Et tu me téléphoneras du cap Saint-Jacques dans une heure pour me donner le résultat...

Ce ne fut qu'une fois dans la voiture, pendant qu'ils retournaient vers Saigon, que l'antiquaire dit :

— Évidemment, l'événement est d'importance et bouscule quelque peu nos plans... Il s'agit donc de faire le point en répondant à deux questions : Pourquoi ont-ils fait sauter l'épave et pourquoi sont-ils partis aussi vite!... Première réponse : s'ils se sont débarrassées aussi vite de l'épave, c'est ou bien parce qu'elle n'offrait plus aucun intérêt et que son remorquage se révélait une opération hasardeuse et inutile, ou bien...

— Ou bien?

— Je sens que vous avez la même idée que moi : ou bien parce qu'il y avait dans cette épave quelque chose qu'ils désiraient que personne d'autre qu'eux ne découvrît jamais!

— J'ai pourtant la certitude que nous l'avons visitée hier de fond en comble en compagnie de Grotoff et des policiers.

— Tout le monde peut se tromper, mon cher! Même un brillant 3e de notre École du Génie Maritime! Nos ingénieurs l'ont déjà prouvé quand il s'est agi de délimiter l'emplacement exact de cette épave! Mais que diable pouvaient-ils avoir intérêt à cacher! Une faillite peut-être?

— Faillite?

— Celle de leur organisation technique... Ces gens-là sont très orgueilleux! Ils n'aiment pas avouer leurs échecs... Ne l'ont-ils pas prouvé dans les envois successifs et très secrets qu'ils ont faits de fusées interplanétaires avant de clamer leurs triomphes? Supposons qu'ils aient réellement découvert que non seulement le fameux document ne se trouvait pas dans les flancs du cargo, mais qu'il n'y avait jamais été? Pour eux, et spécialement pour le brillant camarade Grotoff, ce serait une tape monumentale! Et, si ça l'est, les Anglais doivent sourire sur le *Buffle*...

— Cela signifierait qu'ils auraient lancé ce nouveau canular?

— Disons : cette fausse piste... L'*Intelligence Service* n'en est pas à une invention près! Cependant, ce qui me fait douter, c'est que « la vieille chouette » ait persisté dans ses ordres... Lui non plus n'est pas un débutant!

— C'est la première fois que vous évoquez ce personnage devant moi...

— Si je ne l'ai pas fait plus tôt, cher ami, c'est sans doute

216

que je n'en voyais pas l'utilité! Mais revenons à notre première question... Il y aurait aussi une autre réponse : ce serait que les hommes laissés à bord de l'épave, pendant le commencement de remorquage et alors que vous buviez à la grandeur soviétique sur le *N. 625,* aient fini par découvrir le document! Dans ce cas, Grotoff a estimé que le mieux était de se débarrasser de l'épave encombrante et de mettre immédiatement le cap sur l'U.R.S.S... Ce qui nous apporterait également une réponse à la deuxième question : « Pourquoi sont-ils partis si vite? » Il est possible enfin que Grotoff ait acquis la certitude absolue que vous n'étiez pas le « cher grand artiste » mais un authentique espion... Dans ce cas, il n'avait aucun intérêt à vous attendre...

— Il se serait privé du plaisir de me faire prisonnier une fois que je serais revenu à son bord?

— S'il vous a tenu pour un espion, il était sûr que vous n'auriez pas le toupet de revenir et qu'il ne vous reverrait pas ce matin. Et, s'il a le document, vous ne présentez plus aucun intérêt : vous êtes neutralisé!... Comme nous tous d'ailleurs! Pourquoi, ayant une mission déterminée, s'encombrerait-il de complications internationales? Vous savez aussi bien que moi qu'un agent supprimé entraîne presque automatiquement la disparition d'un agent de la puissance qui a commis le premier crime. C'est le talion de notre profession! Et les Soviets tiennent à leurs agents, tout autant que « la vieille chouette » aux siens! Ce qui va être intéressant, c'est de voir quel sera le comportement des autres maintenant que le *N. 625* a levé l'ancre.

— Quels autres?

— Les Anglais du *Buffle,* les Italiens du *San Giovanni,* les Français du navire de la C.I.R.M... Je serais bien surpris s'ils continuaient longtemps à remonter des carcasses pourries dans l'estuaire!

— Et que pensez-vous de l'invitation de la police vietnamienne?

— Elle m'ennuie sans trop me gêner... Comme nous sommes polis, nous irons... Peut-être cette conversation sera-t-elle très instructive? Ce petit lieutenant Dàng-Ngoc-Tuê est un garçon intelligent avec lequel on peut s'entendre... Je le connais depuis longtemps!

Dès qu'ils furent de retour à la maison, l'antiquaire dit :

— Je crois qu'une nouvelle descente à la cave s'impose... Il est indispensable de nous mettre en rapport avec Paris qui a déjà dû être informé de l'explosion par notre relais flottant... Ils ont dû réfléchir et des ordres modifiés doivent être prêts. Vous m'accompagnez?

L'émission fut courte. La réponse codée vint, sans qu'aucune bouteille de champagne n'ait eu le temps d'être débouchée : « *Confirmons document à bord de l'épave. Continuez peinture en attendant nouvelles instructions.* »

— Voilà qui est clair! dit Serge Martin en refermant le panneau. Mon cher, que vous le vouliez ou non, il vous faut perfectionner votre art!

Au moment où ils rejoignaient le salon, la sonnerie du téléphone retentit. Après avoir pris le récepteur, Serge Martin écouta sans répondre à son interlocuteur et, quand il eut raccroché :

— C'est Hô... Il m'annonce qu'il a pénétré dans la « maison de repos » sans même utiliser de clef : la porte n'était pas fermée! Il s'y est promené et a pu constater que ses habitants l'avaient désertée après avoir pris soin d'emporter tout ce qui pouvait y être intéressant. Il n'y reste qu'un mobilier sans valeur. Tout cela ne doit pas vous surprendre?

La Direction de la Police Fluviale constituait un département important de la Police Générale de la République du Viêt-Nam. Ses services étaient installés dans un bâtiment ultra-moderne, dont la façade principale donnait directement sur le port de Saigon.

Le peintre et l'antiquaire n'attendirent pas cinq minutes avant d'être introduits dans un bureau clair où les attendaient deux hommes : le lieutenant Dàng-Ngoc-Tuê en uniforme et un personnage en civil, lui aussi Vietnamien, que l'officier présenta en disant :

— Le commissaire Xi-Dien, de nos Renseignements Généraux...

Puis il ajouta aussitôt :

— J'espère, messieurs, que vous ne m'en voudrez pas trop pour ce dérangement... Mais vous comprendrez aisément que nous ayons quelques questions précises à vous poser... Je m'adresse d'abord à vous, monsieur Fernet : comment êtes-vous parvenu à vous faire non seulement inviter à visiter l'épave, mais également le *N. 625?*

— Le plus simplement du monde! Je vous assure n'avoir rien fait pour cela car je ne tenais nullement à lier connaissance avec ces Soviets qui ne m'intéressent pas! La seule chose qui compte pour moi est la peinture...

Et il raconta comment, peu à peu, les Russes avaient marqué un intérêt de plus en plus grand à ses travaux d'artiste, ceci jusqu'au point de lui commander une toile gigantesque pour le Musée d'Art Moderne de Moscou.

Quand il eut terminé le récit de ses conversations avec l'équipage soviétique, en prenant soin d'attribuer ces contacts au simple hasard, le lieutenant Dàng-Ngoc-Tuê demanda :

— Il ne vous est pas venu à l'idée que le commissaire Grotoff, le scaphandrier polonais et tous leurs camarades avaient un autre but caché en vous incitant à les accompagner en Russie?

— Quel but? Pour eux je n'étais et je ne suis encore qu'un peintre!

— Pour nous aussi, monsieur Fernet. Et c'est bien ce qui nous plaît le plus en vous. Seulement vous ne trouvez pas que cette invitation avait quelque chose d'insolite?

— Comme je suis content de vous l'entendre dire, lieutenant! s'exclama Serge Martin. Voilà des jours et des jours que je m'acharne à dire à notre ami que je n'aimais pas du tout le voir fréquenter ces gens-là! Que diable allait-il faire sur cette galère? C'est pourquoi j'ai tenu à l'accompagner ce matin jusqu'au N. 625, sur lequel il devait s'embarquer, avec l'espoir de le décider à rester parmi nous à la dernière minute! Cette expédition s'annonçait pour lui comme n'étant qu'une pure folie! Rien ne prouvait qu'une fois embarqué sur ce navire, dont j'ai toujours trouvé l'allure assez suspecte, il n'y aurait plus été traité en artiste mais en prisonnier?

— Mais enfin, Martin! répondit Jacques en jouant le jeu. Je vous l'ai déjà dit : pour quelle raison voulez-vous que les Russes me retiennent prisonnier? C'est stupide! Quel intérêt auraient-ils eu à cela? J'estime qu'au contraire, à l'exception de leur départ que j'ai trouvé un peu cavalier, ils se sont montrés pleins d'attentions et même d'égards pour moi! Vous ne pouvez tout de même pas les empêcher d'aimer les artistes et de leur offrir des situations que, malheureusement, bien peu d'entre nous parviennent à trouver en France!

— N'êtes-vous donc pas satisfait, reprit l'officier, de l'accueil que tous vous ont réservé ici au Viêt-Nam?

— Je reconnais que vos compatriotes se sont montrés de merveilleux amis... De cela je leur serai toujours reconnaissant! Mais avouez que la croisière offerte en valait la peine! Jamais je n'ai pu résister à une aventure qui se présentait... Je sais surtout qu'elle seule peut me permettre de renouveler mon inspiration...

— Estimez-vous très heureux, monsieur Fernet, que celle-ci ne se soit pas prolongée!

— Lieutenant, vous ne pourrez pas m'empêcher de la regretter!

— Ces artistes! soupira Serge Martin. Tous les mêmes : des enfants!

Le commissaire Xi-Dien, qui n'avait pas encore prononcé un mot — rappelant en cela un certain personnage que le président Ekko avait d'abord présenté sous le nom de « M. Adrien » dans un bureau de la rue Saint-Lazare — demanda alors d'une voix suave :

— Pendant le temps où vous êtes resté à bord du *N. 625*, vous n'y avez rien remarqué d'anormal, monsieur Fernet?

— Je n'ai rien remarqué du tout pour l'excellente raison que j'y ai passé mon temps à boire de la vodka avec l'État-Major! Des gens charmants d'ailleurs!

— Nous n'en doutons pas : le charme slave! dit le commissaire avec ironie. Essayez de rassembler quand même vos souvenirs, monsieur Fernet... Dans la conversation, aurait-il été question à un moment donné du projet de faire sauter l'épave?

— Nullement! Je pensais même qu'ils la remorqueraient jusqu'en Russie!... Mais au fait, pourquoi l'ont-ils fait sauter?

— Nous nous posons la même question...

— Messieurs, j'avoue ne rien connaître aux choses de la mer, mais a-t-on le droit de détruire ainsi une épave qui vient d'être renflouée au prix de tant d'efforts?

— C'est le droit le plus absolu de celui qui en est devenu le propriétaire, ce qui était le cas de vos amis russes... à condition que cette destruction ait lieu en dehors des eaux territoriales : ce qui a été également le cas.

— Donc, même vous, la police, vous ne pouviez pas vous y opposer?

— Certainement pas. Les Russes ont agi selon le Code du Droit Maritime International.

— Et cela vous ennuie tellement, la destruction de cette affreuse carcasse? Personnellement, après avoir eu le plaisir de la visiter du pont supérieur à la cale en compagnie du

lieutenant, j'estime que ce n'est pas une grande perte!
Qu'aurait-on pu tirer d'un pareil amas de ferrailles
rouillées?

— Plus de choses que vous ne pourriez supposer,
monsieur Fernet! Mais M. Martin a raison : vous n'êtes
vraiment qu'un artiste ne voyant que ce qui intéresse son
art...

— Vous me le reprochez?

— Nullement! Qu'allez-vous peindre maintenant qu'il ne
doit plus être question pour vous de vous consacrer à la
vaste fresque destinée au Musée de Moscou?

— Mais je compte bien m'y atteler, messieurs, dès que
je serai rentré en France! Même si elle doit toujours rester
dans mon atelier, ce sera déjà un beau souvenir... Ce que
je vais peindre maintenant? des rizières... Peut-être aussi
les quartiers pittoresques de Saigon... J'ai déjà pu remarquer
que votre port ne manquait pas de couleur à la tombée
de la nuit...

— Si jamais il vous prenait l'envie de peindre sur une
toile la façade de notre bâtiment de la Police Fluviale, dit
le commissaire, je serai heureux de pouvoir l'acquérir...

— J'y penserai! Ce n'est pas que le sujet soit particulièrement attrayant, mais enfin, je ne déteste pas les cons-
tructions modernes...

— De toute façon, nous sommes très honorés que vous
restiez encore quelque temps parmi nous...

— Messieurs...

Quand le peintre et l'antiquaire se retrouvèrent dans la
Chevrolet, Serge Martin dit :

— Vous avez été parfait!...

— Vous aussi!

— Oh, moi! Il y a longtemps que je sais comment agir
avec ces gens-là! Vous avez pu vous rendre compte qu'ils

222

ne dévoilent jamais le fond de leur pensée : c'est pourquoi ils peuvent devenir dangereux.

— Vous connaissiez le commissaire Xi-Dien?

— Non. C'est un personnage nouveau pour moi, et qui ne m'a pas semblé follement sympathique... Ne nous illusionnons pas : ils doivent déjà s'être fait une petite idée sur votre compte... Mais ce n'est pas plus mal : nous pourrons leur rendre quelques services... en échange des leurs, bien entendu! Pour l'instant, ils sont tout aussi perplexes que nous sur le départ des Russes. Et il n'y a rien de tel que des gens qui se trouvent dans le même bain — si j'ose employer une expression aussi triviale! — pour finir par s'entendre.

— Vous parlez de moi mais ne croyez-vous pas qu'ils ont aussi une opinion sur votre estimable personne?

— Ils en ont une, c'est certain! Mais, comme elle ne date pas d'hier, ils ont dû finir par se familiariser avec elle! Pour eux, je ne dois être qu'une vieille canaille qui mange à tous les râteliers! Ça ne me déplaît pas : ça me permet de manœuvrer. Cher ami, puisque vous avez manifesté devant ces messieurs l'intention de faire quelques toiles sur le port, pourquoi n'y flânerions-nous pas à nouveau? Ne serait-ce que pour aiguiser votre inspiration future? Dès votre arrivée, vous avez senti combien j'aimais ce port de Saigon dont les pulsations marquent toute la vie de ce Sud-Viêt-Nam... Tant de choses se passent dans un port! Tant de gens s'y promènent en quête d'aventure ou de fuite! Nous tombons bien : c'est juste l'heure de la soirée où il redevient passionnant! Voyez : les étalages ambulants s'y installent sur les rails... J'aime aussi cette rivière sans laquelle nous n'aurions pas l'estuaire de « nos » exploits... Ce soir vous et moi ne ressemblons-nous par à ces indigènes que vous apercevez, immobiles, contemplant silencieusement l'eau qui emporte leurs rêves vers la mer de Chine? Savez-vous ce qu'ils disent en ce moment à l'eau? « *Je viens inviter la*

*Déesse du Fleuve à venir avec moi, afin d'éloigner en ce
moment le Malheur de ma tête, de mes épaules, de ma
poitrine, des pores de ma peau, de mon estomac, de mon foie,
de mes poumons... O, toi, Malheur, je connais ton origine et
je sais que tu peux m'atteindre... Mais je prends l'eau et je la
rejette afin de t'écarter très loin, afin que tu ne sois pas près
de moi pour me gêner... J'invite le Bouddha à me protéger
dans mon œuvre...* » Ne pensez-vous pas que, comme la
police vietnamienne, nous avons grand besoin en ce moment
de l'aide de Bouddha?

La voiture roulait lentement. Le peintre se laissait bercer
par la musique du poème, psalmodié par la voix douce de
l'antiquaire. Mais brusquement, la main de Jacques agrippa
le bras de Serge Martin :

— Arrêtez!

La Chevrolet stoppa.

— Là... sur le quai, continua Jacques en désignant une
silhouette : Cet homme qui nous tourne le dos et qui semble
regarder passionnément ce cargo, battant pavillon français
et que l'on est en train de charger... Cet homme, je le
reconnaîtrais entre mille : c'est Raczinski!

— J'avais la conviction que Bouddha entendrait notre
prière! murmura l'antiquaire pendant que Jacques sautait
à terre et courait vers la silhouette du géant blond.

Arrivé dans son dos, il lui mit une main sur l'épaule en
disant simplement en français :

— Toi, camarade!

Après avoir sursauté, le Polonais se retourna, le visage
décomposé par la peur... Mais dès qu'il reconnut son ami
le peintre, ses traits se détendirent et il répondit d'une voix
presque rauque, dans un souffle :

— Je vous en prie! Ne m'appelez pas comme cela, ici!

— Vous préférez que je dise votre nom?

— Pas ici! répéta-t-il, suppliant.

— Alors venez vite! Je suis avec un ami sûr...

Et il l'entraîna vers la Chevrolet qui démarra aussitôt.

L'homme était pitoyable. Affalé sur la banquette arrière de la voiture, il restait silencieux, prostré comme s'il avait subi un choc nerveux. Ses vêtements, faits d'un veston usagé et d'un pantalon de grosse toile à la teinte indéfinissable, ressemblaient à ceux de n'importe quel coolie du port. Jacques se demandait ce qu'étaient devenus le chandail et le pantalon bleu marine qu'il lui avait encore connus la veille. Qu'était devenu aussi le géant blond dont les yeux clairs et le visage avaient souvent été illuminés d'une joie sincère au cours de leurs conversations antérieures? L'homme semblait s'être brusquement voûté, sous le poids d'un fardeau écrasant; le regard demeurait fixe. Où était le rire sonore, presque enfantin, qui résonnait d'une façon si curieuse? Le sourire de contentement enfin qui avait accueilli le croquis du scaphandrier destiné à être rapporté à une vieille maman attendant le retour à Gdynia? Vingt-quatre heures avaient-elles suffi pour opérer une telle transformation?

L'homme n'était plus qu'un grand pantin désarticulé dont Serge Martin surveillait les moindres réactions dans le rétroviseur. Mais il n'y avait même pas de réactions!

Quand ils furent devant la maison de l'antiquaire, Jacques vit le moment où il lui faudrait soutenir le géant pendant les quelques pas qu'il avait à faire pour pénétrer dans la demeure. Arrivé dans le salon des merveilles, Raczinski s'affala sur un siège.

— Buvez! ordonna Serge Martin en lui tendant un plein verre de whisky.

L'homme but d'un trait, obéissant.

L'antiquaire avait effleuré le gong : Kim parut, portant un plateau sur lequel étaient disposés des aliments.

— Maintenant, mangez! ordonna à nouveau Serge

Martin. C'est indispensable, Raczinski ! Je sais ce que c'est : vous êtes épuisé...

L'homme avala gloutonnement en silence, sous les regards anxieux du peintre et de l'antiquaire. Il but un nouveau verre de whisky que son hôte, cette fois, avait tempéré d'eau.

Les traits harassés commencèrent à se détendre peu à peu dans une expression de béatitude et ce fut le regard rempli de reconnaissance que le Polonais murmura :

— Merci...

Après l'avoir laissé savourer en silence la première cigarette qu'il lui avait offerte, l'antiquaire demanda doucement :

— Ça va mieux, camarade ?

— Ne m'appelez plus jamais ainsi ! hurla le géant en se redressant. Plus jamais !

— Je comprends que cette appellation vous fasse horreur, dit Jacques avec douceur. A l'avenir nous serons des amis... C'est beaucoup mieux, n'est-ce pas ? Dites-vous qu'ici, c'est un peu comme si vous vous trouviez déjà dans cette France où vous rêvez d'aller... Et que vous connaîtrez bientôt ! Vous pourrez y retrouver cette sœur, dont vous m'avez parlé, qui habite le Nord... Maintenant, Raczinski, vous devriez dormir... Venez...

Le géant les suivit jusqu'à une chambre du premier étage, où il s'étala sur le lit, assommé de fatigue...

— Laissons-le, dit l'antiquaire. Il faut d'abord qu'il récupère. Ce ne sera qu'ensuite qu'il parlera peut-être...

Et lorsqu'il se retrouva seul avec Jacques, au rez-de-chaussée, il continua :

— Quand l'aviez-vous vu pour la dernière fois à bord du *N. 625 ?*

— Je ne l'ai pas vu sur le *N. 625* mais sur l'épave au moment où j'ai dû le quitter, accompagnant Grotoff et le lieutenant Dàng-Ngoc-Tuê pour la visite intérieure. Quand nous sommes remontés trois heures plus tard, il n'était plus sur le pont et il m'a fallu suivre à nouveau Grotoff pour répondre à l'invitation du commandant du *N. 625.*

— Et sur le navire soviétique, pas de Raczinski?

— Pas de Raczinski! Il est vrai qu'à l'exception de l'État-Major on ne m'a pas laissé grand temps pour observer l'équipage!

— Ce qui est certain, c'est que notre Polonais a choisi la liberté sans même attendre votre aide... S'il a agi aussi vite, c'est parce qu'il a estimé qu'il ne retrouverait jamais une pareille chance... A moins que?... Non, je n'y crois pas!

— Dites toujours!

— A moins que les Russes ne l'aient fait débarquer intentionnellement pendant la nuit pour qu'il puisse leur servir d'espion ou simplement d'observateur... Il parle très bien le français, ce garçon! N'ayant pratiquement pas d'accent, il pourrait aisément se faire passer au Viêt-Nam pour l'un de nos compatriotes!

— Il n'en a guère le type!

— Oh! vous savez! Au milieu de tous ces visages jaunes et de ces yeux bridés, il suffit d'avoir le type « européen »! Mais ça m'étonnerait quand même... Nous ne l'aurions pas trouvé dans cet état. Savez-vous pourquoi il errait sur le port? Pour s'enfuir sur le premier navire en partance... Le cargo français, dont il contemplait le chargement avec tant d'admiration, a dû lui paraître le bateau rêvé... Au dernier moment, sans doute serait-il parvenu à se faire embaucher dans l'équipage... Les commandants de ces caboteurs ne se montrent pas trop exigeants sur l'identité de leurs hommes. Ça peut toujours être intéressant d'avoir à bord un solide gaillard qui travaille dur, sans exiger de paye, avec le passage gratuit et la soupe en échange...

— Vous ne pensez pas que l'on nous a vus l'emmener en voiture?

— Pas dans la foule grouillante du port! Et même si cela

était, cela n'aurait aucune importance... On ne pourrait que nous féliciter d'avoir fait œuvre de philanthropes en ramassant un pauvre diable épuisé de fatigue et de faim...

Plusieurs fois, pendant la soirée, l'antiquaire et le peintre montèrent à tour de rôle dans la chambre où le Polonais continuait à dormir d'un sommeil lourd.

La nuit était déjà très avancée quand Jacques revint de l'une de ces visites en annonçant :

— Il vient de se réveiller. Je lui ai donné de quoi faire un peu de toilette. Il semble être beaucoup mieux.

Quelques minutes plus tard, Raczinski les rejoignait dans le salon. Jacques avait raison : bien qu'il portât toujours ses hardes misérables, le géant n'était plus le même homme... Ou plutôt, il était redevenu celui que « le peintre » avait toujours connu.

— Whisky? demanda aussitôt l'antiquaire à l'homme reposé.

— Volontiers! Si vous saviez l'effet que ça m'a produit de retrouver ce breuvage! Je n'en avais plus bu depuis l'époque où j'ai opté pour rejoindre mon pays, après avoir été démobilisé de notre Marine Libre Polonaise.

— Pourquoi n'avoir pas choisi, dès ce moment-là, la liberté comme l'ont fait tant de vos compatriotes?

— Je voulais revoir ma mère, restée à Gdynia avec mes sœurs et essayer de les aider, si je le pouvais! C'était mon devoir...

— Vous avez bien agi, affirma Serge Martin. Vous êtes un homme de cœur... Maintenant que vous vous sentez mieux, pouvez-vous nous dire ce qui s'est passé?

Raczinski eut un regard inquiet.

— Rassurez-vous! dit Jacques en riant. Je vous répète que vous devez vous considérer ici comme étant déjà en France, c'est-à-dire en sûreté... Tout à l'heure, je n'ai pas eu le temps de vous présenter mon vieil ami Serge Martin... Lui aussi est artiste : vous n'avez qu'à jeter un coup d'œil sur toutes les merveilles qui nous entourent pour savoir que vous êtes chez un grand collectionneur. Ainsi trois passions artistiques différentes se trouvent réunies : celle de la musique avec vous, l'amour des antiquités avec Serge, le besoin de peindre avec moi... Que pouvons-nous rêver de plus ? Cette communion dans le goût de la vraie beauté ne devait-elle pas nous rapprocher ? Ne sommes-nous pas faits pour nous aider mutuellement ? Croyez-moi, ami de Pologne, ici vous êtes chez vous... Vous pouvez parler sans crainte. Dites-nous surtout ce que vous croyez utile pour que nous puissions vous aider immédiatement.

— Je ne demande qu'une chose : partir pour votre pays le plus tôt possible!

— Je vous promets, dit l'antiquaire, que vous serez en France avant huit jours, si vous nous écoutez! Mais avant, il faut nous dire pourquoi et comment vous avez réussi à fausser compagnie à ceux qui se disaient vos prétendus « camarades »? C'est indispensable pour que le plan que nous avons en tête, Jacques Fernet et moi, pour vous faire quitter le Viêt-Nam, aboutisse...

Rassuré, Raczinski commença à parler :

— Je n'aurais jamais quitté le *N. 625* si je n'avais pas acquis la conviction que tous ceux qui se trouvent à son bord et qui voguent maintenant pour l'U.R.S.S. y seront durement châtiés.

— Châtiés ?

— Parce qu'ils n'ont pas réussi...

— Réussi quoi ?

— A trouver sur l'épave la seule chose qu'ils y cherchaient et qu'ils avaient l'ordre impératif de ramener en U.R.S.S.

— Un trésor peut-être ?

— Plus que cela, je pense... Un document secret qui était caché depuis des années à bord du navire coulé.

— Un document de quelle nature ?

— Ça, je l'ignore! Seul Grotoff devait en connaître la teneur... Mais je sais qu'elle était de la plus haute importance.

— Et c'est pour ce bout de papier que vous avez accompli un travail aussi gigantesque? s'exclama Serge Martin! C'est à peine vraisemblable!

— C'est cependant la vérité... Je ne l'ai compris que quand l'épave a été à demi renflouée. Avec un scaphandrier russe, je faisais partie de la première équipe qui avait reçu l'ordre de descendre dans les cales encore immergées. Grotoff nous a alors donné des instructions très précises : nous devions sonder toutes les cloisons intérieures sans exception jusqu'à ce que nous en découvrions une dont la résonance prouverait qu'elle pouvait servir de cachette. Si nous la trouvions, par micro nous devions aussitôt avertir Grotoff qui nous donnerait de nouveaux ordres. Nous étions munis, mon camarade et moi, de chalumeaux spéciaux que nous utilisons souvent pour le travail sous l'eau et qui permettent, le cas échéant, de découper n'importe quelle tôle en quelques minutes. Mais aucune paroi n'a eu de résonance particulière. Nous sommes remontés et une nouvelle équipe nous a succédé, après avoir reçu les mêmes ordres de Grotoff. Pendant toute la première nuit, il en a été ainsi. Les autres équipes ont fait les mêmes constatations que nous. Alors Grotoff a décidé de débarrasser, au moyen de pompes, l'épave de l'eau qui y restait encore et le cargo a retrouvé sa ligne de flottaison normale.

» Je sentais — et mes camarades aussi — que Grotoff était furieux. Il est redescendu avec mon équipe, après que l'eau eut été chassée de la coque et nous n'avons toujours rien décelé. C'est à ce moment que Grotoff m'a dit :

» — Il ne reste plus qu'une solution : emmener cette épave en remorque pour la découper, centimètre par centimètre, en cale sèche!

» Comme je lui faisais remarquer que ce serait un travail très long, il m'a répondu :

» — Qu'est-ce que ça peut te faire, imbécile! J'ai tout prévu : on nous attend dans un port du Viêt-Minh où nous pourrons prendre tout le temps nécessaire. (Puis il a ajouté :) Tu feras partie de ceux qui resteront sur l'épave pendant toute la durée du remorquage et tu continueras à sonder sans relâche chaque paroi, chaque tôle, chaque cloison étanche... Tu auras au moins une semaine devant toi, jusqu'à ce que nons atteignions le port où l'on nous attend. Si, par bonheur, pendant ces huit jours, tu découvrais quelque chose, tu me le diras à moi seul!

» S'il m'a confié cette mission, c'est uniquement parce qu'il me considérait comme l'ouvrier le plus qualifié de tous pour ce genre de travail.

— Vous a-t-il dit le nom du port où vous deviez aller?

— Non. Je suis donc resté sur l'épave et j'ai recommencé à chercher.

— Votre camarade habituel d'équipe était-il avec vous?

— Non. C'était inutile puisque nous n'étions plus sous l'eau. D'ailleurs, quand Grotoff m'a donné cet ordre, je ne crois pas qu'il se faisait beaucoup d'illusions! Il comptait beaucoup plus sur le découpage méthodique qui serait fait en cale sèche... Mais, alors que nous venions de stopper à l'entrée de l'estuaire, après un début de remorquage, il y eut du nouveau... J'inspectais à nouveau une petite cabine du cargo, voisine de celle du commandant où se trouvait le coffre qui avait été ouvert en présence de la police vietnamienne... Tout à coup, je remarquai avec étonnement que sur l'une des parois intérieures de cette cabine, un espace de dix centimètres sur dix ne donnait pas tout à fait la même résonance quand on frappait dessus avec un marteau... J'avais pourtant frappé à cet endroit au cours de mes deux descentes précédentes et les autres équipes en avaient certainement fait autant... Mais ni elles ni moi n'avions rien découvert... Pourquoi y avait-il, cette fois, une très nette différence? Sans aucun doute parce que l'air, qui pénétrait maintenant dans la coque depuis vingt-quatre heures qu'elle était remontée, commençait à modifier toutes les caisses de résonance en asséchant les parois. Je frappai à nouveau... Il n'y avait aucun doute : sur cette surface de dix centimètres carrés, la résonance était autre. Je remontai sur le pont, sans rien dire à aucun de mes camarades selon les ordres que m'avait donnés Grotoff, et je demandai à lui parler. Il était à bord du *N. 625*. Il rejoignit l'épave dans un canot automobile et je l'emmenai seul avec moi dans la petite cabine pour lui faire part de ma découverte.

» — Découpe! ordonna-t-il.

» J'avais mon chalumeau. Mais au moment où je commençais ce travail, je constatai que la bordure du carré de dix centimètres fondait, sous l'effet de la chaleur, avec une rapidité incroyable et je ne pus que dire à Grotoff :

» — Cette plaque de tôle, après avoir été découpée, a été ressoudée d'une façon assez extraordinaire puisqu'il n'y avait aucune trace extérieure visible à l'œil nu. Ceux qui ont fait ce travail sont véritablement des as! D'autant plus qu'ils l'ont fait sous l'eau.

» Cela, c'était relativement facile à voir d'après l'état intérieur de la soudure.

» Quand la tôle fut découpée, nous découvrîmes une excavation de quinze centimètres de profondeur, remplie d'eau de mer qui prouvait que le travail avait bien été effectué sous l'eau. La présence de celle-ci expliquait également que, pendant les sondages que nous avions pratiqués sous l'eau, il n'y avait eu aucune différence de résonance.

» Après avoir vidé l'eau de l'excavation, nous avons trouvé nettement, sur les parois intérieures, des traces prouvant qu'avant qu'elle fût remplie d'eau, celle-ci avait contenu un objet rectangulaire.

— Que fit Grotoff alors? demanda Jacques.

— Il me demanda simplement : « A ton avis, toi qui as

une grande habitude, il y a combien de temps que ce travail a été effectué ? Récemment... ou il y a longtemps ? »

» J'examinai à nouveau minutieusement les bords de la soudure. Celle-ci ne pouvait guère excéder une année tout au plus.

» — Tu as raison, me dit Grotoff. Ces gens-là ont été très forts en ressoudant l'ouverture après avoir pris ce qui les intéressait... Ils étaient bien décidés à ce que ceux qui remonteraient l'épave se trompent jusqu'au bout ! Ils ont gagné !

» Et il poussa un juron. Il était blanc de rage ! J'ai cru qu'il allait me tuer. Il ne parvenait même plus à parler ! Quand il le fit enfin, ce fut pour dire :

» — Ça va nous coûter cher à tous ! C'est le déshonneur de ma carrière et de toute notre grande Marine ! Quant à toi, idiot, si jamais tu racontes ce que toi et moi, nous sommes les seuls à avoir découvert, je te brûle la cervelle ! Tu as compris ?

» — Oui, camarade.

» — Tu n'as rien vu ! Il ne s'est rien passé ! Il n'y a jamais eu d'excavation !

» Et nous sommes remontés quelques minutes plus tard sur le pont où Grotoff fit immédiatement rassembler tous les hommes qui étaient encore sur l'épave. Après avoir fait procéder à un appel, il leur donna l'ordre de rejoindre immédiatement avec lui le *N. 625* par le canot automobile. Mais avant de partir, il me dit :

» — Toi, reste ici, attends-moi !

» Il ne revint que quand il fit nuit. Dans le canot, il était seul avec le commandant Nilinski et un homme qui pilotait mais qui ne monta pas sur l'épave. Nilinski et lui avaient apporté des explosifs qu'ils mirent plus de deux heures à répartir à différents endroits de l'épave, selon un plan qu'ils semblaient avoir soigneusement préparé. Pendant que je les aidais dans ce travail, je compris que, cette fois, lorsque le cargo déchiqueté retournerait au fond, ce serait pour toujours !

» Quand tous les cordons et les mèches furent reliés à un détonateur placé au centre du pont, Grotoff me dit :

» — Voici un bracelet-montre : tu as toujours rêvé d'en posséder un... Je t'en fais cadeau ! Tu attendras jusqu'à 1 h 45 sur le cadran de ce bracelet pour la mise à feu. Nous avons bien calculé la longueur des mèches pour qu'elles ne se consument pas trop rapidement : il faudra exactement quinze minutes avant que l'explosion n'ait lieu. Je sais que tu es bon nageur... Le *N. 625* va s'éloigner un peu pour ne pas recevoir d'éclats. Dès que tu auras mis à feu, tu sautes et tu nous rejoins à la nage. Je t'attendrai à bâbord avec une échelle de corde. Dix minutes seront suffisantes pour que tu nous rejoignes. Dès que tu seras avec nous, nous partirons. Tu as bien compris ?

» — Oui, camarade !

» — Et surtout, ne réponds jamais à aucune des questions que pourraient te poser les autres ! Sinon...

» — J'ai compris, camarade.

» Je les ai vus repartir dans le canot et je suis resté seul, dans la nuit, sur le navire qui allait mourir...

Raczinski vida son verre avant de répéter avec une voix étrange, basse, où les sonorités semblaient s'être évanouies et que Jacques ne lui avait encore jamais connue :

— J'étais seul sur l'épave... Cette impression d'isolement m'apporta, pour la première fois depuis des années, la sensation exaltante de liberté ! Il peut paraître incroyable qu'un homme, abandonné sur une coque en pleine mer et dont l'unique chance de salut est de se jeter à l'eau quelques minutes avant que le navire ne soit détruit, ait pu éprouver pareille griserie ! C'était cependant mon cas : je me sentais libre, complètement ! Seul maître à bord ! Débarrassé de la surveillance constante qui faisait loi sur le navire soviétique ! Libéré de la tutelle des hommes et n'ayant plus de comptes à rendre qu'à Dieu, ce Dieu de notre Pologne catholique... Ces longues heures d'attente, jusqu'à l'instant où je devrais appuyer sur le détonateur me parurent courtes, tellement j'étais ivre de vraie joie!

» Plus l'heure H de l'explosion se rapprochait et plus je me posais une question angoissante : devais-je rejoindre le *N. 625* quand je plongerais ou ne ferais-je pas mieux de tenter de gagner le cap Saint-Jacques à la nage! Jamais sans doute une pareille occasion ne se représenterait pour moi! Quand une possibilité d'évasion vers le monde libre s'offre enfin, n'est-ce pas un devoir de la saisir? Le retour vers l'U.R.S.S. à bord du *N. 625* m'apparaissait comme devant très mal se terminer pour nous tous, même pour le commissaire Grotoff! On n'admet pas là-bas les échecs... Tout l'équipage, du commandant au plus humble matelot, serait rendu responsable de l'absence du document : ne faut-il pas toujours un bouc émissaire qui doit payer pour que d'autres, plus haut placés, ne soient pas contraints d'avouer leurs erreurs? Grotoff serait sûrement révoqué, déporté dans une lointaine province, peut-être même « invité » à se supprimer lui-même? Et nous, on nous enverrait dans les mines de sel... Mais il y avait aussi une faible chance pour que l'on ne s'en prît pas aux techniciens subalternes tels que moi. Et, dans ce cas, je pourrais retourner à Gdynia et rapporter à ma mère le beau dessin que vous avez fait, monsieur Fernet... Si je m'enfuyais, je pouvais craindre aussi les pires représailles à l'égard de ma famille restée en Pologne! Et comment me débrouiller dans ce Viêt-Nam inconnu, au milieu de tous ces Asiatiques? Je savais bien que j'avais découvert en vous un ami, monsieur Fernet, mais je n'avais aucune certitude de pouvoir vous retrouver!

» Finalement, je pris la décision de laisser passer la chance et de rejoindre, désespéré, le *N. 625*. Si vous saviez comme j'ai savouré, pendant mes dernières minutes sur l'épave, l'amertume de dire adieu à mon espoir de liberté!

Enfin le moment vint : à l'heure prescrite j'appuyai sur le détonateur et je plongeai... La nuit était très noire; je nageai le plus vite que je le pus vers le *N. 625* dont j'entrevoyais la masse sombre. Au moment où je m'approchais du navire, à bâbord, comme me l'avait ordonné Grotoff, j'entendis tout autour de moi des sifflements au ras de l'eau... Je compris immédiatement que, du *N. 625*, on tirait sur moi! J'avais déjà connu cette sensation pendant la guerre quand, le destroyer sur lequel je me trouvais ayant été coulé en pleine nuit dans la mer du Nord, j'avais dû nager avec beaucoup d'autres camarades dans des circonstances semblables, jusqu'à l'arrivée des canots sauveteurs. Des avions allemands avaient piqué, mitraillant tout ce qui était encore à la surface : ce sifflement de mort des balles ricochant sur l'eau, je ne pourrai plus jamais l'oublier!

» Cette fois, c'était Grotoff qui avait donné l'ordre que l'on me tue : ainsi disparaîtrait le seul témoin de la découverte de son échec, le seul homme qui pourrait révéler que d'autres, une année plus tôt, avaient réussi à s'approprier le document! Il avait tout calculé, Grotoff, en me faisant rester seul sur l'épave pour la mise à feu, et en me disant de rejoindre le *N. 625* à bâbord où il avait placé mes tueurs! Je n'avais plus qu'une chance de salut : nager le plus longtemps possible sous l'eau pour m'éloigner et disparaître comme si une balle m'avait réellement atteint... Je passai des minutes terribles, remontant de temps en temps rapidement pour renouveler ma provision d'oxygène... A chaque fois que je faisais ainsi surface, j'apercevais les faisceaux des projecteurs du *N. 625* qui continuaient à balayer l'eau, me recherchant pour voir si j'étais encore vivant. Mais je me rendis compte aussi que la distance augmentait entre mes assassins et moi : le *N. 625* s'éloignait de l'épave qui, dans quelques instants, sauterait...

» Brusquement, je fus soulevé par un fantastique remous : c'était l'explosion. A demi assommé par la pression des vagues créées par l'engloutissement du cargo, je revins à la surface, n'ayant même plus la force de plonger, me laissant porter par l'eau... J'eus juste le temps d'apercevoir le dernier tronçon de l'épave, la proue, je crois, qui disparaissait... Les projecteurs du *N. 625,* qui avait pris maintenant le large, s'éteignirent enfin : Grotoff, ne m'ayant pas vu reparaître à la surface, avait dû en déduire que j'avais coulé pour toujours comme l'épave... Et je me suis retrouvé seul, faisant la planche avec difficulté, véritablement perdu dans la nuit, n'apercevant même pas les côtes... Combien de temps suis-je resté ainsi, hébété, grelottant de froid, sentant mes membres s'engourdir progressivement ? Je ne saurais le dire ! Je réalisai quand même qu'au moment où j'avais enfin trouvé la liberté, je n'avais plus qu'à me laisser mourir ! Une dernière fois je repensai à ma mère, à Gdynia, à mon pays et je fis une prière avant de perdre conscience de tout.

» Quand je repris connaissance, il me fallut du temps pour réaliser que j'étais allongé dans une embarcation dont la voile rectangulaire, claquant doucement sous la brise, me fascinait... Allongé sur le dos, j'étais incapable de faire un mouvement... Ce fut alors que je vis un visage se pencher sur moi : visage que je n'oublierai jamais, lui non plus... Il était ridé, usé, fait d'une bouche édentée, surmontée de deux petits yeux perçants, bridés... Un visage de Jaune qui me dit tout de suite en français :

» — Vous êtes sauvé. Je vous ramène à terre... Buvez...

» Ce vieil homme me contraignit à avaler quelques gorgées d'un alcool très fort rappelant celui que boivent nos paysans de Pologne.

— Le *schoum!* murmura Serge Martin avant d'ajouter à l'intention de Jacques : Je vous avais dit que cet alcool de riz ne manquait pas de qualités ! Il est probable que, sans ces quelques gorgées, notre ami serait mort de froid... Avez-vous pu savoir le nom de votre sauveteur ?

— Non, mais je l'ai reconnu : c'est le sampanier qui pilotait la jonque que vous avez utilisée, monsieur Fernet, pour venir rendre visite à l'épave.

— Hô! s'exclama Jacques en jetant un regard à l'antiquaire.

Ce dernier dit, sans paraître autrement surpris :

— Il n'y a vraiment que lui pour avoir osé rôder à un moment pareil dans ces parages! Que vous a-t-il dit, Raczinski?

— Dès que la chaleur, due à l'alcool, eut commencé à se répandre dans mes membres engourdis, il m'a aidé à m'asseoir et m'a mis un morceau de grosse toile sur les épaules pour me protéger du froid... Il avait l'air très bon cet homme... Il continuait à me regarder avec curiosité. Ce fut moi qui lui demandai :

» — Comment avez-vous deviné que je parlais français?

» — Je ne l'ai pas deviné, m'a-t-il répondu. Mais je ne sais que cette langue en dehors de la mienne. Et comme je me doutais que vous ne comprendriez pas le vietnamien, j'ai essayé... J'ignore le russe.

» — Je ne suis pas russe, mais polonais!

» — J'ignore aussi le polonais, me dit-il. (Et il resta un long moment silencieux avant d'ajouter :) Nous allons bientôt aborder dans un endroit discret... Vous pensez que vous pourrez marcher?

» — Il le faudra!

» — Je vous conduirai alors jusqu'à ma maison.

» Une heure plus tard, nous étions dans ce qu'il appelait « sa maison » : une sorte de case en bambou où des filets de pêche séchaient, accrochés aux parois. Je compris que cet homme devait être très pauvre mais il me donna pourtant les vêtements que j'ai encore sur moi en disant :

» — Ce sera mieux pour vous d'être vêtu ainsi : on vous remarquera moins! Je ferai disparaître votre uniforme...

» Après m'avoir offert quelques poignées de riz, il me remit une piastre en ajoutant :

» — C'est tout ce que je possède comme argent... Maintenant je vais vous conduire jusqu'à Nung-Tau où vous trouverez le car chinois qui assure le service régulier avec Saigon... C'est mieux pour vous de rejoindre vite la capitale : tout le monde y parle français.

» — Pensez-vous que je pourrai y trouver un engagement sur un navire en partance ?

» — Allez directement au port... Je sais qu'il y a un cargo français qui doit appareiller demain soir... Souvent, à la dernière minute, des hommes manquent à l'appel et ils engagent ceux qui se présentent pour compléter l'équipage. C'est une chance à courir... Surtout, ne vous attardez pas au Viêt-Nam! Les Russes y ont des espions qui ne seraient pas longs à vous repérer... Je pense que si vous les avez quittés, c'est parce que vous ne tenez plus à les revoir ?

» — En effet...

» J'eus beaucoup de mal à le suivre, tellement j'étais épuisé, pendant la longue marche qui nous conduisit, à travers la brousse, jusqu'à Nung-Tau où nous arrivâmes bien avant le lever du jour. Pendant ce parcours, j'ai été stupéfait de voir combien ce vieillard décharné, qui avait des jambes si maigres, était encore alerte et énergique! Arrivé sur une place, il s'arrêta pour me désigner à distance le car chinois, où les voyageurs commençaient déjà à s'entasser, en disant :

» — Je dois vous quitter là car il faut que je retourne à ma jonque.

» — Vous allez pêcher ?

» — Peut-être...

» — Merci pour ce que vous avez fait!

» — C'est juste.

» — Vous n'étiez pas obligé de me secourir! Je ne suis pas votre ami, ni celui du Viêt-Nam.

» — Vous n'êtes pas non plus notre ennemi... Et même si vous l'aviez été, j'en aurais fait autant...

» — Pourquoi?

» — Parce qu'un jour un homme qui venait d'Occident, comme vous, m'a sauvé la vie... J'avais une dette de reconnaissance dont je n'avais pas encore pu m'acquitter... Maintenant c'est fait : je ne sauverai plus jamais un homme d'Occident.

» Il repartit presque en courant. J'aurais voulu lui demander son nom, lui dire le mien aussi, mais j'ai compris que ce serait inutile, qu'il ne le voulait pas, que ça ne l'intéressait pas...

— Vous a-t-il questionné pour savoir pourquoi les Russes avaient fait sauter l'épave? demanda Serge Martin.

— Non.

— Et pour quelle raison vous aviez décidé de fuir?

— Non plus.

— Vous ne lui avez rien raconté de tout ce que vous venez de nous dire?

— Rien.

— Je pense que vous avez bien fait! conclut l'antiquaire. Personne d'autre que Jacques Fernet ou moi ne devra jamais connaître votre « aventure »...

— Vous êtes toujours certains de pouvoir m'aider?

— Certains, Raczinski, parce que vous vous êtes montré franc. Et je crois qu'un passage sur un avion d'Air-France, ayant sur vous d'excellentes pièces d'identité, sera plus sûr qu'un voyage hypothétique sur un médiocre cargo! Un autre whisky?

— Merci...

— J'ai toujours été convaincu, dit l'antiquaire, que contrairement à la réputation qu'on leur a faite, il pouvait exister des Polonais sobres : vous en êtes un remarquable exemple... Quand vous buvez, ce n'est que pour revenir à la vie! Ne serait-ce pas sage maintenant d'aller dormir?

Profitons des dernières heures de cette nuit... Et, comme je l'ai dit un jour à notre ami Fernet, vous verrez, cher Raczinski, que demain vous serez un autre homme! Tout en restant polonais d'âme, vous aurez cessé de n'être qu'un obscur numéro dans la Marine de l'Union des Républiques Socialistes Soviétiques pour découvrir qu'un morceau de votre cœur vous rattache à la France... Nous ne vous accompagnons pas : vous connaissez le chemin de votre chambre! Bonne nuit, ami!

— Et vous, grand peintre, que diriez-vous d'un autre whisky? demanda l'antiquaire à Jacques dès qu'ils furent seuls.

— J'ai l'impression que ni vous ni moi n'avons envie de nous coucher!

— Vous pourriez même dire que, pour nous, c'est une nuit qui commence... D'abord, comme toujours, faisons le point... Avez-vous l'impression que ce garçon nous a dit la vérité?

— Oui.

— Moi aussi... Entre nous, je ne vois pas très bien comment il aurait pu — tout bon nageur qu'il soit — rejoindre les côtes vietnamiennes! Il a eu beaucoup de chance que la jonque du vieux Hô errât dans les parages...

— C'est vous qui aviez donné l'ordre à Hô de retourner sur les lieux après qu'il m'aurait ramené à la crique?

— Non. Le bonhomme a agi de son plein gré... Ce qui me surprend un peu! Mais ce qui me stupéfie, c'est que ce matin, quand nous l'avons retrouvé nous attendant dans la crique pour nous annoncer que le *N. 625* vous avait faussé compagnie, il ne nous ait pas soufflé mot du sauvetage assez insolite qu'il venait d'accomplir pendant la nuit! Là, franchement, il y a une nette lacune dans mon organisation... Ce Hô serait-il un traître? Je crois cependant bien connaître son pedigree...

— Et ne vous doit-il pas la vie comme il s'est déjà plu à me le confier avant de le laisser entendre à Raczinski ? Dès lors, comment penser qu'il pourrait vous trahir ?

— Je ne suis pas de votre avis. Depuis qu'il a déclaré au Polonais qu'il estimait avoir payé sa dette de reconnaissance et être décidé à ne plus sauver un « homme d'Occident », il risque de devenir notre ennemi...

— Puis-je savoir dans quelles conditions vous lui avez sauvé la vie ?

— C'est de l'histoire ancienne ! Ça s'est passé pendant la guerre d'Indochine : les Français l'avaient arrêté et voulaient le fusiller sous l'inculpation d'espion à la solde de Hô-Chi-Minh... Je leur ai prouvé qu'ils se trompaient et il a été libéré.

— Il était déjà sampanier ?

— C'est moi qui ai fait de lui un sampanier pour les besoins de l'estuaire ! Mais je suis en train de me demander si les officiers français n'avaient pas raison. Peut-être ai-je commis une erreur qui risque de nous coûter cher ! Soyez gentil de monter voir discrètement si notre « protégé » dort là-haut.

Jacques revint en disant :

— Son sommeil paisible ne peut être que celui de la liberté retrouvée !

— Et nous pouvons penser qu'il durera jusqu'à l'aube. Profitons-en pour aller rendre visite à Hô... Ce sera pour vous l'occasion de visiter ce qu'il appelle pompeusement « sa maison » et qui n'est qu'une sordide hutte dans la brousse...

Un quart d'heure après, ils abandonnaient la Chevrolet à l'entrée d'un sentier inextricable, où aucun véhicule n'aurait pu s'aventurer. Après un nouveau quart d'heure de marche harassante, pendant laquelle il fallait sans cesse écarter des lianes et se courber pour pouvoir passer sous les branches basses, ils atteignirent une clairière au centre de laquelle se dressait une pauvre case faite en bambous.

— Son palais! dit Serge Martin. Notez que l'emplacement stratégique est idéal : caché à égale distance de la route nationale de Nung-Tau et de la crique où est amarrée la jonque... C'est moi qui l'ai trouvé et c'est Hô qui a construit la maison : c'est une race très habile de ses mains...

La case était déserte. Jacques remarqua les filets accrochés aux parois, dont avait parlé Raczinski.

— Hô n'a jamais pris un poisson de sa vie! ajouta l'antiquaire. Ce sont là plutôt des filets « de camouflage » destinés à masquer une profession que nous connaissons bien, vous et moi... Tout le monde ne peut pas posséder une Maison d'Antiquités, ni même être peintre! Ceci dit, l'oiseau n'est pas dans sa triste cage et n'y a certainement pas mis les pieds cette nuit. Voyons quand même si nous ne trouvons pas les anciens vêtements de Raczinsky : pendant que vous fouillez l'intérieur, je me charge de l'extérieur... Je ne serais pas surpris que le vieil Hô les ait enterrés dans le voisinage.

Ils ne trouvèrent rien.

— Dommage! Cela nous aurait apporté la preuve irréfutable que le Polonais ne nous a pas menti... Plus ça ira et plus je crois que nous devrons nous méfier de tout le monde, même de « nos amis »! Venez... Rejoignons la voiture pour aller jeter un coup d'œil du côté de la crique... Si la jonque n'y est pas, cela signifiera que Hô poursuit ses investigations personnelles dans l'estuaire.

La jonque était amarrée... Mais, quand ils s'en approchèrent, tous deux eurent un mouvement de recul... Un spectacle hideux s'offrait à leurs regards : le corps du sampanier était attaché à la barre et la tête coupée suspendue par les cheveux au mât. Une tête dont les yeux exorbités semblaient les fixer pour leur faire comprendre que la mort rôdait aux alentours.

— Pauvre Hô! dit doucement Serge Martin. Cet assassinat n'est pas vieux... Regardez : il y a encore du sang qui dégouline de la tête tiède... Et le corps, vous ne remarquez rien ?

— Si : il a été habillé avec le chandail et le pantalon de marin de Raczinski...

— Il me paraît difficile de pousser plus loin le raffinement ! En clair, cela veut dire : « Cet homme est mort parce qu'il a aidé le Polonais à s'enfuir. »

Après avoir regardé autour de lui, l'antiquaire se borna à dire :

— Inutile de nous attarder ici! L'endroit est malsain... Filons!

Pendant le retour vers Saigon, il ajouta :

— Après tout, peut-être Hô méritait-il pareille fin? Je me doutais depuis longtemps qu'il n'était qu'une vieille crapule... mais une crapule que l'on pouvait utiliser... Dommage! Avez-vous remarqué l'étrange apparence de la tête coupée, suspendue par les cheveux ? On aurait dit l'un de ces masques terrifiants qu'utilisent les artistes du théâtre chinois... C'est curieux comme la mort restitue à un individu ses véritables origines... J'ai souvent pensé que Hô devait être beaucoup plus chinois que vietnamien... C'est égal! Ceux qui se sont faits ses justiciers n'ont pas perdu de temps... Vous avez remarqué le travail? La tête a été détachée du tronc d'un seul coup! Jamais un « homme d'Occident » — comme nous appelait Hô — n'aurait pu réaliser cette sinistre performance! C'est là du travail d'Asiatique... J'avoue que ça me déroute quelque peu...

Dès qu'ils furent dans le salon, l'antiquaire dit :

— Retournez donc là-haut voir si le sommeil de Raczinski est toujours aussi profond... Ce n'est pas la peine de le réveiller pour lui annoncer la fâcheuse nouvelle! Il ne pourrait plus se rendormir ou risquerait d'avoir d'horribles cauchemars! Pendant ce temps je sers des whiskies bien tassés : ils ne seront pas inutiles pour nous faire oublier la vision grand-guignolesque qui, hélas! est fréquente dans ces régions bénies par Bouddha!

Quelques minutes seulement s'écoulèrent avant que Jacques ne revînt, annonçant :

— Raczinski n'est plus sur le lit, ni dans la chambre!

Aucun trait du visage de l'antiquaire ne bougea. Il prit tout son temps pour boire une gorgée avant de répondre :

— Fouillons dans la maison. Évidemment ce sera plus long que dans la case de Hô : ma demeure est vaste! Notez que je ne crois guère au résultat... Si Raczinski n'est plus là, c'est uniquement parce qu'il nous a faussé compagnie de son plein gré... Commençons par la chambre de Kim qui est au rez-de-chaussée, à côté de la cuisine...

Le boy dormait, étendu sur une natte de jonc.

— Lève-toi! ordonna son maître. A quelle heure t'es-tu couché?

— Après avoir apporté le plateau garni dans le salon... J'ai pensé que vous n'auriez plus besoin de moi ce soir.

— Tu te trompais : justement nous avons besoin de toi! Je te connais trop pour savoir que tu as l'oreille fine et qu'aucun bruit ou mouvement dans la maison ne t'échappe... Tu n'as rien entendu?

— Rien, monsieur Martin!

— Bizarre! Notre invité a disparu. Il faut le retrouver! Pendant que M. Fernet et moi cherchons dans la maison, tu vas aller dans le jardin avec une lanterne, et tu ne laisseras pas un pouce de terrain sans l'avoir inspecté avec soin... Venez, Fernet!

Le premier soin de Serge Martin fut de descendre l'escalier conduisant à la cave. Arrivé devant la lourde porte, il examina minutieusement les trois serrures avant d'affirmer :

— On n'y a pas touché. Je ne suis pas expert pour ouvrir les coffres-forts comme les hommes de Grotoff mais je vous garantis que je connais cette porte mieux que personne! A chaque fois que je la referme, j'y place des repères connus de moi seul : ils sont intacts. Remontons...

Au bout d'une heure, ils acquirent la certitude que le Polonais n'était nulle part dans la maison. Au moment où ils revenaient dans le salon, la voix de Kim se fit entendre, criant du jardin :

— Monsieur Martin... Monsieur Martin!

Le boy apparut, livide, haletant, tenant sa lanterne à la main et répétant :

— Monsieur Martin...

Ils le suivirent jusqu'au fond du jardin. La lanterne de Kim éclaira un sycomore; un corps immense était attaché autour du tronc, ficelé comme l'était celui du sampanier à la barre de la jonque... Un corps également décapité. A deux mètres, enfoncée au sommet d'un bambou planté en terre, la tête — aux yeux exorbités comme celle de Hô — regardait fixement les vivants... C'était Raczinski.

— Là aussi des gouttelettes de sang coulent encore! remarqua Serge Martin. C'est tout frais...

Il s'était retourné vers le boy.

— Et tu n'as rien entendu?

— Rien, monsieur Martin, je vous assure!

— Si tu le dis, c'est que c'est vrai... Mais tu reconnaîtras qu'ils sont forts! Cela m'étonnerait que notre pauvre ami, fatigué comme il l'était, ait éprouvé le besoin d'aller prendre l'air en pleine nuit dans le jardin! Je serais plutôt enclin à croire que ses assassins ont été jusqu'à sa chambre : là, ils ont dû le bâillonner pour l'empêcher d'appeler au secours et ils l'ont ligoté pour pouvoir le transporter jusqu'ici... Ça fait un parcours de quatre cents mètres avec descente de l'escalier et traversée du salon pour atteindre le jardin : tout cela en portant un véritable colosse! Comme il était très fort et rompu à tous les exercices physiques, j'estime que deux hommes n'auraient pas pu le maîtriser... Ils étaient au moins trois, si ce n'est quatre ou cinq! Et toute cette troupe a pénétré chez moi, alors que j'avais pris soin de fermer à double tour la porte du vestibule avant mon départ avec M. Fernet. Elle était d'ailleurs encore verrouillée quand nous sommes rentrés. Vous vous souvenez, Fernet?

— C'est exact.

— Et aucun store n'a été soulevé! Il n'y a pas de traces sur les rebords des fenêtres... Et que toi, Kim, dont la porte de chambre est toujours entrouverte pour entendre mes appels sur le gong, tu ne te sois aperçu de rien, ça me dépasse!

Le boy s'était agenouillé, en larmes :

— Je vous jure, monsieur Martin, qu'il n'y a eu aucun bruit dans la maison! Vous savez que j'ai le sommeil très léger.

— Mais oui, je le sais! C'est ce qui m'inquiète!... Et puis tu m'agaces avec tes pleurnicheries! Lève-toi et rends-toi utile! La première chose à faire, c'est d'enterrer ce pauvre diable... Nous verrons le reste plus tard. Va chercher des pelles!

Kim partit en courant.

L'antiquaire avait approché la lanterne de la tête. Il murmura :

— Exactement la même exécution que l'autre! D'un seul coup! A la chinoise!

A peine eut-il prononcé ces derniers mots qu'il tressaillit.

— Qu'avez-vous? demanda Jacques encore pétrifié par la vision d'horreur.

— Moi? répondit Serge Martin après un moment de silence. Je n'ai rien, cher ami! Ou plutôt si! Mais nous en parlerons un peu plus tard...

— Et vous voulez l'enterrer tout de suite?

— C'est indispensable! Il faut que ce soit terminé avant le lever du jour... L'endroit est assez indiqué pour une tombe qui ne devra laisser aucune trace... Plus tard, beaucoup plus tard, le sycomore pourrait servir de point de repère si nous décidions d'exhumer les restes pour leur assurer une sépulture plus digne... Pauvre Raczinski! Pour le moment, lui qui paraissait être un si bon chrétien, il n'aura même pas droit à une croix! Demain j'essaierai de faire dire une messe anonyme à Saigon pour son repos éternel : sa vieille maman restée à Gdynia nous l'aurait demandé... J'ai de la peine, Fernet... Je n'ai pas vu bien longtemps ce garçon mais j'aurais été heureux de l'aider à réaliser son rêve de connaître la France! Il était sympathique...

— Pourquoi tant de précipitation?

— Vous y revenez? Ah! çà, Fernet, auriez-vous déjà oublié pourquoi on vous a envoyé ici? Vous ne voudriez tout de même pas que la nouvelle de ce crime s'ébruitât au point d'intéresser la police vietnamienne? Le trop aimable lieutenant Dàng-Ngoc-Tuê et surtout le subtil commissaire Xi-Dien seraient ravis de se mêler à nouveau de nos affaires. La première question qu'ils poseraient serait de demander ce que Raczinski, membre de l'équipage du *N. 625*, faisait chez moi. Vous ne pensez pas que j'aurais quelques difficultés à trouver une explication qui tienne debout? Non, croyez-moi, mieux vaut le silence! En Asie, comme ailleurs, il arrange bien des choses!

Kim était revenu, apportant des pelles-bêches.

Tous trois se mirent au travail, dans la nuit. Quand la tombe fut creusée, ils y déposèrent le corps, puis la tête, et rapidement, comme s'ils étaient pris d'une sorte de frénésie les poussant à effacer pour toujours la vision d'épouvante, ils comblèrent le trou et piétinèrent la terre pour la tasser.

Le jour se levait quand ils rentrèrent, harassés, dans la maison. L'antiquaire ordonna au boy :

— Prépare-nous un thé bouillant...

Jusqu'à ce que Kim l'eût apporté, les deux hommes

restèrent silencieux, prostrés, accablés par la double vision hallucinante. Enfin, l'antiquaire parla :

— Il faut réagir, Fernet, sinon ce sera la faillite totale! Les événements se précipitent, les morts aussi... La première question que nous devons nous poser, c'est de nous demander pourquoi Hô et Raczinski ont été exécutés. Quand nous aurons trouvé une réponse satisfaisante, nous pourrons nous poser une deuxième question : par qui ?

» Hô peut l'avoir été pour trois raisons : d'abord — et je pense que c'est la plus valable — parce qu'il a favorisé la fuite de Raczinski. Dans ce cas, les responsables du crime seraient les Russes qui auraient laissé des agents à terre... C'est très possible, après tout! Nous y sommes bien, nous! Ils auraient tué le sampanier parce qu'ils étaient persuadés que le Polonais lui aurait tout raconté de leur échec : Raczinski lui-même nous a confirmé qu'ils ont horreur que l'on proclame leurs fiascos : c'est détestable pour la propagande de la puissante U.R.S.S.!

» Deuxième raison : ses assassins savaient que Hô était un agent subalterne de nos S.R. français. Mais c'est déjà moins certain. Si c'était cependant exact, ce serait ennuyeux : il faudrait réorganiser tout notre réseau et vous et moi devrions disparaître du pays.

» Troisième raison : Hô aurait eu la tête tranchée — « à la mode chinoise », je le répète — parce qu'il aurait plus ou moins trahi un autre réseau d'espionnage auquel il appartenait. Il est très possible qu'il ait été un agent double... A quel réseau de quelle autre puissance pouvait-il appartenir ? *Intelligence Service? C.I.A.* américain ?

— Pourquoi pas tout simplement à la police secrète du Viêt-Nam ?

— Nous le saurons si celle-ci ébruite l'affaire et attribue sa mort à une action terroriste du Viêt-Minh : ce qui est très facile dans l'état actuel de l'Indochine... Mais puisque nous parlons de l'Extrême-Orient, il s'y trouve aussi une

puissance redoutable et que nous aurions tort de négliger :
la Chine! L'immense Chine moderne et communiste qui est
en train de devenir la pire ennemie de l'U.R.S.S... Après
tout, Hô aurait très bien pu être un agent à la solde de
Pékin? Souvenez-vous de son masque mortuaire : 100 %
chinois! Quand je l'avais sauvé du peloton d'exécution
français, les Vietnamiens l'accusaient d'être un agent du
Viêt-Minh communiste... Et entre le Viêt-Minh et la Chine,
les relations sont très étroites... Pourquoi auraient-ils
supprimé Hô? Uniquement parce qu'il avait aidé le
Polonais par humanité — le vieux bonhomme en était très
capable — sans lui poser la moindre question sur la réussite
ou sur l'échec des Soviets. On exécute pour beaucoup moins
que cela actuellement en Chine!

— Vous pensez que Pékin s'intéresserait au document?

— Vous êtes un enfant, mon cher! Ce sont ceux qui ont le
plus de raisons de s'y intéresser! Réfléchissez... Ce n'est plus
un secret pour personne que la Chine communiste veut la
guerre totale pour imposer sa volonté au monde. Et qui dit
« guerre totale » dit « guerre atomique ». Nous connaissons
les profondes divergences de vues qui ont opposé, au
dernier Congrès du Parti communiste à Moscou, les Chinois
aux Russes. Ces derniers, qui estiment que l'on peut imposer
le communisme au monde entier par paliers successifs et par
la propagande sans recourir au conflit généralisé, ont
obtenu gain de cause... Mais ce n'est qu'une victoire
momentanée! Pékin croit que la socialisation de plus en
plus poussée des peuples n'amènera jamais le triomphe
absolu de l'idéologie communiste et qu'il faut l'écrasement
complet de l'adversaire, c'est-à-dire des pays dits
« capitalistes ».

» Ça, c'est l'idée-force! Seulement de l'idée à la réali-
sation, il y a un stade que les Chinois n'ont pas encore
franchi : celui de la suprématie atomique. Il leur faudra
encore quelques années pour qu'ils l'atteignent et ceci pour

deux causes essentielles. Les Russes, justement inquiets des visées impérialistes de leur dangereux voisin, ont pris soin de retirer de Chine tous les techniciens et ingénieurs qu'ils y avaient envoyés. Ensuite, si incroyable que cela paraisse, il semble que l'immense territoire chinois ne possède que des parcelles infimes d'uranium... Et sans ce métal de base, pas de puissance atomique possible! Vous me suivez?

— Très bien.

— Avouez que si les Chinois ont appris l'existence du fameux document, donnant l'emplacement exact du prodigieux gisement d'une île indonésienne, la tentation doit être diablement forte pour eux de se l'approprier!

— Eux aussi seraient dans la course?

— Ils y sont, n'en doutez pas! Tous les Occidentaux y sont bien! Et les Chinois nous valent largement! La République Populaire du Viêt-Minh et même celle, dite Nationaliste, du Viêt-Nam, constituent pour la Chine un tremplin idéal d'où ses agents peuvent se lancer pour opérer en toute tranquillité! Allez différencier un Vietnamien du Nord d'un Chinois? Il n'y a pas une famille du Tonkin et de la frontière du Yunnan qui ne soit plus ou moins apparentée avec la Chine... Il n'y en a pas une où l'on ne compte un ancêtre, une grand-mère, ou même un « oncle de Chine »... L'infiltration est facile! Vous pouvez être certain, après avoir vu la méfiance de la police vietnamienne, que les dirigeants de ce pays connaissaient très bien la présence du document dans le cargo et tirent en ce moment leurs conclusions sur l'échec de la tentative russe. Et comme les dirigeants de Saigon sont presque tous des émigrés du Nord, on peut supposer qu'ils y ont conservé quelques accointances... De là à mettre la Chine en éveil et à lui transmettre des renseignements, il n'y a qu'un pas vite franchi! Si elle le veut vraiment, avec sa formidable puissance, la Chine peut faire main basse — en quelques semaines — sur toute l'ancienne Indochine... Certains esprits avisés du Viêt-Nam n'ont-ils pas pensé qu'il serait préférable de composer sans trop attendre, avec un tel voisin? et pour cela, lui donner des gages d'amitié en lui dévoilant quelques secrets dont celui du document ne serait pas le moindre?

— Vous savez réfléchir!

— J'essaie surtout de voir un peu plus loin que le bout de nos pauvres nez d'Européens! Mais, si vous le permettez, revenons au point de départ! Maintenant que nous avons passé en revue les trois raisons pour lesquelles on peut avoir assassiné le vieil Hô, cherchons pourquoi on a fait subir le même sort à ce pauvre Raczinski.

» Il peut, comme pour la première hypothèse concernant le sampanier, avoir été exécuté par les agents russes restés à terre : ceci pour le punir de sa traîtrise... Mais alors, vous et moi serions dangereusement visés. En effet, dans l'esprit de ses poursuivants, Raczinski ne peut avoir parlé qu'à Hô, qu'au peintre Jacques Fernet ou à l'antiquaire Serge Martin... Nous sommes d'accord?

— Oui.

— Un vieux dicton affirme : « Jamais deux sans trois... » Hô est mort, Raczinski est mort... Quel sera le troisième : vous ou moi? Peut-être sera-ce les deux si nous ne prenons pas quelques précautions élémentaires... Je crains — si ce sont vraiment les agents russes les exécuteurs — que vous ne soyez le premier visé... Croyez bien que je regrette vivement pour vous cet honneur! On doit vous en vouloir terriblement d'avoir joué ainsi les dilettantes ou les artistes! Moi, je ne dois faire figure que du comparse assez insignifiant qui a hébergé « le grand peintre » par pure camaraderie.

— J'ai toujours pensé que vous étiez charitable, mon cher antiquaire! Le seul ennui, c'est que — tels les Asiatiques — vous le cachez bien sur votre visage!

— Une deuxième raison motivant la mort violente de Raczinski est la peur de le voir révéler la vérité sur la

252

découverte de la cachette vidée de son contenu... Ses « camarades » soviétiques peuvent certes avoir eu cette inquiétude, mais d'autres — qui ne sont pas russes — ont peut-être aussi intérêt à ce que l'on ne révèle pas que le document a été subtilisé depuis une année.

— Qui cela?

— Ceux qui se le sont appropriés! Parce qu'enfin il y a un point qui m'étonne dans toute cette affaire : comment se fait-il que nos S.R., qui sont loin d'être négligents, aient ignoré pendant une année entière la vérité? Hier encore ne nous ont-ils pas câblé, après avoir été informés par nos soins de l'explosion du cargo : « *Confirmons document à bord de l'épave. Continuez peindre en attendant nouvelles instructions.* » Ce qui prouve qu'ils ne sont absolument pas renseignés! A ce propos, il me paraît urgent de leur faire part des révélations de Raczinski qui modifieront radicalement leur façon de conduire les opérations! Et, le plus étrange, c'est qu'il n'y a pas que le S.R. français à être dans un tel état d'ignorance! Si l'*Intelligence Service* s'était douté de la vérité, il y a peu de chances qu'il aurait envoyé le *Buffle* en observateur dans l'estuaire!

— Et les Italiens?

— Le *San Giovanni?* Je ne pense pas que le gouvernement italien ait jamais eu la prétention de s'emparer du document... Je serais plutôt porté à croire que la compagnie civile génoise propriétaire de ce navire n'a vu dans l'opération qu'un très fructueux bénéfice financier... Vous savez aussi bien que moi que, dans le domaine des travaux de renflouement, les Italiens sont des maîtres! Je considère même leurs techniciens comme supérieurs à ceux de Grotoff. N'est-ce pas votre avis?

— Oui.

— Une entreprise qui a la chance de compter d'aussi habiles techniciens peut chercher à louer ses services à une autre puissance infiniment plus argentée... J'ai toujours été convaincu que ce *San Giovanni* travaillait pour le compte d'une nation qui n'a pas voulu dévoiler officiellement son pavillon dans nos régions.

— Laquelle ?

— Mais la plus riche, mon cher ! Celle qui a fait pour l'Italie le plus ! Celle qui a compris le pouvoir séducteur de sa monnaie dans l'aimable péninsule.

— Les États-Unis !

— Mais oui ! Ce qui serait une preuve de remarquable habilité du *C.I.A.* ! Pas un seul Américain dans l'estuaire, mais uniquement de souriants Italiens ! Si c'est vrai, cela prouve que tout comme notre S.R. et comme l'*Intelligence Service*, le *C.I.A.* a cru à la présence encore effective du document dans l'épave... Vous savez aussi quels liens — ne disons pas d' « amitié » parce qu'il n'y en a pas dans notre travail mais d' « entraide confraternelle » — existent entre nos trois services de renseignement anglo-américano-français... Si l'un de ces services avait découvert la vérité, il y aurait eu des fuites certaines ! Et il n'y en a pas ! Conclusion : ceux qui se sont emparés du document, grâce à de merveilleux travailleurs sous-marins, ne peuvent appartenir qu'à une grande puissance qui a réussi à créer autour d'elle un vaste isolement, qui a fermé de plus ses frontières au monde occidental... Je n'en vois qu'une qui ait parfaitement réussi dans ce domaine, une dont nous ignorons tout, une qui se sent assez forte pour vivre sur elle-même : la Chine !

— Vous y revenez ?

— Tout nous y ramène... Y compris la façon dont les deux malheureux ont été assassinés... Ma vieille expérience de l'Asie m'a permis d'assister à plusieurs exécutions capitales en Chine.

— Vous parlez chinois ?

— Peu importe ! Sachez que je connais assez bien la

Chine... Je dis « assez bien » parce que personne ne peut la découvrir complètement, même pas les Chinois! Ça échappe à tout! Au temps, au bonheur, à la misère... A tout, à l'exception de l'idéologie communiste qui a réussi à s'y implanter... Revenons plutôt aux exécutions de Hô et de Raczinski : ma triste expérience me porte à croire qu'ils ont été décapités par un véritable bourreau chinois et non par un Viêt quelconque. C'est net, précis, fulgurant, comme si « le travail » avait été exécuté non pas au coupe-coupe mais au sabre chinois... Seul peut-être un ancien samouraï japonais aurait pu faire preuve de la même maîtrise mais je ne vois pas ce que les Nippons seraient venus faire dans l'aventure.

— Pourquoi n'auraient-ils pas cherché, eux aussi, à récupérer enfin le document dans le cargo qu'ils n'ont jamais eu le temps de découper? Ne se sont-ils pas montrés, dès 1942, les premiers intéressés par cette affaire?

— C'est exact... Seulement depuis il y a eu Hiroshima, Nagasaki et des années d'américanisation du Japon. En plus de l'horreur justifiée qu'a maintenant le peuple japonais pour la guerre atomique, je pense que s'il cherchait quand même à acquérir cette puissance destructrice, il agirait de concert avec les U.S.A.

— Ce n'est pas mon avis! Je connais très bien la mentalité du Japon. Pendant les trois années de guerre passées dans ce pays, j'ai eu le temps de la découvrir. Et sachez qu'aujourd'hui, encore plus peut-être qu'hier, l'Américain reste pour le Nippon le plus grand ennemi!

— Vous oubliez le Chinois?

— Il est également un ennemi séculaire mais, malgré les progrès du communisme en Chine, le Japonais caresse secrètement le rêve de refaire un jour la conquête de ce Céleste Empire alors qu'il est certain de ne jamais pouvoir faire celle de l'Amérique.

— Ne nous égarons pas pour deux coups de sabre!

J'admets que Hô et Raczinski aient pu aussi être tués par les Japonais. Mais de toute façon, j'estime qu'il existe plus de 50 % de possibilités pour que les ordres d'exécution soient venus non pas du monde occidental, dans lequel j'inclus l'U.R.S.S., mais du monde asiatique dans lequel j'englobe la Chine, le Japon, le Viêt-Minh, le Viêt-Nam et même l'ensemble des pays sud-asiatiques tels que le Laos, le Cambodge et même la Thaïlande.

— C'est vaste!

— C'est surtout un nouvel aspect de l'affaire qui cesse de n'être qu'une rivalité d'agents secrets à la solde des puissances de race blanche pour devenir l'un des éléments d'une lutte éternelle qui reprend : celle des Blancs contre les Jaunes, et de la suprématie de l'une des races sur l'autre. Nous pouvons craindre qu'elle ne puisse se terminer que par un conflit gigantesque où notre monde sera voué à l'anéantissement. Et l'on arrive à cette étrange constatation qu'un simple document peut donner la maîtrise totale à l'une ou à l'autre race! Il est donc indispensable de savoir entre les mains de qui le plan se trouve depuis une année déjà.

— S'il était vraiment dans la possession de l'un ou l'autre camp, ne croyez-vous pas que nous le saurions, ne serait-ce que par les Indonésiens, eux-mêmes, qui auraient déjà traité d'un côté ou de l'autre pour céder l'exploitation du gisement?

— Ce serait évidemment assez étonnant que le document fût actuellement la propriété d'un troisième camp qui aurait la sagesse de le conserver pour maintenir l'équilibre du monde ou même qui l'aurait détruit! Mais, hélas! je ne crois plus guère à une pareille abnégation des hommes!

— Et pourquoi ce plan ne serait-il pas tout simplement entre les mains, non pas d'une nation, mais d'un seul homme : celui qui a réussi à l'arracher, à dix-sept mètres de profondeur, des flancs du cargo?

— Ce serait admirable et prodigieux... Si un tel personnage existe, j'aimerais le rencontrer! Vous aussi, je pense? D'ailleurs il n'est pas exclu qu'avec son entêtement, « la vieille chouette » ne nous donne l'ordre de trouver ce solitaire à tout prix! Et puisque le surnom du colonel Sicard revient dans la conversation, c'est signe que j'ai déjà perdu trop de temps avant de lui faire part des révélations de feu Raczinski! Allons jeter un coup d'œil sur mes bouteilles de champagne...

La transmission du message par l'intermédiaire du navire de la C.I.R.M. transformé en « relais flottant », fut longue. Quand elle fut terminée, le navire fit savoir que la réponse ne viendrait pas avant deux heures.

— Le temps de faire une sérieuse toilette! dit l'antiquaire. Après les travaux de terrassement de cette nuit, nous en avons grand besoin!

Quand ils revinrent dans le salon, Kim venait d'y apporter les journaux saigonnais du matin. Après en avoir rapidement parcouru un, Serge Martin le tendit au peintre :

— Le titre de cet article, en page trois, ne vous dit rien?

Jacques lut : « *Que vont devenir les épaves coulées qui entravent dangereusement la navigation à l'entrée de notre rivière?* »

L'article annonçait ensuite que la compagnie civile soviétique venait de faire savoir officiellement au gouvernement vietnamien qu'étant donné les difficultés techniques, trop considérables, elle renonçait à poursuivre le renflouement des épaves dans le secteur qui lui était attribué. Mais que, néanmoins, elle avait réussi à faire remonter l'épave la plus dangereuse et à la remorquer jusqu'à la limite des eaux territoriales où elle l'avait détruite de telle façon qu'elle ne pourrait plus jamais être dangereuse pour la navigation.

L'auteur de l'article continuait en disant que c'était tout à l'honneur de la Marine soviétique d'avoir réussi un tel exploit mais il s'inquiétait au sujet des autres navires qui n'étaient pas encore renfloués et il se demandait avec inquiétude si le départ des Russes n'allait pas être suivi de celui des trois autres navires spécialisés, appartenant à des sociétés française, anglaise et italienne. Celles-ci n'allaient-elles pas, elles aussi, renoncer devant les difficultés insurmontables d'un tel travail ?

Il terminait en faisant remarquer que l'on était en droit d'exprimer de telles craintes puisque le matériel russe avait toujours été considéré comme étant plus moderne et plus puissant que celui des compagnies étrangères rivales. Et il posait la question : si toutes renonçaient, que ferait le gouvernement vietnamien ? Déciderait-il de se charger lui-même des renflouements ou s'adresserait-il à d'autres compagnies étrangères spécialisées, américaines par exemple ?

— Les Soviets ont une qualité, conclut Serge Martin, c'est de ne jamais attendre longtemps avant de communiquer leurs décisions au monde ! En ce qui concerne la possibilité de renflouement des coques inintéressantes par les seuls moyens du Viêt-Nam, elle doit être radicalement exclue : il n'y a ici ni le matériel ni les techniciens indispensables. Quant à l'idée de voir le Viêt-Nam s'adresser à d'autres nations et particulièrement aux U.S.A., je ne la crois pas très fameuse ! Je crains que ces excellents Vietnamiens aient un certain mal à trouver maintenant de nouveaux amateurs d'envergure ! Ils seront contraints de se contenter des offres soumissionnées par des entreprises de second ordre qui ne chercheront vraiment qu'à récupérer la ferraille et à condition que ces opérations soient rentables pour elles, ce dont je doute !

— Parce que vous pensez sérieusement que les trois autres équipes vont renoncer elles aussi ?

— Si vous étiez à leur place — ce n'est pas au peintre que

je m'adresse cette fois mais au technicien — que feriez-vous ?
Ça vous intéresserait de vous contenter de miettes du
festin quand le morceau de résistance n'est plus là ?

— Peut-être ne savent-ils pas, comme vous et moi, que
le document n'était plus dans l'épave depuis un an ?

— Les Français du navire de la C.I.R.M. viennent de
l'apprendre par mon message qu'ils ont transmis à Paris.
Quant aux Anglais et aux Italiens, ils ne seront pas longs à
l'apprendre en supposant qu'ils ne soient pas déjà au
courant ! Ce ne sont pas des imbéciles ! La petite explosion,
préparée par le camarade Grotoff, a dû les faire réfléchir !
Et vous pouvez être assuré qu'eux aussi se sont mis en
rapport avec leurs « conseillers » lointains... Ça m'étonnerait que ceux-ci leur donnent l'ordre de rester sur place
pour poursuivre des travaux de peu d'intérêt ou même
uniquement par prestige ! De toute façon, leur prestige
est tombé depuis que le *N. 625* a réussi quand même le
premier à faire remonter une épave... La gloire — si gloire
il y a ! — est pour l'U.R.S.S... Les trois autres n'ont même
pas les honneurs de la guerre ! Le mieux pour eux est de
partir s'ils ne veulent pas devenir très vite ridicules ! Vous
savez aussi bien que moi, cher ami, que l'orgueil est la
première qualité d'une grande marine !... Maintenant, allons
nous laver rapidement pour être à nouveau présentables
quand la réponse à notre message arrivera. Qui sait ? Peut-
être va-t-on vous donner l'ordre de rentrer, vous aussi,
immédiatement en France ? Je ne vous vois pas prenant
l'avion à Tan-Son-Nhut avec ces vêtements maculés de
terre !

Ils étaient à l'écoute, dans la cave, depuis une dizaine de
minutes quand la lampe rouge d'appel s'alluma. L'antiquaire, qui avait déjà son casque, prit le message. Dès qu'il
l'eut déchiffré, il eut un sourire :

— Vous voyez que mon hypothèse de l'entrée de la

Chine dans « notre » aventure n'était pas tout à fait dénuée de logique... Voici l'ordre... Je reconnais qu'il est bref, mais très précis : « *Continuez à peindre... Spécialement à Cholon.* »

— C'est tout?

— C'est très suffisant! Cholon, mon cher, c'est la colonie chinoise du Viêt-Nam! Ils y sont plus de 700 000! Et ce n'est qu'à quelques kilomètres d'ici!... Gros avantage pour vos déplacements avec votre matériel d'artiste! Imaginez un grand faubourg de Saigon... Vous verrez : c'est très pittoresque! Et moins apprêté que Hong Kong. C'est plus vrai... Vous vous y croirez déjà en Chine et vous y trouverez d'étonnants motifs de croquis!... Ah! la lampe rouge se rallume...

Il se remit à l'écoute pendant quelques instants. Puis il se débarrassa du casque en annonçant :

— Le navire de la C.I.R.M. m'informe qu'il lèvera l'ancre dans une demi-heure... Et voilà!

— Vous n'aurez plus de relais radio?

— Tout est prévu depuis longtemps : désormais nous serons relayés par Pnom-Penh.

— Parce que là-bas aussi...?

— Là-bas aussi!... Vous ne trouvez pas que c'est amusant de penser qu'à des milliers de kilomètres de distance, les déductions de « la vieille chouette » concordent avec les miennes? Tel que vous le connaissez, vous pouvez être assuré qu'il a une petite idée derrière la tête en vous demandant d'aller peindre quelques toiles pittoresques dans la colonie chinoise de Cholon...

— C'est plutôt vague comme instructions!

— Sans doute estime-t-il que vous devez d'abord vous familiariser avec l'ambiance très spéciale et spécifiquement asiatique de cette curieuse ville. Un peintre, qui abandonne la solitude des grands horizons marins pour trouver une nouvelle inspiration dans les rues bruyantes et étroites où grouille une foule inimaginable, a besoin de s'adapter... Le contraste est tel qu'il risquerait, s'il voulait peindre trop tôt, de ne plus retrouver cette sublime étincelle qui fait naître les chefs-d'œuvre!

— Selon vous, combien de temps me faudra-t-il pour cette « adaptation »?

— Oh! Une soirée tout au plus! Je vous l'ai dit et redit : vous êtes doué, ami! Et je suis convaincu que nous recevrons d'ici très peu de temps des instructions complémentaires... et surtout plus précises. Il y a quand même une chose qui me plaît dans ce dernier message : du moment que l'on vous invite à continuer à peindre, c'est donc signe que les gens qui nous entourent sont toujours persuadés que vous n'êtes qu'un peintre, rien de plus! C'est excellent! Vous savez : cette vieille chouette est admirablement organisée! Sans bouger de son P.C. parisien, elle possède des sources de renseignement de tout premier ordre! Si elle vous demande de persévérer dans la profession de rapin, c'est parce qu'elle croit à son efficacité. Je ne vous en ai pas parlé mais je l'ai tenue régulièrement au courant de vos relations de plus en plus cordiales avec le camarade Grotoff. Si elle estimait que ce dernier avait très bien décelé que vous étiez l'un de nos agents, elle ne vous ferait pas courir le risque de continuer à jouer les grands peintres du Viêt-Nam... Cela indique donc que les Russes ne vous soupçonnent pas. S'ils vous voulaient du mal, la « vieille chouette » nous l'aurait déjà fait savoir! Ce ne sont donc pas eux nos ennemis... Par « nos » j'entends ceux qui ont supprimé Hô et Raczinski... Quand nous les connaîtrons, nous ne serons pas loin de savoir quels sont les actuels détenteurs du document : ces gens-là seuls avaient intérêt à tuer le sampanier et le Polonais... Et ces gens ont tout de suite compris que si, vous et moi, nous avons eu des rapports suivis avec les deux disparus, c'est uniquement parce que nous voulons, nous aussi, mettre la main sur le document. Or, comme ils ne veulent pas nous voir nous mêler de leurs affaires, ils nous ont donné deux avertissements par deux crimes ! Ce qui prouve que nous sommes toujours dans la bonne voie en continuant chacun à jouer les personnages que nous impose Paris : vous le peintre et moi l'antiquaire !

» Deux bons amis qui, dès cet après-midi, vont déambuler et flâner dans les ruelles de Cholon pour s'y imprégner d'un parfum de Chine... Vous aurez votre carton à croquis sous le bras et moi je vous accompagnerai... Car il ne s'agit plus de se séparer ! Le jeu devient serré : nous ne serons pas trop de deux ! Tant qu'il ne s'agissait pour vous que de vous mesurer avec des Blancs, je pouvais vous laisser opérer seul mais maintenant nous allons affronter les Jaunes. Ça, c'est ma spécialité !

Au moment où la Chevrolet démarrait, vers 16 heures, son conducteur dit :

— Comme le port de Saigon, Cholon ne devient une ville intéressante qu'à la tombée du jour. Nous avons donc tout le temps et nous en profiterons pour faire un détour par une route que je ne vous ai encore jamais fait prendre et qui domine à un moment tout l'estuaire. Vous verrez : la vue y est grandiose !

Vingt minutes plus tard, la voiture s'arrêtait au point indiqué. Serge Martin n'avait pas exagéré : le panorama était admirable. L'estuaire apparaissait tel un immense cirque d'eau. Un seul navire s'y trouvait encore : le *San Giovanni*.

— Ah! ces Italiens! s'exclama l'antiquaire. Ils auront su rester artistes jusqu'au bout... Ils ont du mal à s'arracher à la beauté grandiose du site... Le navire de la C.I.R.M. est parti, le *Buffle* n'a pas dû être long à mettre lui aussi le cap sur une destination inconnue mais le *San Giovanni* est toujours là !

Il avait sorti de l'une des poches de la voiture sa paire de jumelles. Pendant qu'il l'utilisait, il continua :

— Il y a quand même à bord une activité qui sent le départ imminent. Voyez vous-même... Est-ce bien votre avis de technicien?

— Sans aucun doute, répondit Jacques après avoir regardé à son tour avec les jumelles. C'est un appareillage.

— Ce sont des poètes! Ils s'en iront au clair de lune... Et la phase de l'estuaire, à laquelle tant de gens attachaient une si grande importance, sera terminée! Quelle admirable chute de rideau on pourrait faire sur un pareil décor! Maintenant, mon cher, en route pour Cholon! Le deuxième acte va commencer! Un nouveau décor nous y attend : il est déjà planté depuis plusieurs siècles puisqu'il n'est qu'un reflet de la Chine...

Dès les premiers instants où, après avoir laissé la voiture dans un parking, ils déambulèrent dans les rues de Cholon, Jacques fut encore plus fasciné que sur le port de Saigon. Mais il ne s'y trouva nullement dépaysé.

— Tout ce néon, confia-t-il à Serge Martin, toutes ces publicités lumineuses qui restent éclairées en plein jour me rappellent certains quartiers de Tokyo. La seule différence est que les maisons ici sentent moins la pacotille : vos Chinois de Cholon sont des gens riches!

— Pas tous! Les riches vivent à l'hôtel, les autres dans la rue.

— Il y a en effet une profusion incroyable d'hôtels!

— L'hôtel chinois est un endroit aussi fermé que n'importe quel club « sélect » du Soho londonien. Pratiquement, des Européens tels que nous n'y ont accès à moins d'y être invités... Mais comme j'ai le bonheur d'être quelque peu connu par ici, je vais me faire une joie de vous en faire visiter un : celui que vous apercevez sur votre droite et qui porte, comme toute institution de luxe dans cette ville, une enseigne européenne. Alors que les établissements de plaisir ont des noms français, les hôtels ont le plus souvent des appellations à résonance britannique : *Bristol, Lancaster, Savoy, Dorchester* même! Comme vous le voyez, celui où nous allons pénétrer se nomme le *Piccadilly* : rien que cela! Il est dirigé par l'une de mes vieilles connaissances : un certain « Monsieur Jojo », grand pourvoyeur pour moi d'authentiques antiquités... Comme vous allez rapidement vous en rendre compte, M. Jojo est pourvoyeur en tout! C'est maintenant un personnage extrêmement respectable qui a connu une existence mouvementée : après avoir passé une bonne partie de sa vie dans diverses prisons, il continue à faire des affaires...

L'apparence du *Piccadilly Hotel,* placé dans une petite rue écartée, était des plus anodines. M. Jojo y accueillit Serge Martin et son ami dans un hall, inévitablement illuminé de néon, décoré de deux rangées de pots de faïence constellés de crachats colorés à divers ingrédients. Il y avait partout des glaces et au fond un escalier de bois.

M. Jojo s'exprima en français. Son visage était perpétuellement éclairé par un sourire commercial, qui — par moments — avait la cruauté du néon. Ses paroles de bienvenue furent :

— Messieurs, vous êtes ici chez vous.

— Ça tombe bien, répondit Serge Martin avec désinvolture, car mon ami, le grand peintre Jacques Fernet, dont vous avez certainement entendu parler, n'a encore jamais visité un hôtel chinois. Ce qui est, à mon avis, une sérieuse lacune pour un artiste de sa qualité.

— J'ai beaucoup apprécié votre exposition à Saigon, monsieur Fernet, répondit M. Jojo. Sincèrement, vous êtes le poète de nos rizières!

— Avez-vous vu la merveilleuse toile qu'il vient de faire de l'estuaire et qui a été rejoindre les autres à la Galerie? demanda Serge Martin.

— Non, mais on m'en a dit le plus grand bien... Nos journaux aussi l'ont vantée et en ont donné des reproductions photographiques.

— Jacques Fernet a maintenant l'intention de faire un certain nombre de toiles sur Cholon...

— Il y trouvera une matière riche! Et une couleur assez rare!

— Seulement, vous qui êtes expert dans les choses de l'Art, vous comprendrez qu'il lui faille d'abord s'imprégner de l'atmosphère si spéciale de votre ville... Aussi me suis-je dit que la visite d'un hôtel typique pouvait être pour lui la meilleure des prises de contact... Et j'ai tout naturellement pensé au vôtre qui est, de loin, celui que je préfère!

— Toujours charmant, monsieur Martin! dit le directeur. Messieurs que puis-je vous offrir?

— Vous y tenez absolument? Eh bien! si vous le permettez, nous prendrons quelque chose en votre compagnie après la visite de votre hôtel.

— Je vous attendrai au bar, déclara M. Jojo. Désirez-vous que je vous accompagne pendant cette visite?

— C'est tout à fait inutile, mon cher directeur! répondit l'antiquaire. Vous avez mille occupations plus importantes et je suis venu si souvent chez vous que j'ai l'impression sinon d'y être chez moi, du moins de connaître votre établissement par cœur!

Pendant qu'ils commençaient à gravir l'escalier de bois, Serge Martin confia à Jacques :

— Ici, vous trouvez et vous faites tout ce que vous voulez. Vous pouvez manger, jouer au mah-jong, fumer l'opium, écouter des chanteurs ou faire l'amour! Vous pouvez même, à la rigueur, essayer de dormir mais ce sera déjà plus difficile! Tout le monde vous dira que l'hôtel chinois n'est pas fait pour cela!

— Pourquoi n'avez-vous pas parlé chinois à M. Jojo?

— Il ne me l'aurait pas pardonné! C'est un habile homme qui essaie de nous faire croire qu'il considère toujours notre langue comme étant celle des diplomates! Ce qui ne l'empêcherait pas, s'il était en présence d'Américains, de leur parler *slang* pour les mettre en confiance... Les Chinois ont incontestablement le don des langues : il est courant d'en rencontrer qui en parlent une bonne demi-douzaine.

— Il leur arrive quand même de parler chinois?

— Entre eux... Quand ils ont des secrets à se dire!

Au premier étage, un couloir central desservait une série de salles, bruyantes de musique et de cris. Dans une grande pièce, où étaient réunis cinq Chinois, l'un d'eux fit un salut à l'antiquaire.

— Ce petit monsieur, en caleçon, expliqua Serge Martin après avoir rendu la politesse, c'est un des plus importants commerçants en riz de Cholon... Il se nomme M. Ty... Vous avez pu constater qu'il paraissait tout réjoui. C'est signe que les cours continuent à monter! On parle vaguement de mesures autoritaires, prises par le gouvernement vietnamien, pour les contraindre à la baisse mais cela ne fait que provoquer chez ce profiteur patenté une violente hilarité : son ventre en tressaute et des larmes doivent en couler sur ses joues... Dites-vous bien qu'à la même heure, dans des milliers de pièces semblables, il y a des centaines de M. Ty, tout aussi puissants, qui font des affaires... Oh! c'est très simple : pas de papiers, jamais de signatures! Il suffit que deux messieurs à demi nus se mettent d'accord en crachant des graines de tournesol, et le marché est conclu. Il sera scrupuleusement tenu.

» Tout cela s'explique parce que le Chinois est presque toujours marié. Il a souvent plusieurs femmes et de nombreux enfants. Il les aime beaucoup, ce n'est pas un mauvais père mais il n'a rien à leur dire! La vie familiale est une chose, les affaires en sont une autre et le centre des affaires, c'est l'hôtel. Il n'est pas convenable non plus de passer ses soirées chez soi. Le riche Chinois a un emploi du temps curieux : je parle de celui qui habite à Cholon ou à Hong Kong. Parce que pour les autres, ceux qui n'ont pas pu s'échapper de la Chine communiste, la vie est tout autre! Il est vrai qu'ils n'ont plus rien : on leur a tout pris pour le donner au peuple qui, d'ailleurs, n'est pas plus riche pour cela!

» Le Chinois de Cholon dort jusqu'à 6 heures du soir. Vers les 8 heures, il se rend à l'hôtel où il restera jusqu'à 2 ou 3 heures du matin. Parfois il y couche. Et tout se fait au vu et au su de tout le monde : on sait très bien où il se trouve. On vient lui rendre visite exactement comme à Paris on va discuter d'affaires dans un bureau des Champs-Élysées.

Trois femmes les croisèrent dans le couloir : l'une était vieille, édentée; les autres jolies, vêtues de longs fourreaux de soie tissée d'or, très maquillées, le visage blanc, les pommettes rouges, les yeux bruns et humides étirés vers les tempes, sous un front admirablement bas.

— La plus âgée est la masseuse, très habile! Pendant qu'elle s'occupera d'un M. Ty ou d'un M. Tchou, les plus jeunes se mettront au travail, elles aussi... L'une d'elles va faire la conversation en préparant les pipes d'opium, l'autre chantera, en s'accompagnant sur une sorte de xylophone, un vieil air mélancolique de la Chine traditionnelle. Impassible, le petit doigt gracieusement recourbé, elle chantera ainsi pendant des heures, comme perdue dans un rêve lointain... Ce qui ne veut pas dire qu'elle ait le droit d'être amoureuse de qui elle veut!

» Elle est surveillée de très près par sa protectrice, qui est le plus souvent une vieille chanteuse retirée des affaires. Car cette jeune beauté est une source de revenus extrêmement importante! Elle a presque toujours signé des reconnaissances de dettes extravagantes qui en font pratiquement une esclave. Sa seule chance d'en sortir est de plaire au riche Chinois qui, pour l'avoir à lui seul, est prêt à dédommager la protectrice. Sa virginité même a été une source de revenus. A l'âge de dix ou onze ans, on l'a remise à un riche amateur, après de laborieuses négociations... Au cours actuel, une vierge jeune et belle vaut de vingt à vingt-cinq piastres. A ce prix on en a l'usage pendant huit jours : il n'y a jamais de tromperie sur la marchandise !

— Et c'est pour me montrer toutes ces beautés que vous m'avez fait entrer dans cet hôtel ?

— Pas uniquement ! Mais n'êtes-vous pas, avant tout, un artiste dont je dois sans cesse attiser la sensibilité pour lui permettre de renouveler son inspiration ? Je tenais aussi à vous faire connaître le P.C. où opère M. Jojo que j'ai toujours tenu pour l'un des chefs très occultes de l'espionnage communiste chinois dans le Sud-Viêt-Nam. S'il y a des renseignements à glaner, concernant la disparition du document, ce devrait être d'abord ici...

— Qu'est-ce qui vous a fait soupçonner ainsi ce M. Jojo ?

— Les affaires que j'ai traitées avec lui... Il y a des années déjà, je vous l'ai dit, qu'il est l'un de mes meilleurs fournisseurs d'objets, de potiches ou de meubles rares qui arrivent encore de la Chine communiste... La plupart des merveilles que j'ai entassées chez moi proviennent directement de palais que l'on démolit un peu partout à Pékin ou à Canton, pour les transformer en « maisons du peuple ». Et si M. Jojo peut se les procurer pour me les revendre à des prix très inférieurs à leur valeur réelle, ce ne peut être que parce qu'il a l'accord complet des communistes qui cherchent à se faire des devises par tous les moyens pour accroître leur potentiel industriel et surtout militaire. Or, les communistes chinois ne traitent qu'avec leurs pairs, c'est-à-dire avec des communistes... Même si ceux-ci donnent l'apparence de grande richesse en dehors des frontières de Chine, ne vous y fiez pas trop ! Eux aussi, ce sont des esclaves à leur manière, qui seront immédiatement exécutés par un agent envoyé spécialement, s'ils ne remplissent pas scrupuleusement les missions qui leur ont été confiées. M. Jojo est l'un des rouages essentiels de ce fantastique réseau auprès duquel vous et moi, les agents de l'*Intelligence Service,* du *C.I.A.* et même de Moscou faisons presque figure de parents pauvres!

La visite du *Piccadilly Hotel* les avait ramenés au bar du rez-de-chaussée, installé derrière l'escalier, où M. Jojo les attendait, souriant :

— M. Fernet a-t-il vu des choses pittoresques qui puissent l'inspirer?

— Il est enchanté, cher monsieur Jojo.

— Que diriez-vous, messieurs, d'un whisky?

— Si c'était possible, répondit Jacques, je préférerais du *schoum.* Je n'ai pas encore goûté ce breuvage... Mais je trouve qu'il est assez indiqué dans l'ambiance de votre hôtel...

— Excellente idée! approuva Serge Martin. Pour moi aussi, ce sera du *schoum!*

M. Jojo parut contrarié.

— Peut-être n'en avez-vous pas? demanda vivement l'antiquaire.

— J'ai de tout dans mon hôtel! répondit avec orgueil le directeur pendant qu'il donnait des ordres en chinois à la jolie fille qui faisait fonction de barmaid.

Quand il but, Jacques dut faire un effort pour dissimuler toute grimace sur son visage : cette liqueur d'alcool de riz était exécrable! Serge Martin, lui, resta impassible mais son regard moqueur prouvait qu'il savourait la déconvenue du peintre.

— Monsieur le directeur, il nous reste à vous remercier de votre extrême amabilité... Nous allons continuer notre promenade « documentaire » en ville... Après avoir montré à notre ami un établissement de haute classe tel que le vôtre, je crois indispensable de lui faire découvrir une maison de rendez-vous. J'ai pour principe que l'on ne commence à apprécier une ville que si l'on en connaît les dessous... N'est-ce pas votre avis, monsieur Jojo?

Le Chinois eut un sourire complice et évasif avant de répondre :

— Avez-vous, cher monsieur Martin, une prédilection particulière pour l'une ou l'autre de ces maisons accueillantes?

— Ma foi non! J'avoue qu'il y a bien longtemps que je ne les fréquente plus!

— Dans ce cas, je ne saurais trop vous conseiller d'aller chez Mme Tchang : sa maison a bonne réputation... C'est l'une des plus anciennes de Cholon. Vous y serez bien reçus. Elle aime particulièrement la clientèle française...

— Allons chez Mme Tchang! dit l'antiquaire.

Quand il fut sorti de l'hôtel avec Jacques, il lui confia :

— Ne vous attendez pas à un palais des mirages! La « maison de cette Mme Tchang ne m'est pas tout à fait inconnue... Si j'ai joué les ignorants, c'est un peu parce que je prévoyais que le sieur Jojo nous y enverrait. Cette matrone assez redoutable « travaille » avec lui depuis de longues années : c'est elle qui l'approvisionne en filles de seconde zone pour les clients moins exigeants... Mais vous pouvez être assuré que les filles, ainsi fournies, sont dûment chapitrées avant de se retrouver dans « l'intimité » du client : elles doivent le faire parler, l'interroger sur ses activités, sur la prospérité de ses affaires, sur les membres de sa famille restés éventuellement en Chine... Ce qui permettra au besoin de faire plus tard du chantage ou d'exiger la grosse somme pour rapatrier une grand-mère impotente, devenue d'un rendement inutile en régime communiste! L'argent ainsi extorqué ira dans la caisse du Parti... Car si Mme Tchang travaille en liaison étroite avec M. Jojo, ce n'est que parce qu'elle aussi appartient au réseau... Vous voyez : peu à peu, nous nous enfonçons gentiment — et sous le couvert de buts artistiques — dans l'une des organisations les plus fermées qui soient...

La rue, où ils avançaient maintenant, était étroite et banale, bordée de deux rangées de maisons, assez semblables aux corons d'une ville minière. Devant chaque porte, cinq ou six filles étaient accroupies.

— Voici la « maison » dirigée par Mme Tchang...

La « patronne » était une très vieille femme, au crâne tondu, montrant dans un essai de sourire commercial les chicots de dents noirâtres qui, jadis, avaient dû être laquées : particularité qui semblait indiquer que Mme Tchang était d'origine tonkinoise.

D'abord elle parut assez inquiète de recevoir de tels visiteurs et, avant même que l'un d'eux ait pu parler, elle expliquait avec volubilité — et dans un français assez approximatif — qu'elle était parfaitement en règle avec la police : cherchant un argument décisif, elle montra au mur un document sur parchemin en caractères chinois.

Serge Martin sembla approuver, mais, dès qu'il le put, il dit à voix basse à son compagnon :

— C'est un diplôme attestant que Mme Tchang est une digne et sainte femme, car en 1937, elle a donné 100 piastres pour l'édification d'une pagode à la gloire de Bouddha!

Les aménagements intérieurs étaient rudimentaires. Dans un petit vestibule, servant de salle d'attente, un large panneau était consacré aux fondateurs de la maison... On y voyait la patronne, au temps de sa jeunesse, accompagnée de son mari et de ses enfants. Il y avait aussi les descendants des enfants : cela faisait bien une cinquantaine de photographies cartonnées et jaunies...

— Un véritable album de famille! murmura Serge Martin.

Donnant directement sur la « salle d'attente » un couloir

desservait une série de petites cases séparées par des cloisons en planches à hauteur d'homme.

— Ces serviettes, que vous voyez pendues à des crochets, continua Serge Martin, appartiennent aux habitués : elles leur sont personnelles...

Obséquieuse, Mme Tchang fit visiter l'une des cases : sur un bat-flanc, recouvert d'une natte, un couple chinois était installé, bavardant et ne prêtant même pas attention aux intrus.

— Ici aussi, expliqua l'antiquaire, existent des règles strictes de bienséance... Il est inconvenant de prétendre faire l'amour avant 11 heures du soir' : ce sont là des manières d'Européens, autrement dit de gens n'ayant aucune éducation! Jusqu'à 11 heures on fait la conversation; plaisir de l'attente qui est tarifé à cinquante piastres. Le véritable « travail » commence après 11 heures : tarif minimum cent piastres...

Revenue dans le vestibule, la patronne désigna les filles qui attendaient toujours dehors, devant la porte. Elles avaient gardé la position traditionnelle des prostituées chinoises classiques : accroupie, la jambe blanche et grasse repliée sous les fesses. Une position destinée sans doute à émouvoir la clientèle!

Mais ni le peintre ni l'antiquaire ne parurent l'être.

Décontenancée, la tenancière montra alors une sorte de comptoir en bois laqué qui servait de bar. Des bouteilles de toutes provenances s'y alignaient.

— Encore un peu de *schoum?* demanda en souriant Serge Martin à Jacques.

— Ah, non! je préfère du whisky.

Au mot magique, qui annonçait des clients sérieux — le whisky n'était-il pas de loin la boisson la plus chère? — le sourire revint sur le visage de Mme Tchang qui avança une bouteille de scotch sur le comptoir, entre les deux consommateurs.

272

— Pensez-vous qu'elle a aussi une eau minérale gazeuse ? demanda Jacques.

— Eau Perrier! répondit aussitôt Mme Tchang qui avança également une bouteille ventrue après avoir pris soin de remettre dans la main du peintre un décapsuleur métallique.

Puis, sans dire un mot, après un nouveau sourire, elle disparut dans le couloir, laissant les deux Européens seuls.

— Quelles drôles de façons! s'exclama Jacques. Elle ne pouvait donc pas ouvrir elle-même cette bouteille d'eau Perrier ?

— En Chine, ça ne se fait pas, mon cher! Des siècles avant les barmans ou maîtres d'hôtel des établissements occidentaux de grande classe, les Chinois ont décidé une fois pour toutes que l'hôte — même s'il paye ensuite — est une sorte d'invité de choix qui se sert lui-même. Ce serait très mal élevé de lui verser sa rasade de whisky ou d'eau minérale... Il pourrait penser qu'on lui mesure parcimonieusement la dose! Cette politesse en toutes choses a du bon...

Dès que Serge Martin eut versé le whisky dans les verres, Jacques prit à son tour la bouteille Perrier. Au moment où il introduisait le petit levier métallique sous la capsule, il y eut une détonation brutale. Après avoir poussé un cri en portant ses mains à son visage, le peintre s'était écroulé sur le sol. Ahuri, abasourdi surtout par l'explosion, l'antiquaire mit quelques secondes avant de se précipiter au secours de Jacques. Mme Tchang aussi avait accouru au bruit de la détonation, bientôt suivie par le couple aperçu dans une case et les filles qui stationnaient devant la porte... Tout cela dans un brouhaha indescriptible et ponctué de cris perçants.

— Taisez-vous! hurla Serge Martin qui, agenouillé, s'était déjà penché sur le visage ensanglanté de son compagnon.

L'antiquaire dit quelques mots rapides en chinois. Deux prostituées sortirent en courant et revinrent presque aussitôt escortées de deux agents de la police vietnamienne.

Ce qui se passa alors, l'homme — toujours allongé sur son lit dans sa chambre de la maison de l'antiquaire — aurait été bien incapable de l'imaginer dans le fil de sa longue rêverie solitaire si Serge Martin ne le lui avait raconté par la suite, plusieurs jours plus tard, au cours de l'une des innombrables conversations qu'ils avaient eues dans une autre chambre... celle d'un grand blessé à l'hôpital Francis-Garnier de Saigon...

Le souvenir de l'horrible brûlure et de la nuit complète qui l'avait suivie ramena brusquement Jacques à la réalité de sa situation présente. Pendant des heures, il s'était laissé à nouveau entraîner par le fil de l'aventure... Sans qu'il eût même pris conscience du temps, il avait revécu en mémoire les moments passés à jouer les peintres sur la jonque de Hô, puis sur la terre ferme à proximité du débarcadère des Russes, ensuite il s'était revu sur l'épave, dans le carré des officiers du *N. 625* portant des toasts à la grandeur soviétique, retrouvant le Polonais qui cherchait un moyen de fuir sur le port de Saigon, écoutant en compagnie de l'antiquaire le récit hallucinant de Raczinski, découvrant dans une même nuit les corps décapités du sampanier et du scaphandrier, répondant à l'interrogatoire de la Police Fluviale, admirant une dernière fois l'estuaire où le *San Giovanni* s'apprêtait à lever l'ancre, pénétrant avec son cicérone dans le *Piccadilly Hotel,* entrant enfin dans la sordide maison de rendez-vous de Mme Tchang.

Maintenant, il y avait dans sa mémoire un trou béant, un vide. Le seul souvenir brutal de la détonation de la capsule avait suffi. Quand il l'avait revécu, il avait poussé à nouveau un cri inhumain, le même sans doute que celui entendu par Serge Martin et les habitués de la maison de Mme Tchang... Mais ce cri de douleur, comment se faisait-il que l'antiquaire, allongé dans la chambre voisine, ne l'eût pas entendu? Comment se faisait-il que ce « protecteur », qui avait semblé tellement inquiet pendant la première partie de la nuit, n'ait pas accouru immédiatement près du lit où Jacques venait de revivre sa souffrance?

Cette pensée acheva de le ramener complètement à la réalité.

Pendant quelques secondes il demeura encore allongé, espérant entendre les pas de Serge Martin qui s'approcherait... Mais il dut se rendre à l'évidence : l'antiquaire n'était pas sorti de sa chambre, n'avait pas bougé... Et tout à coup, une nouvelle pensée, affolante celle-là, lui traversa l'esprit... Ce n'était pas possible! Ce n'était pas vrai! Et pourtant, si l'homme à la carabine était resté immobile, serait-ce parce que...?

D'un bond il s'était levé et, tâtonnant, il se dirigea vers la chambre de l'antiquaire en criant :

— Martin! Martin! Vous êtes là?

Il n'y eut pas de réponse.

Après avoir ouvert la porte, il alla directement vers le lit de « son ami ». Ses mains s'avancèrent pour tâter la forme humaine allongée... Mais le lit était vide.

Jacques respira : c'était fou d'avoir pensé un instant qu'un Serge Martin pouvait mourir lui aussi! Un tel homme ne disparaîtrait jamais! N'appartenait-il pas à la race de ces êtres étranges et irréels qui vivent éternellement parce qu'ils n'ont pas d'âge? parce qu'ils semblent être faits d'une essence surhumaine échappant à toute loi humaine?

L'aveugle fit lentement le tour de la pièce : l'antiquaire n'y était pas, la carabine non plus; il était donc sorti en l'emportant.

Après la première impression de soulagement, Jacques se demanda pourquoi Serge Martin l'avait abandonné, seul, une nuit pareille ? Où pouvait-il être ? Dans la maison ? Dans la cave peut-être en train de passer ou de recevoir un message ? Avant d'y descendre, il serait venu l'avertir ! A moins qu'il n'eût à transmettre un message ultra-secret dont il ne voulait pas lui révéler la teneur ?

Une fois de plus, l'aveugle se demanda s'il devait considérer l'antiquaire comme étant son ami ou son plus dangereux ennemi ? N'était-ce pas lui, après tout, qui l'avait entraîné à Cholon et dans la maison de rendez-vous ? Pourtant, quand il lui avait raconté à l'hôpital ce qui s'était passé après l'éclatement de la bouteille, il semblait avoir été sincère, et surtout précis.

C'était ainsi que Jacques avait appris qu'une ambulance était arrivée sur les lieux très peu de temps après les policiers et que Serge Martin y était monté avec lui. Il se souvenait vaguement avoir entendu la voix de son compagnon dire pendant ce parcours :

— Courage, mon petit... Vous vous en tirerez...

Les jours avaient passé. Des médecins et des spécialistes de toutes nationalités : français, vietnamiens et même américains s'étaient penchés sur lui, allongé sur son lit de douleur. Il les avait entendus parler autour et au-dessus de lui, sans jamais les voir, dans trois langues. Et il avait compris qu'il n'y avait rien à faire, rien à tenter, qu'il resterait aveugle jusqu'à la fin de ses jours... A la douleur physique qui s'était estompée peu à peu, avait succédé la souffrance morale. Mais à chaque fois qu'il avait été au bord du désespoir, une voix avait parlé, le réconfortant :

— Bientôt vous rentrerez en France, où votre maman s'occupera de vous.

La voix de Serge Martin qui, si souvent avant l'accident, s'était montrée ironique et qui — depuis qu'il gisait sur un lit d'hôpital, les yeux emprisonnés sous les compresses — avait su être plus câline que n'importe quelle autre voix... Jacques ne savait plus si l'antiquaire était l'ami ou l'ennemi.

Il croyait encore l'entendre dire dans la chambre de l'hôpital :

— Le miracle est que je n'aie pas reçu moi-même un seul éclat qui aurait pu me mettre dans la même incapacité que vous de réagir. Sinon, je n'aurais pas donné cher de nos peaux, à tous les deux, dans l'établissement de la dame Tchang ! Ce n'est que parce que j'ai sorti le revolver, dont j'avais pris soin de me munir avant notre départ pour Cholon, que non seulement personne n'a osé s'approcher de vous, étendu par terre, mais que deux filles terrorisées ont couru chercher les policiers. Je dois reconnaître que ceux-ci ont été très bien : ils ont fait aligner la vieille Tchang, les filles et même les clients contre le mur, sous le panneau des photos de famille... En même temps que l'ambulance, un camion de police est arrivé dans lequel tout ce joli monde a été embarqué. Si vous aviez pu voir les hordes qui se pressaient devant la maison, vous auriez compris comme moi que l'on peut facilement disparaître dans une ville chinoise sans que personne ne puisse même s'en apercevoir !

La tenancière a été mise en prison : elle y est toujours, attendant de passer en jugement. Celui-ci ne pourra avoir lieu que quand l'enquête aura abouti... Savez-vous qui mène l'enquête ? Le commissaire Xi-Dien... C'était à prévoir ! Nous l'intéressons de plus en plus !

Dès que Jacques avait été en mesure de répondre, il avait reçu la visite du policier qui lui avait demandé :

— Ce que nous ne nous expliquons pas, monsieur Fernet, c'est que vous ayez été la victime d'un tel attentat qui a toutes les apparences du crime politique ! Or, vous n'avez jamais fait de politique ! Vous n'êtes au Viêt-Nam que depuis quelques semaines... Et vous n'y êtes venu que pour peindre ! Tout le monde vous y aime ! Vos toiles y sont très appréciées... Si vous saviez comme leur cote a augmenté depuis l'attentat!

— Les amateurs, avait répondu Jacques amer, doivent se dire : « Maintenant qu'il ne pourra plus jamais peindre, ses toiles vont prendre de la valeur... »

— Ne croyez pas que cela, monsieur Fernet! Vous étiez devenu et vous êtes toujours très populaire chez nous... C'est une façon comme une autre aux nôtres de vous montrer leur sympathie. D'ailleurs, depuis que vous êtes sur ce lit d'hôpital, vous en avez reçu des preuves éclatantes...

C'était la vérité. Dès le lendemain de l'attentat, les journaux — qui avaient tant vanté l'œuvre du peintre des rizières — s'étaient empoignés de l'affaire, titrant sur quatre colonnes : UN ATTENTAT IGNOBLE A L'ÉGARD D'UN AMI DE NOTRE PAYS, ou bien L'ATTENTAT CONTRE LE PEINTRE JACQUES FERNET EST LA HONTE DU VIÊT-NAM, ou même IL FAUT CHATIER LES MISÉRABLES QUI ONT OSÉ S'EN PRENDRE A UN ARTISTE ADMIRÉ DE TOUS... Les articles s'étaient succédé, vengeurs, réclamant justice. Certaines journalistes n'avaient pas craint d'écrire : « *On reconnaît une fois de plus la manière d'agir, et la traîtrise des agents à la solde du Viêt-Minh... Quand donc le gouvernement prendra-t-il des mesures pour débarrasser notre République nationale de l'abcès communiste?* »

Tous ces articles violents, Serge Martin les avait lus, un par un, à l'aveugle étendu sur son lit d'hôpital. Et, après les avoir lus, il avait conclu :

— Je finis par croire, cher ami, que nous avions fait un rude travail en vous faisant passer pour peintre... Il n'y a plus personne à Saigon et dans tout le Sud-Viêt-Nam qui ne soit convaincu que vous l'êtes! C'est pourquoi, il ne faut pas désespérer...

— Si vous vous figurez, avait répondu Jacques, que j'ai des regrets pour ma profession artistique!

— Je m'en doute... Mais vous n'avez quand même pas le droit de le dire! Dans l'esprit de tous, vous devez rester « le peintre aveugle », l'homme accablé par le destin qui ne pourra plus jamais exercer son métier... C'est cela qui attendrit les foules!

— Je n'ai que faire de leur pitié!

— Taisez-vous! Vous parlez trop haut! Je vous ai déjà fait comprendre que nous devions faire très attention à tout ce que nous disions dans cette chambre d'hôpital... Matin et soir, je l'inspecte minutieusement pour voir s'il ne s'y trouve pas un micro camouflé...

Surveillé, Jacques s'était bien rendu compte alors qu'il l'était! Il l'avait compris dès le deuxième jour, quand il avait commencé à reprendre conscience de ce qui lui était arrivé... C'était dans cette chambre d'hôpital, à l'odeur ripolinée, qu'il avait senti, pour la première fois de sa vie, ce qu'était une présence à ses côtés sans qu'il pût la voir... Une présence silencieuse qui l'avait veillé, observé, guetté, protégé peut-être? D'abord, elle s'était manifestée d'une façon douce, chaude, presque caressante : c'était la main de l'infirmière qui avait reçu l'ordre de ne pas le quitter d'une seconde... L'infirmière, choisie intentionnellement française par les dirigeants de l'hôpital, et dont il ne connaîtrait jamais le visage. Mais, à ce moment-là, il ne le savait pas encore, ayant conservé malgré tout l'espoir auquel on se raccroche désespérément même si un instinct secret, plus fort que toutes les paroles de consolation de l'entourage, dit qu'il n'y a plus rien à tenter.

La main de femme avait été remplacée, une semaine plus tard, par celle, tout aussi douce mais parcheminée, de l'antiquaire... Serge Martin qui, après être resté pendant des journées entières dans le couloir devant la porte, avait enfin eu le droit — en tant que meilleur ami — de pénétrer dans la chambre. Un Serge Martin dont la voix avait commencé à répéter inlassablement :

— Vous vous en êtes tiré, ami! Ce ne sera plus qu'une question de jours... Bientôt nous partirons, vous et moi, de cet hôpital...

Car il avait obtenu de remplacer l'infirmière la nuit, qu'il passait sur un lit de fortune, ou enfoncé dans un fauteuil, continuant à veiller, à protéger...

Il avait su se montrer un gardien impitoyable, ne s'absentant qu'à de très rares intervalles pendant lesquels il se faisait remplacer par un interne.

La garde avait été totale, permanente, farouche...

L'aveugle avait compris qu'elle était aussi dans le couloir, de l'autre côté de la porte où deux policiers se relayaient pour empêcher qui que ce fût, n'ayant pas d'autorisation spéciale, de pénétrer dans la chambre. C'était par ordre du gouvernement vietnamien qui avait bien été obligé de s'occuper de l'affaire à la suite du tollé général d'indignation... gouvernement qui avait fait prendre chaque jour des nouvelles par l'intermédiaire d'un envoyé personnel du ministre de l'Intérieur.

Quelques visites aussi s'étaient succédé, importantes et remplies d'attentions. Et, parmi elles, revenant régulièrement tous les deux ou trois jours, le commissaire Xi-Dien qui n'avait cessé de poser des questions auxquelles Jacques n'avait jamais pu répondre :

— Vous ne vous connaissez pas d'ennemi, monsieur Fernet? N'auriez-vous pas eu, par hasard, une altercation — même très bénigne — avec l'un de nos compatriotes? N'auriez-vous pas l'impression que votre succès d'artiste, aussi fulgurant que grandissant, aurait pu susciter quelques jalousies de peintres moins favorisés? Même, nous devons tout envisager, de confrères vietnamiens qui vous reprocheraient d'être français? C'est là une forme de nationalisme outré que nous déplorons mais qui peut exister, qui existe dans tous les pays!

A chaque fois, l'aveugle s'était borné à dire :

— Non, je vous assure, monsieur le commissaire, je ne me connais aucun ennemi...

Il fallait suivre la ligne de conduite indiquée par l'antiquaire, suggérée de loin par « la vieille chouette ». La vieille chouette qui avait fait dire à Jacques dans un message transmis par Serge Martin :

« *Surtout, ne répondez à aucune question de qui que ce soit.* »

C'était tout ce que le colonel Sicard avait envoyé comme message de sympathie.

Un matin, l'antiquaire, avait annoncé :

— J'ai une grande nouvelle pour vous, Fernet... Cet après-midi arrive par avion l'un des plus illustres spécialistes français de la vue. Il vous est envoyé, à la demande du gouvernement vietnamien qui a pris à sa charge tous les frais de déplacement, par nos Relations Culturelles... Il faut bien qu'ils se remuent là-bas! Votre « accident » y a fait aussi pas mal de bruit... On y accuse le gouvernement de ce pays de n'être même pas capable de protéger les éminentes personnalités artistiques qu'on lui fait l'honneur de lui envoyer!

Le grand spécialiste était arrivé à l'hôpital, entouré d'une nuée de médecins saigonnais. Après avoir procédé à un examen du blessé pendant plusieurs heures, il était reparti pour la France, réservant son diagnostic.

Ce fut à ce moment que Jacques comprit que tout était fini, bien fini et qu'il n'y aurait plus aucun espoir.

A la désespérance, avait succédé chez lui la prostration. Mais là encore, Serge Martin était venu à son secours :

— Il faut réagir... Que diable, Fernet, vous êtes un homme! Vous l'avez prouvé!... Aussi allez-vous m'écouter... Le spécialiste a dit que, dans quelques jours, on pourrait vous retirer définitivement le bandeau que vous avez sur les yeux et que vous ressembleriez à un homme normal, c'est-à-dire que personne ne pourrait se douter que vous êtes aveugle! C'est tout de même là un point capital! Vous vous rendez compte! Ça ne sert donc à rien de rester allongé... Avec l'aide de l'infirmière, qui vous est très dévouée, nous allons commencer dès aujourd'hui votre rééducation... Il faut que vous marchiez, que vous repreniez l'habitude de vous mouvoir comme si rien ne s'était passé...

La prodigieuse leçon d'énergie commença. Elle ne cessa plus, donnée d'abord dans la chambre, puis dans le couloir... Ensuite vint la première descente et la première remontée d'escalier, la première promenade dans le jardin de l'hôpital... Jacques s'appuyait sur le bras de l'antiquaire et se servait d'une canne.

Enfin vint le jour où le bandeau fut retiré.

— Comment sont mes yeux? avait demandé le peintre.

— Ils n'ont pas changé : toujours aussi bleus! avait répondu l'antiquaire.

— Que pensez-vous que dira ma mère quand elle les verra?

— Elle les embrassera...

Deux larmes silencieuses avaient coulé sur les joues de Jacques.

— Allons! Pas d'attendrissement inutile! Et je vais vous donner un conseil : maintenant qu'il n'y a plus de bandeau, il faut supprimer la canne! C'est ridicule, ces cannes d'aveugle... Ça excite inutilement une pitié que vous détestez autant que moi!

Les promenades dans l'hôpital et dans son jardin s'étaient multipliées, sans bandeau et sans canne, avec juste de temps en temps le bras de Serge Martin qui permettait d'éviter un obstacle. Tous ceux qui les croisaient avaient regardé avec une admiration à peine dissimulée le miracle obtenu par la volonté. Mais il était arrivé que l'aveugle s'arrêtât brusquement, demandant :

— On nous suit, en ce moment, je le sens... Qui est-ce, Martin?

— Personne, cher ami... ou plutôt si : une personne négligeable : un policier!

— Un homme du commissaire?

— On ne peut rien vous cacher!

— Mais enfin, pourquoi me faire suivre ainsi?

— Vous ne semblez pas vous douter que, pour le gouvernement vietnamien et même pour toute la population de ce pays, vous êtes devenu une personnalité beaucoup plus importante qu'avant? Le brave policier, attaché à vos pas, n'est nullement là pour vous surveiller mais pour vous protéger!

— Je n'ai pas besoin de leur protection!

— Je suis convaincu que vous en avez beaucoup moins besoin maintenant qu'avant...

— Je ne comprends pas?

— Soyons logiques : ceux qui vous en voulaient n'ont plus aucune raison de s'acharner après vous... Ils savent très bien que dans quelques jours, quelques semaines tout au plus, vous repartirez pour la France.

— Autrement dit, pour eux je ne suis plus dangereux?

— C'est un peu cela... Mais, si vous le permettez, nous reparlerons de ces choses plus tard, ailleurs qu'ici... A propos, j'ai une autre bonne nouvelle pour vous : les médecins de cet hôpital estiment qu'il n'est plus nécessaire que vous y restiez.

— Pour les soins qu'ils pourraient m'y donner désormais!

— Vous n'avez plus besoin d'aucun soin!

— Je sais...

— Aussi Kim va-t-il venir nous chercher cet après-midi avec la Chevrolet et nous retournerons chez moi où nous serons infiniment plus tranquilles! Vous connaissez déjà très bien la maison dans laquelle vous pourrez déambuler beaucoup plus à l'aise qu'au milieu de tous ces curieux qui, par leur excès de compassion, finiraient vite par vous paraître insupportables!

Les premiers mots de l'antiquaire avaient été, quand ils s'étaient retrouvés chez lui :

— Que diriez-vous d'un whisky?

— J'allais vous le demander.

— Avec Perrier?

— Avec Perrier, avait répondu calmement l'aveugle. Mais ce sera vous, à l'avenir, qui ouvrirez les bouteilles...

Après qu'ils eurent bu, Serge Martin avait repris :

— Puisque nous parlons de bouteilles, il me paraît indispensable — maintenant que nous n'avons plus à craindre d'indiscrétions — de faire la genèse des événements qui se sont produits au moment de l'attentat. Bien que vous me l'ayez déjà demandé à plusieurs reprises pendant vos longues semaines d'hôpital, si j'ai toujours hésité à vous répondre, ce n'est pas tant pour permettre à des souvenirs douloureux de s'estomper que parce qu'il me manquait des éléments essentiels d'appréciation des faits. Aujourd'hui cette lacune est comblée : je puis donc parler...

La bouteille Perrier a éclaté parce que vos ennemis — qui sont aussi les miens, n'en doutez pas! — ont placé sous la capsule de fermeture une charge de plastic. Celui qui la déboucherait était à peu près assuré d'être déchiqueté par la déflagration, ses voisins ou vis-à-vis également. Nous avons donc eu beaucoup de chance de nous en être tirés — pardonnez-moi cette expression, étant donné l'infirmité dont vous êtes maintenant affligé — à aussi bon compte! Normalement nous ne devions pas sortir vivants de la maison de la vieille Tchang : c'était exactement le but recherché par nos assassins.

» Qui sont-ils? Les Russes? Sûrement pas : s'ils avaient vraiment cherché à vous faire disparaître, ils auraient agi pendant que vous visitiez l'épave ou que vous vous trouviez à bord du *N. 625*. Souvenez-vous qu'ils ont déjà réalisé pareil exploit, dans un port britannique, à l'égard d'un certain homme-grenouille, commandant devenu célèbre pendant la guerre et dont l'appartenance à l'*Intelligence Service* ne faisait aucun doute. Disparu, volatilisé, l'officier anglais! Certains prétendent l'avoir reconnu sur une photographie prise deux années plus tard en U.R.S.S... Laissons-leur ces illusions! De toute façon l'agent ne nuira plus aux Russes! Ce qui prouve que quand ils le veulent, ils sont très forts. Mais avec vous, ils n'ont même pas cherché à l'être parce qu'ils étaient et sont encore persuadés que vous n'êtes qu'un peintre.

» A défaut des Russes, quels ennemis acharnés peuvent nous rester? Les Jaunes mon cher... Toujours eux! L'utilisation même de la bouteille d'eau minérale comme engin de mort n'est pas nouvelle dans ces régions. Pendant la guerre d'Indochine, il est fréquemment arrivé que les Viets s'en soient servi comme grenades après les avoir remplies d'une charge explosive. La forme étroite du goulot permet de les saisir facilement avec la main et le côté ventru du corps de la bouteille apporte le balan et le poids nécessaires pour l'envoi à une bonne trentaine de mètres. Ils l'employèrent aussi, comme cela s'est produit pour vous, en plaçant la charge juste sous la capsule : personne ne pouvait la remarquer car à l'intérieur, il y avait encore de l'eau. Combien de nos officiers et nos hommes ont été victimes de ce procédé! Ce fut à un tel point que l'utilisation de bouteilles de Perrier dans les popotes ou mess d'officiers et sous-officiers fut rigoureusement interdite par les autorités militaires françaises pendant les deux dernières années du conflit. Nous avons été des enfants — et moi particulièrement — de l'avoir oublié!

» Donc nous étions visés. La décision de nous abattre a dû être prise très rapidement, disons presque à la toute dernière minute quand nos adversaires se sont rendu compte que nous n'avions pas été dupes des assassinats de

Hô et de Raczinski : le fait même que le lendemain de leur mort, nous déambulions dans les rues de Cholon, en plein cœur du Q.G. communiste, le leur prouvait.

» Ce fut intentionnellement que je vous entraînai au *Piccadilly Hotel* : pour voir s'il y aurait une réaction d'adversaires dont je commençais à subodorer l'identité. « La vieille chouette » nous avait également donné l'ordre d'opérer à Cholon, ne l'oublions pas!

» Dès que M. Jojo nous a vus pénétrer dans son hôtel, il a compris et vous pouvez être certain que sa décision, ou celle de ses chefs, a été prise pendant le temps que nous avons passé à visiter ce lieu enchanteur alors qu'il nous attendait au bar de son établissement pour nous offrir la boisson de notre choix. Seulement c'est un malin! Il a dû se dire que ce serait très dangereux pour lui de nous assassiner chez lui! On ne fait pas disparaître si facilement deux étrangers dont l'un est devenu très populaire au Viêt-Nam grâce à son talent de peintre et dont l'autre est avantageusement connu des milieux les plus cultivés et les plus évolués de la nation par sa profession d'amoureux du Beau... La police du commissaire Xi-Dien n'aurait pas été plus longue à mettre son nez dans ses affaires qu'elle l'a été à s'occuper de celles de la dame Tchang. Je vous l'ai dit : la police vietnamienne est excellente.

» La dame Tchang? Pour un M. Jojo, elle n'est qu'un agent subalterne, dont il avait peut-être même intérêt à se débarrasser. C'était donc chez elle que l'attentat devait avoir lieu. Quand nous serions morts, sans doute serait-elle arrêtée mais ce ne serait pas trop grave! La vieille entremetteuse jouerait les victimes innocentes d'une sombre conspiration dans laquelle elle n'était pour rien! Une aussi sainte femme qui a donné cent piastres pour un temple élevé à Bouddha! De plus elle saurait se taire comme tous ceux ou celles qui sont terrorisés par l'organisation secrète chinoise. Elle préférerait même se laisser torturer par les nationalistes plutôt que de parler, connaissant depuis longtemps les raffinements de cruauté qui lui seraient réservés par ses chefs occultes si jamais elle les trahissait. Mieux vaut, croyez-moi, pour elle, être fusillée par ordre du gouvernement du Viêt-Nam que de retomber, libérée, sous le pouvoir des agents de Pékin !

» Le subtil M. Jojo ne perdit pas de temps ! Quand il nous conseilla d'aller rendre visite à la maison très accueil-lante de Mme Tchang, il savait très bien qu'il nous envoyait à la mort ! L'ennui pour lui est que nous sommes encore vivants... Mais le bonhomme est coriace, ses chefs encore plus que lui : ils reviendront à l'assaut... Seulement ce ne sera pas pour tout de suite ! Ils sauront attendre, avec toute la patience séculaire de leur race, que les esprits soient calmés, que le lâche attentat dont vous avez été la victime soit un peu oublié.

» Faire arrêter M. Jojo ? Le dénoncer à la police vietna-mienne ? J'y ai songé mais j'aurais commis là une erreur irréparable. Actuellement le bonhomme n'est pas inquiété et n'a aucune raison de l'être puisque j'ai pris bien soin d'omettre de révéler au commissaire Xi-Dien et à ses sbires, quand ils m'ont interrogé le lendemain de l'attentat, que nous nous étions rendus chez Mme Tchang sur les conseils du sieur Jojo. Si je l'avais dit, le directeur du *Piccadilly* aurait été aussitôt coffré et je perdais le seul rouage qui peut me permettre d'établir encore des « contacts » directs avec l'organisation adverse.

» Actuellement le bonhomme, je le sais, continue à mener ses affaires comme s'il ne nous avait jamais vus chez lui. Évidemment, il doit être un peu étonné que nous n'ayons rien dit de lui à la police. Mais notre silence même doit le rassurer : il pense que nous n'avons fait aucun rappro-chement entre ses véritables activités — qu'il croit que nous ignorons toujours — et celles de Mme Tchang. Il est même persuadé que nous sommes toujours ses amis et que je continuerai à passer avec lui des marchés pour l'achat de pièces d'art anciennes. Il est tout à fait dans mes intentions de lui laisser cette conviction et, d'ici deux ou trois jours, vous et moi nous irons lui rendre une visite de courtoisie comme si nous le tenions pour l'un de nos plus grands amis.

— Visite de courtoisie?

— Mais oui! Vous devez aller le remercier vous-même pour les innombrables marques de sympathie émue dont il a su faire preuve à votre égard pendant les semaines que vous avez passées à l'hôpital! Il n'y a pas eu de jour où il n'ait fait prendre de vos nouvelles! Il m'a même adressé une lettre, que je conserve précieusement, et dans laquelle il me dit — comme des centaines de braves gens de ce pays l'ont déjà fait — réprouver hautement l'attentat. Ce ne sont pas des marques de vraie sollicitude, ça? Le fait même qu'elles se multiplient de la part de ce bonhomme prouve que le jour où nous avons pénétré ensemble dans son hôtel, nous étions sur la bonne piste : ce sont les communistes chinois, et eux seuls, qui nous en veulent! Et ils nous en veulent — je maintiens mon opinion — parce qu'ils savent que nous les considérons très sérieusement comme étant les véritables détenteurs du document que de merveilleux techniciens du travail sous-marin ont réussi à prendre dans l'épave, une année avant les Russes. J'en arrive même à me demander, au cas où les MM. Jojo et autres se montreraient vraiment trop forts, si nous n'aurions pas intérêt à nous allier avec les « camarades » soviétiques?

— Vous êtes fou?

— Mon cher, j'estime que les gens qui en veulent le plus actuellement aux Chinois sont de loin les Russes! Mettez-vous à leur place : ils doivent difficilement digérer leur échec! Et s'ils ont fait savoir au gouvernement vietnamien qu'ils se désintéressaient à l'avenir des renflouements dans l'estuaire, cela ne signifie nullement qu'ils aient renoncé à mettre la main sur le document! Leurs agents secrets doivent être déjà en train d'opérer... Je ne désespère pas d'en rencontrer un ou deux du côté de Cholon! Il faudrait tout faire alors pour devenir ami-ami avec eux, en nous servant au besoin du patronage du camarade Grotoff. L'union ne fait-elle pas la force devant un adversaire redoutable?

— Si je comprends bien, vous préféreriez que le document fût aux mains des Russes plutôt qu'entre celles des Chinois?

— Sans aucun doute! Pour moi, tout Slaves qu'ils soient, les Russes restent des Blancs... Entre gens de même race on doit pouvoir s'entendre tandis qu'avec les Jaunes, cette possibilité est exclue.

— Tout ceci implique que vous avez l'intention de poursuivre les recherches?

— Mais je n'ai jamais cessé, bon ami! Même pendant le temps que vous venez de passer à l'hôpital, j'ai continué à vous préparer le terrain pour les jours à venir...

— Vous êtes vraiment plein de sollicitude! Seulement vous ne vous figurez tout de même pas que je vais continuer à remplir, dans l'état où je me trouve actuellement, la mission qui m'avait été confiée?

— Mais si! Vous allez continuer, Fernet! Comme l'a dit l'un de nos grands hommes, ce n'est pas parce qu'on a perdu une bataille que l'on ne gagnera pas la guerre! Admettons que le premier round, celui de l'estuaire, ait été nettement à notre désavantage... Dans le second, celui qui vient de commencer à Cholon, nous pouvons marquer des points.

— Parce que vous pensez qu'il y en aura un troisième?

— Je vous ai toujours dit que ce serait une affaire de longue haleine. Puisque les Jaunes ont le temps, nous le trouverons aussi!

— Vous le trouverez tout seul, Martin, ou avec un autre!

En ce qui me concerne, je vais demander immédiatement mon rapatriement dans la Métropole.

— Quel argument avancerez-vous pour l'obtenir

— Mon état de santé, figurez-vous!

— Mais votre santé est florissante, mon cher! Vous n'y voyez plus, c'est d'accord! Ce handicap mis à part, je vous considère comme étant beaucoup plus fort que quand vous y voyiez! La vieille chouette est de mon avis... Ses ordres vous concernant et reçus avant-hier par le relais de Pnom-Penh sont formels : vous devez rester dans ce pays et continuer à vous y promener...

— En aveugle?

— En aveugle que tout le monde estime parce que son amour du Viêt-Nam le pousse à ne pas quitter un pays qui l'a si bien accueilli et qui a su lui montrer tant d'affection sincère à un moment tragique de sa vie! Tour à tour, moi-même ou mon fidèle Kim, nous vous servirons de guide... Nous vous conduirons dans la Chevrolet, ou à pied dans les rues de Saigon, de Cholon, d'ailleurs peut-être? Il faut que l'on vous revoie, déambulant avec une grande sécurité malgré votre cécité... On ne vous en admirera que plus! Votre « cote d'amour » sera décuplée... Vous serez accueilli partout sans que l'on se méfie de vous... Un homme qui n'y voit pas a presque toujours ses autres facultés qui se développent d'une façon prodigieuse pour remplacer celle qui lui manque... Promenez-vous! Écoutez!... Vous avez la chance de savoir le vietnamien, le japonais, le russe et deux mille mots chinois : c'est considérable!

— Je vous répète que j'en ai assez! J'ai un contrat d'ingénieur, passé pour trois années avec la C.I.R.M., qui est régi par les lois sur les accidents du travail... J'ai l'intention, dès mon retour à Paris, de le faire jouer...

— Parce que vous estimez que l'incident de la capsule, dans une maison de rendez-vous de Cholon, a des chances d'être classé parmi les accidents du travail reconnus par les compagnies d'assurances? Permettez-moi d'en douter!... Soyez raisonnable, mon petit! Si vous savez l'être pendant les quelques semaines ou même les quelques mois où l'on vous demande de rester encore ici, je vous garantis qu'aussi bien les dirigeants de la C.I.R.M. que « la vieille chouette » — qui a toujours su reconnaître les services rendus — vous alloueront, à votre retour en France, en plus des appointements officiels auxquels vous avez droit, une indemnité très substantielle qui vous dédommagera de la terrible perte que vous venez de subir.

L'antiquaire s'était tu, espérant une réponse, mais l'aveugle restait silencieux. Enfin il se décida à demander :

— Ma mère a-t-elle été tenue au courant de... l'accident?

— Pourquoi l'aurait-elle été? Même si les journaux français en ont parlé, elle n'a pu faire aucun rapprochement entre un certain Jacques Fernet, artiste peintre, et son fils qui se nomme Pierre Burtin. C'est mieux ainsi : croyez-moi!

— Martin... Je suis un homme fini!

— Chut! Une nouvelle existence va commencer pour vous avec tout ce qu'elle pourra comporter de concentration cérébrale, de réflexion, d'étude auditive de tout ce qui vous entourera... Vous pouvez devenir, vous devez être le plus extraordinaire, le plus discret, le plus subtil, le plus dangereux aussi de tous les agents de renseignement. C'est-à-dire l'homme qu'il nous faut, face aux gens de Pékin... Ils ne pourront jamais croire maintenant que vous continuez à travailler pour nous. Pour eux ce serait aussi invraisemblable que cette utilisation qu'ont fait les Anglais pendant la dernière guerre, d'un pilote de chasse qui avait les deux jambes coupées : un homme-tronc qui a stupéfié l'Allemagne! L'infirme — pardonnez ce mot cruel — excite la pitié...

— Mais je n'en veux pas! Vous-même, quand vous m'avez obligé à ne plus utiliser de canne, m'avez dit qu'il ne la fallait pas!

— Il la faut pour le grand public, pour les jolies femmes aussi qui s'attendriront devant votre état et qui n'en aimeront que plus la couleur de votre regard ! Vous devez vous servir de votre cécité pour marquer d'immenses avantages vis-à-vis de nos ennemis ! La Cour des Miracles, je sais que c'est affreux et sordide... mais ça paie toujours ! L'adversaire lui-même aura pitié... Il sera décontenancé... Et il finira par croire que vous êtes moins nuisible. Ce jour-là, nous gagnerons !

— Vous n'êtes qu'un monstre, Martin !

— Je ne vous en veux pas de me le dire enfin... Il y a si longtemps que vous le pensez ! Si ça peut vous avoir soulagé, tant mieux !

— Je veux rentrer en France !

— Vous y rentrerez, soyez-en sûr, quand la « vieille chouette » aura trouvé quelqu'un qui soit capable de vous remplacer... Seulement, pour le moment, il doit penser que vous êtes irremplaçable ! Réfléchissez : il ne peut plus « fabriquer » un autre peintre et, même s'il y parvenait, ce ne serait jamais « le peintre aveugle », l'admirable victime !

— Vous êtes l'homme le plus cynique que j'aie jamais connu ! Et pourquoi vous faut-il un adjoint ? Pourquoi m'a-t-on envoyé ici alors qu'à vous seul, vous êtes parfaitement capable de tout mener, de tout réussir ! Depuis que je travaille avec vous, j'ai bien compris que je n'étais qu'une utilité, le cobaye, celui qui exécute ou que l'on envoie à la boucherie ! Mais le cerveau, c'est vous !

— Seul, je ne puis rien faire... Il y a trop longtemps que j'habite dans ce pays ! M'auriez-vous imaginé me mettant brusquement à la peinture, alors que l'on me connaît depuis plus d'un demi-siècle sous l'étiquette de collectionneur ou de marchand d'objets rares ? Vous me voyez, décidant subitement de naviguer sur une jonque dans l'estuaire, peignant devant un Raczinski ou les autres, faisant des

grâces à un Grotoff ? Personne n'y aurait cru au Viêt-Nam !
J'aurais été « brûlé » en quelques jours.

— Tandis que vous n'êtes toujours que « le vieil ami »
du peintre venu de France ?

— Exactement ! L'ami fidèle qui continuera à s'occuper
de celui qui ne peut plus travailler pour gagner sa vie, qui
fera tout pour que les toiles déjà peintes prennent une
valeur exorbitante qui fascinera ceux qui se croient des
connaisseurs ! Tout le monde comprendra, approuvera
mon attitude ! On trouvera juste que je vous aide à accu-
muler le pécule qui vous est nécessaire pour continuer à
vivre décemment... Et pendant que l'on croira tout cela, je
pourrai continuer tranquillement à mener à bonne fin la
mission qui « nous » a été confiée à tous les deux ! Mais ce
ne sera possible que si vous êtes là, à mes côtés ! Je sais
aussi qu'humainement, personne ne peut vous contraindre,
après ce qui vous est arrivé, à rester avec nous. Vous avez le
droit de démissionner comme vous l'avez déjà fait une fois,
au lendemain de la guerre. Nul ne pourra vous en tenir
rigueur... Ce n'est donc pas d'obéir à un ordre que nous
vous demandons, mais d'accepter volontairement de
continuer à nous aider encore pendant quelque temps.

L'aveugle ne répondait toujours pas. Serge Martin trouva
alors un argument décisif :

— Dites-moi, Fernet : estimez-vous que vous pouvez
rentrer actuellement en France avec la conviction d'avoir
réussi votre mission ? Si c'est oui, prenez l'avion dès demain.
Mais si c'est non ? Si, dans le fond de vos pensées, vous vous
dites : « Ce Serge Martin — ce monstre, comme vous
l'appelez ! — n'a peut-être pas tout à fait tort ? J'ai perdu
une manche mais je peux remporter la suivante et même la
belle : autrement dit, rapporter le document ! Après tout,
je n'appartiens pas à la race des vaincus... Le seul fait que
l'on ait cherché à me supprimer prouve que j'étais sur une
bonne piste ! L'erreur initiale, qui a fait que même les Russes

se sont trompés, n'est pas de moi! Donc, je m'acharne! »

Jacques attendit quelques instants avant de répondre :

— Je reste!

— Je ne vous dis pas merci parce que vous ne faites que votre devoir... Un autre whisky?

Dès le lendemain, on avait revu la Chevrolet, avec ses deux occupants, roulant doucement le long du port de Saigon à la tombée de la nuit. Le surlendemain, l'antiquaire et le peintre prenaient un demi au café installé à la Pointe des Blagueurs; le soir, ils dînaient au restaurant ultra-chic du *Majestic*. De jour en jour, de soirée en soirée, de nuit en nuit, on les retrouvait devisant de peinture, de musique, d'Arts, de Lettres... Partout, ils étaient accueillis avec respect, avec sympathie, avec admiration même... C'était à qui s'approcherait pour dire à l'aveugle : « Monsieur Fernet si vous aviez besoin d'une aide quelconque, je suis à votre disposition. » Mais à chacun, il répondait invariablement :

— Je vous remercie... Heureusement, j'ai avec moi un merveilleux ami !

Quand elles apercevaient le garçon blond, aux yeux toujours clairs, les belles Saigonnaises, émues, se rapprochaient. Leurs voix se faisaient tendres...

Le commissaire Xi-Dien, lui-même — qui semblait posséder un don d'ubiquité lui permettant de se trouver dans tous les endroits où les deux amis se rendaient — faisait preuve d'une extrême sollicitude, semblant s'intéresser infiniment plus à la valeur grandissante des toiles qu'à la cécité de l'artiste. Ce fut par lui qu'ils apprirent que l'enquête sur l'attentat, menée depuis des mois, n'avait donné aucun résultat appréciable et que l'on avait dû remettre en liberté l'honorable Mme Tchang dont l'entière bonne foi dans cette affaire ne pouvait faire aucun doute... Personne n'avait pu expliquer comment la bouteille mortelle avait pu se trouver dans sa maison, ni par qui elle avait pu y être apportée. La police avait cependant pris une sanction exemplaire : la maison de rendez-vous avait été définitivement fermée. Depuis, sa tenancière avait disparu.

— Ce n'est pas une perte! avait conclu le commissaire en souriant.

Mais, après son départ, Serge Martin avait dit à Jacques :

— La disparition de Mme Tchang était prévisible. Dès que la police l'a remise en liberté, M. Jojo a dû s'occuper d'elle... Plaignons Mme Tchang!

Trois autres mois s'écoulèrent pendant lesquels l'aveugle acquit la certitude de découvrir le vrai visage du Viêt-Nam — à travers les explications et les commentaires que ne cessait de lui prodiguer son compagnon au cours de leurs randonnées quotidiennes — beaucoup mieux que s'il avait continué à voir les gens et les choses. Serge Martin appelait cela : parfaire les connaissances asiatiques.

Depuis quelque temps aussi, il arrivait que l'on vît le peintre attablé seul, après que la Chevrolet, conduite par le fidèle Kim, l'eut déposé à l'entrée d'un restaurant ou d'un bar. Kim attendait respectueusement devant la porte, prêt à satisfaire les moindres désirs de Jacques pour lui rendre l'existence moins pénible. Le dévouement du boy était total : ce fut la période où Jacques comprit qu'il s'était trompé et que Serge Martin avait eu raison de lui dire, le lendemain de son arrivée au Viêt-Nam :

« Depuis des années que je l'ai à mon service, j'ai pu juger Kim : c'est un serviteur comme on n'en fait plus et surtout comme on n'en trouve plus en Europe! »

C'était lui qui avait voulu que Jacques commençât à se montrer en public, escorté du seul Kim :

— Il ne faut pas, si nous voulons que vous captiez définitivement la confiance de tous et que les gens parlent devant vous sans se gêner, que l'on nous voit toujours ensemble! Vous pourrez apprendre ou entendre ainsi beaucoup de choses que les gens ne diront jamais en ma présence parce qu'ils me savent trop averti des choses de ce pays.

Des itinéraires étaient minutieusement établis à l'avance par Serge Martin, de concert avec le boy. C'était une sorte de ratissage méthodique de Saigon et de sa banlieue pour permettre à l'aveugle de se familiariser de plus en plus avec la capitale. Un jour sur deux l'antiquaire servait de guide, le lendemain c'était Kim. Serge Martin profitait alors de ces jours de répit pour s'occuper de ses collections, pour aller fouiller chez ses confrères antiquaires d'où il rapportait toujours quelque merveille ignorée.

— Il est indispensable, disait-il à Jacques, que l'on sache que mon commerce continue. Si vous, vous ne pouvez plus peindre, moi je ne dois pas oublier qu'il faut que je reste, dans l'esprit de tous, « l'antiquaire »...

Selon ce qu'avait annoncé Serge Martin, ils étaient retournés rendre visite à M. Jojo au *Piccadilly Hotel*. Le directeur les avait accueillis avec des transports de joie, ne cessant de répéter combien il avait été bouleversé par le lâche attentat. Lui aussi, plus que tout autre, s'était mis à leur entière disposition, offrant même — si cela pouvait distraire M. Fernet — d'envoyer quelques jeunes femmes expertes chez l'antiquaire, précisant que ce n'était pas l'usage de faire ainsi des « livraisons à domicile » mais que, pour de tels amis, il se ferait un devoir de déroger à la règle.

Serge Martin et Jacques avaient décliné l'offre tentante mais n'avaient pas refusé le whisky, agrémenté de Perrier, versé généreusement par M. Jojo dans le bar de son hôtel. Et tous trois avaient bu, trinquant à l'avenir du Viêt-Nam et au développement de ses Arts.

En sortant, Serge Martin avait dit à Jacques :

— C'est un succès, mon cher! Le bonhomme est maintenant persuadé que nous ne le soupçonnons de rien! C'est drôle comme on parvient à tromper les gens, même en Chine...

Mais hier, en fin d'après-midi, alors qu'ils revenaient une fois de plus de ces « promenades instructives », Jacques avait déclaré :

— J'en ai assez, Martin! Vous trouvez vraiment que, depuis que nous errons ainsi un peu partout, nous avons fait du travail utile? que nous avons progressé? Nous n'avons rien appris et le document court toujours!

— S'il courait, bon ami, « la vieille chouette » nous aurait ordonné de changer de tactique. Et il n'en est rien! Chacun de ses messages dit : « *Continuez les promenades.* » Vous verrez que ce sera brusquement, alors que vous commencerez à désespérer, que les événements se précipiteront... En ce moment, nous nous adonnons à une tâche difficile : la conquête progressive d'un monde que vous ignoriez. J'ai toujours été persuadé que ceux qui ne possèdent plus la trop grande facilité de la vue, doivent être plus aptes à déceler le côté sournois de certaines races...

— Pour la dernière fois, je vous demande de me faire rapatrier en France!

— Pour la dernière fois?

— Cela signifie que si vous ne le faites pas, je vous fausserai poliment compagnie et que j'y rentrerai sans l'aide de personne.

— Je serai contraint de considérer ce geste comme une désertion... Mais comme je ne veux pas en arriver à une aussi regrettable extrémité, je suis prêt à tout tenter pour vous rendre le goût de « notre » profession... Sachez que je comprends très bien que vous soyez découragé : vous avez l'impression de piétiner... Que diriez-vous si, pour un soir, nous oubliions complètement notre mission et nous faisions tous deux une sortie de garçons? uniquement pour nous distraire?

Jacques l'écouta, étonné, pendant qu'il continuait:

— J'ai une excellente idée : je vais vous emmener à Cholon...

— Encore!

— Pas chez M. Jojo, rassurez-vous! Mais dans un endroit assez étonnant où vous n'avez encore jamais mis les pieds et qui se nomme *Le Grand Monde*...

— Rien que cela!

— Mais oui! Et vous comprendrez vite que l'établissement justifie son appellation... On y trouve les plus jolies *taxi-girls* du monde! Venez! cher ami... Après une nuit paradisiaque, vos vilaines idées noires seront dissipées!

C'était ainsi que Jacques avait fait la connaissance de Maï.

Depuis cette minute, un réel bouleversement s'était produit dans son existence. Cette nuit seule avait suffi pour qu'il éprouvât d'abord le besoin impérieux de revivre complètement l'aventure commencée par la lecture d'nue annonce dans un journal, ensuite pour qu'il découvrît que Serge Martin — cet homme qui lui avait toujours paru n'avoir peur de rien — était très inquiet depuis qu'il avait appris l'étrange prédiction de la *taxi-girl*.

Serge Martin, que Jacques attendait toujours dans sa chambre, et qui ne revenait pas! Ne serait-ce pas urgent de descendre prévenir Kim de la diparition incompréhensible de son maître? Mais les paroles même de Maï, au sujet du boy, le faisaient hésiter : si Kim était réellement un ennemi, ne serait-ce pas une folie que de se trouver à nouveau face à face avec lui, sachant que l'antiquaire n'était pas à ses côtés? Pour la première fois depuis le commencement de cette nuit, un très réel sentiment d'angoisse empoigna l'aveugle. Il avait presque envie de crier pour appeler au secours! Mais à quoi cela aurait-il servi? La seule personne qui aurait pu accourir était justement celle dont il fallait se méfier : Kim!

A moins que la *taxi-girl* n'ait fait ces révélations, comme l'avait suggéré à un moment Serge Martin, que pour se donner de l'importance? Non, il n'était pas concevable qu'une voix aussi douce, paraissant aussi sincère, eût fait un tel mensonge, jetant le doute sur un boy dont le dévouement jusqu'à ce jour, avait toujours été exemplaire! Si Maï avait parlé ainsi, c'était parce qu'elle était très bien renseignée. Mais par qui? Était-elle une amie ou une ennemie? Serge Martin l'avait bien dit : « Dans ce pays, il faut apprendre à se méfier de tout le monde, et d'abord de ses amis! » D'où venait cette Maï?

L'antiquaire, dont la connaissance approfondie des milieux chinois étonnait de plus en plus son compagnon, n'avait-il pas dit, quand il la lui avait décrite dans la voiture pendant qu'ils revenaient vers Saigon : « *Elle a la taille fine et elle est anormalement grande pour une femme d'Extrême-Orient : ce qui confirme ma conviction qu'elle a beaucoup plus de sang chinois que vietnamien. Il n'y a que dans la Chine de l'Est que l'on trouve de telles créatures...* » La majorité des *taxi-girls* du *Grand Monde* n'étaient-elles pas chinoises? comme les chanteuses du *Piccadilly Hotel* et les pensionnaires de Mme Tchang? Certes, elles étaient d'une autre classe et d'un niveau nettement plus élevé, mais pour peu que l'on se donnât la peine de les étudier un peu, on devait retrouver le même type, le même caractère, le même genre de femme. Maï, c'était la Chine... et la Chine, c'était l'ennemie! Si elle lui avait donné l'avertissement, ce n'était peut-être pas dans un élan de sympathie, mais au contraire pour semer dans son esprit une sorte de peur latente qui le pousserait à abandonner les recherches et à quitter au plus vite le Viêt-Nam? N'était-ce pas là le troisième avertissement après les assassinats de Hô et de Raczinski? Ces paroles « *Si vous ne prenez pas de sérieuses précautions, vous serez assassiné dès que paraîtra la prochaine lune* » ne voulaient-elles pas dire : « Ce n'est pas parce que nous vous avons rendu aveugle que nous sommes satisfaits! Puisque vous vous entêtez à poursuivre votre mission au lieu de vous faire rapatrier, nous n'hésiterons pas à vous supprimer! »

Et une lueur fulgurante traversa le cerveau enfiévré de Jacques. Comment n'avait-il pas pensé à cela tout de suite ? Cette menace, c'était la preuve irréfutable qu'en continuant à se promener à Cholon, il était dans le vrai, que Serge Martin et « la vieille chouette » avaient raison une fois de plus ! D'autres paroles de l'antiquaire bourdonnaient à ses oreilles : « *Vous verrez que ce sera brusquement, alors que vous commencerez à désespérer, que les événements se précipiteront !* »

Hier soir, au *Grand Monde*, les événements s'étaient précipités : une *taxi-girl* inconnue avait parlé ! C'était pour cela uniquement que Serge Martin s'était montré subitement inquiet. Il avait tout de suite compris que le danger était réel, et non pas dû uniquement à l'imagination d'une jeune femme romanesque. Puisqu'un délai très court avait été fixé à ce danger, c'était signe qu'en se rendant au hasard au *Grand Monde*, lui et Serge Martin étaient tout près de retrouver la filière qui avait semblé interrompue par l'explosion de l'épave. Ils brûlaient... C'était pourquoi les adversaires voulaient maintenant le faire disparaître, lui et son ami sans doute, avant vingt-quatre heures ! Il fallait retourner au *Grand Monde* et faire parler encore la *taxi-girl !* Si seulement Serge Martin était là, il lui aurait dit de l'y conduire immédiatement ! Mais où pouvait-il être ? A moins qu'il n'y fût retourné seul, hanté par la même idée ?

Au moment où, pour la dixième fois depuis qu'il s'était rendu dans la chambre de l'antiquaire, il se demandait si jamais il reviendrait, Jacques entendit un très léger craquement sur le palier. Instinctivement, il se blottit derrière le rideau d'une penderie où il avait remarqué — quand il voyait — que Serge Martin accrochait des affaires personnelles courantes tels qu'une vieille robe de chambre, un pyjama, un manteau de pluie, ses jumelles même... Et il attendit, retenant son souffle.

La porte donnant sur le palier s'ouvrit sans bruit et

l'homme dont il aurait reconnu les pas n'importe où, s'approcha d'abord du lit sur lequel il déposa un objet, puis se dirigea vers la chambre voisine : celle de Jacques. Dans tous ces mouvements, Serge Martin faisait preuve d'une extrême précaution, comme s'il cherchait toujours à ne pas réveiller celui qu'il croyait endormi.

Dès qu'il eut pénétré dans la chambre voisine, Jacques courut vers le lit où avait été déposé l'objet et il le saisit : c'était la carabine. Fébrilement, il la tâta : elle était armée, une balle dans le canon. Il la prit et se planta debout, près du lit face à la porte de communication.

Il entendit un juron proféré par l'antiquaire qui, après avoir découvert son absence dans la chambre, revint à pas rapides. Dès qu'il le sentit sur le seuil des deux pièces, Jacques dit très calme, en visant dans sa direction :

— Arrêtez-vous, Martin, sinon je tire!

— Ah çà! Vous êtes fou?

— Moins que vous ne le croyez! D'où venez-vous?

— Je ne vous le dirai que quand vous aurez remis cette arme sur le lit.

— Et si je vous abattais?

— Ce serait votre plus grave erreur, mon cher!

— Qu'est-ce qui me prouve que vous êtes mon ami, ou tout au moins mon allié?

— Rien, en effet...

— Vous croyez que je n'ai pas eu le temps de réfléchir depuis que je n'y vois plus? A deux reprises cette nuit, j'ai déjà pensé que vous vouliez me tuer lâchement! Je ne dormais pas figurez-vous!

— Félicitations! Vous avez acquis de remarquables dons de dissimulation... N'importe qui, à ma place, aurait cru que vous reposiez du sommeil du juste! Oui ou non, allez-vous cesser de faire l'enfant avec ce jouet dangereux?

— Vous avez peur? L'invincible Serge Martin! Le Prince des Antiquaires qui tremble!

— Et vous, vous avez trop d'imagination! Je n'ai jamais tremblé de ma vie, ce n'est pas cette nuit que je commencerai! Ceci pour deux raisons : d'abord, quand on ne voit pas — comme c'est malheureusement votre cas — on vise mal! Je sais : il y a la voix... Mais rien ne prouve que je n'ai pas déjà changé de position et que je ne parle pas d'une certaine façon pour vous donner l'impression que je suis à tel endroit de la pièce plutôt qu'à tel autre... Tirez donc pour voir! Vous serez déçu sur la précision de vos facultés auditives! Ensuite, je sais que vous ne tirerez pas!

— Qui pourrait m'en empêcher?

— Vous-même, Fernet! Parce que vous êtes un garçon intelligent... Je ne vois pas très bien ce que vous deviendriez, seul avec Kim, si je n'étais plus là.

— Rien ne prouve que ce n'est pas vous dont je dois me méfier d'abord, que vous n'êtes pas le tueur annoncé qui m'abattra avant la nouvelle lune.

— Les prédictions de la jolie fille? Vous leur attachez donc de l'importance, maintenant! Je croyais qu'elles ne vous intéressaient pas? La nuit vous a sans doute fait changer d'avis... Eh bien! vous avez raison : l'une des prédictions est vraie!

Il y eut un silence.

— Pourquoi ne tirez-vous pas? continua la voix de l'antiquaire. Parce que vous en êtes arrivé à ce point, mon petit, que vous ne savez plus où sont vos amis et vos ennemis. Je reconnais que n'importe qui à votre place pourrait perdre un peu la tête! Seulement vous n'êtes pas n'importe qui! Ne l'oubliez pas! Ce n'est pas parce qu'il atteint un certain degré d'énervement et d'exaspération qu'un homme, ayant accepté sciemment une mission telle que la vôtre, peut se permettre des crises de nerfs... Sinon cet homme devient dangereux pour ceux qui travaillent avec lui, et ceux-ci n'ont plus qu'une solution : le faire disparaître! Vingt fois, cent fois, j'aurais pu le faire : j'en ai le pouvoir, donné en haut lieu! Si je n'ai pas agi dans ce sens, c'est que je persiste — tout comme « la vieille chouette » — à croire dans vos possibilités... Le seul fait que vous ayez reçu hier soir un tel avertissement au *Grand Monde* prouve qu'elles sont grandes : vos adversaires les estiment au point de vouloir vous supprimer, même aveugle! N'est-ce pas là une sorte d'hommage de leur part à l'égard du travail d'approche que vous avez déjà accompli? Pour la dernière fois, posez cette arme sur le lit, Jacques!

Lentement, « le peintre » obéit.

— Maintenant, écoutez-moi! poursuivit la voix qui s'était radoucie. La *taxi-girl* ne s'est pas moquée de vous quand elle vous a dit de vous méfier de Kim... Si j'ai quitté cette chambre tout à l'heure, c'est parce que je voulais être fixé sur le compte de mon boy! Je suis descendu : il n'était pas dans sa chambre, ni dans la maison... J'ai été dans le jardin pour l'attendre... et croyez-moi, je sais attendre! J'ai aussi l'oreille fine, familiarisée avec les moindres bruits de nos nuits d'Extrême-Orient... Je ne sais trop pourquoi une sorte d'instinct m'a poussé à me diriger vers la tombe de Raczinski, au pied du sycomore, et là, adossé à l'arbre comme l'était notre pauvre ami, j'ai attendu encore... Mais je n'étais pas attaché, j'avais les bras libres et ma carabine! Je ne sais si vous avez remarqué que ce sycomore est situé au fond du jardin, presque contre la clôture. De l'autre côté c'est la route de Saigon. J'étais là depuis une bonne demi-heure quand j'ai entendu le bruit d'une auto, venant de la capitale. Le moteur s'est arrêté à une centaine de mètres de l'endroit où je me trouvais. Je me suis caché derrière le sycomore et tout à coup j'ai aperçu une silhouette qui sautait au-dessus de la clôture avec une agilité surprenante pour retomber dans le jardin : ensuite elle a couru dans la direction de la maison. C'était Kim. Quand j'entrouvris doucement la porte de sa chambre quelques minutes plus tard, il était allongé sur sa natte, dormant...

Plus exactement faisant semblant de dormir, comme vous! Il m'a certainement vu, mais cela n'a aucune importance : il sait qu'il m'arrive souvent de faire ainsi des rondes nocturnes dans ma demeure quand je suis frappé d'insomnie. Je suis comme vous : il y a des nuits où je n'ai pas du tout envie de dormir! Et je suis remonté ici où je vous ai retrouvé l'arme à la main. Cette petite expérience prouve simplement que Kim a des amis à l'extérieur, des amis qui viennent le chercher et qui le ramènent en voiture... Ceci explique aussi que Kim n'ait rien vu, rien entendu quand on a transporté le Polonais de sa chambre jusqu'à l'arbre pour le décapiter! Donc Kim est suspect. Et puisqu'il l'est, la jeune Maï ne nous a pas menti! Voilà, mon bon ami, la raison pour laquelle j'ai pris le risque de vous laisser seul pendant une bonne heure. Vous m'en voulez toujours?

— J'ai été stupide!

— Disons que vous avez eu un réflexe normal d'auto-défense et n'en parlons plus!

— Que comptez-vous faire?

— Pour le moment essayer de prendre quand même quelque repos... Plus rien ne se passera pendant le reste de cette nuit. Demain, par contre, sera une journée capitale puisque, le soir même, nous serons gratifiés de la nouvelle lune... Quelques heures de répit, ce n'est pas beaucoup, mais c'est considérable quand on sait ce qui vous attend... Vous aussi, retournez vous allonger en essayant de penser à la jolie fille qui vous veut du bien. Je vous répète qu'elle est la plus belle de toutes : ce sera pour vous un excellent dérivatif! Je ne vous dis plus « bonne nuit » mais « à demain matin »...

Au moment où Jacques rejoignit sa chambre, il ajouta :

— Ah! Un dernier conseil de la plus haute importance : quand Kim vous apportera le petit déjeuner, soyez souriant comme un homme qui a passé une excellente nuit et qui est enchanté de le revoir. Ceci, sans exagération... Pendant que vous rêverez à Maï, je penserai très sérieusement à votre emploi du temps de la journée...

L'aveugle était à nouveau sur son lit, sachant qu'il ne trouverait pas le sommeil. Mais l'antiquaire avait eu raison de lui conseiller le dérivatif : Maï.

Volontairement il oublia tout pour ne plus penser qu'à la fille du *Grand Monde*, à celle dont il ne pourrait jamais voir le visage mais qui, bien qu'elle fût chinoise, était peut-être sa plus grande alliée.

— J'espère que Monsieur a bien dormi ? fut le salut de Kim apportant le petit déjeuner.

— On ne peut mieux, mon brave Kim ! répondit Jacques. J'ai rêvé que la plus jolie fille de Saigon était devenue amoureuse de moi...

— C'est un très beau rêve, dit Kim en souriant avant de s'en aller.

Quelques minutes plus tard, Serge Martin était à son tour dans la chambre :

— Alors, bon ami, cette fin de nuit a été moins pénible que le commencement ?

— Infiniment moins ! J'ai suivi vos conseils : le dérivatif...

— La prise de contact matinale avec Kim a été cordiale ?

— Plus que cela : souriante...

— Parfait ! Quand nous nous sommes quittés cette nuit, j'ai omis de vous demander si vous aviez fait un projet de promenade pour aujourd'hui. En principe, c'est au tour de Kim de vous servir de guide et pas au mien.

— C'est exact. J'avais décidé, pour me changer un peu des pérégrinations dans ce Cholon dont je commence à avoir par-dessus la tête, de retourner à Saigon du côté de la Pointe des Blagueurs.

— Excellente idée ! Aviez-vous mis Kim au courant de ce

projet pendant la promenade que vous avez faite avec lui avant-hier?

— Oui.

— Voilà qui est très intéressant... et dangereux! Vous risquez, en effet, qu'à cette Pointe des Blagueurs on ne vous réserve une blague sinistre... Il ne faudra rien changer à vos projets : vers 16 heures, vous monterez le plus naturellement du monde dans la Chevrolet conduite par Kim. Selon votre habitude, vous vous installerez à côté de lui et la voiture partira. Je ne serai pas là pour vous souhaiter bonne promenade : je vous aurai quitté ostensiblement un quart d'heure plus tôt pour me rendre à pied, dans le voisinage, chez l'un de mes vieux amis, le Dr Klein — un Allemand implanté dans ce pays depuis des années — avec qui j'a fait pas mal d'échanges de figurines en terre cuite : lui aussi c'est un collectionneur... Nous nous retrouverons le soir ici, à votre retour vers 19 heures.

— Vous me laissez seul avec Kim juste avant la nouvelle lune?

— Il le faut pour voir si la deuxième prédiction de l'aimable Maï se réalisera : le projet de votre assassinat... Mais n'ayez aucune inquiétude! Vous serez protégé à temps si jamais un événement survenait.

— Par qui?

— Disons : par votre ange gardien!

A 16 heures, Kim ouvrait la portière de la Chevrolet dans laquelle monta Jacques, puis le boy prit place au volant. Pendant l'aller, Jacques lui demanda :

— Tu connais ce Dr Klein auquel ton maître a été rendre visite?

— C'est un grand ami de M. Martin. Lui aussi possède de belles collections...

Un quart d'heure plus tard, la Chevrolet arrivait devant l'entrée du café restaurant installé à la Pointe des Blagueurs.

Au moment où elle stoppa, une rafale de mitraillette crépita. Le réflexe de l'aveugle fut immédiat : il se baissa, ainsi que Kim, à l'abri du tableau de bord. Presque simultanément une nouvelle rafale avait retenti au milieu des cris des consommateurs attablés à la terrasse et des passants, puis ce fut le silence...

Une voix, que Jacques reconnut aussitôt, demanda à la portière parsemée de trous d'impact :

— Êtes-vous blessé, monsieur Fernet ?

— Je n'en ai pas l'impression, lieutenant Dàng-Ngoc-Tuê! répondit Jacques en se relevant. Mais attendez : je vais quitter ce siège pour voir...

Il sortit de la voiture, sans même que l'officier de police ait eu besoin de l'aider, avant de demander :

— Me voyez-vous saigner quelque part ? Moi, je ne sens rien...

— Vous êtes indemne, constata le lieutenant. C'est un vrai miracle!

— Disons que ce sera le deuxième! Gare au trois! Que s'est-il passé exactement ?

— On a voulu vous abattre... Seulement nous avions été prévenus par votre ami Martin... Votre assassin, lui, n'a pas échappé à mes hommes : il est là, par terre, pour longtemps! C'est sûrement un tueur du Viêt-Minh.

— La deuxième rafale entendue ?

— Elle a été pour lui...

— Et Kim ? demanda l'aveugle. Il ne bouge pas sous son volant! Il doit être touché!

A cet instant une voix dit du fond de la voiture :

— Kim n'a rien, lui non plus! D'ailleurs le contraire m'aurait surpris : sa mort n'était pas prévue au programme de l'après-midi...

— Vous étiez donc dans la voiture ? demanda Jacques ahuri.

— Depuis le départ, cher ami! répondit l'antiquaire.

Pour rien au monde, je n'aurais voulu vous laisser participer seul à un tel festival! Je suis un peu acrobate aussi, à mes moments perdus... Ça t'épate, cela, Kim? Tu ne t'attendais pas à ma présence? Maintenant, relève-toi et reprends bien sagement ton volant sans bouger... Je ne te quitte pas : je suis derrière toi, comme ton ombre! Lieutenant, avons-noue des pneus crevés?

— Non, monsieur Martin.

— Dans ce cas, nous pouvons rouler! Le mieux serait donc, pour éviter un nouvel attroupement, de rentrer d'urgence à la maison. Peut-être y a-t-il encore quelques amis du mort dans les parages? N'est-ce pas votre avis, lieutenant?

— Vous avez raison, monsieur Martin... Je vais vous faire escorter par deux de mes hommes en moto.

— M. Fernet et moi sommes très sensibles à un pareil honneur que l'on ne réserve généralement qu'aux personnalités de choix! Pendant ce temps, lieutenant, vous pourrez commencer immédiatement l'enquête sur place!... Si vous obteniez quelques détails, soyez aimable de nous les communiquer, ne serait-ce que par un coup de fil. Et nous restons à votre entière disposition, bien que notre témoignage me semble devoir s'annoncer comme des plus faibles! Personnellement, je n'ai rien eu le temps de voir... Quant à M. Fernet, il était encore plus mal placé pour se rendre compte de ce qui se passait!... Eh bien! Kim, qu'est-ce que tu attends pour embrayer? La peur t'aurait-elle paralysé à ce point? En route, mon garçon! Direction : la maison!

Le boy se raidit et fit un visible effort pour conduire à nouveau. Quelques secondes plus tard, la Chevrolet roulait, encadrée par deux « motards » de la police vietnamienne, dont les sirènes ne cessaient de hurler pour ouvrir le passage.

— Un vrai retour de roi! dit doucement Serge Martin toujours installé sur la banquette arrière. Et surtout, mon boy adoré, conduis bien sinon ce petit joujou, qui te caresse l'échine depuis que tu t'es accroupi, te réglera ton compte! Ni mon ami Jacques ni moi ne craignons de te voir mourir au volant : la voiture fera une belle embardée et ce sera tout! Ma pauvre vieille Chevrolet est déjà dans un si piteux état que quelques cabosses de plus sur sa carrosserie ne se remarqueront même pas! Je sais aussi que tu ne tiens pas à mourir : tu es trop lâche, Kim!

Jacques, toujours assis à côté du boy, comprit que le canon du revolver de Serge Martin restait appuyé en permanence contre le dos du boy.

— Mon cher Jacques, poursuivit l'antiquaire, je vous dois une petite explication pour ma présence assez imprévue dans cette voiture. Quand je vous ai quitté, un quart d'heure avant votre départ de la maison, je n'ai pas été très loin! Je me suis tout simplement camouflé derrière le massif d'hortensias qui décore ma pelouse; j'ai attendu que Kim ait amené la voiture devant le perron et en soit descendu pour aller vous chercher. Aussitôt j'ai couru jusqu'à la voiture où je me suis tapi sur le plancher arrière, en contorsionniste à cause de mes grandes jambes! Kim vous a ouvert la portière de droite pour que vous puissiez monter dans la voiture, puis il en a fait le tour pour s'installer au volant. Et vous êtes partis, sans vous douter que « l'ange gardien » était allongé, le joujou en main, sur le plancher, à quelques centimètres de vous deux... Quel charmant voyage nous avons ainsi fait tous les trois! Une certaine connaissance des mœurs de ces régions me permettait de me douter un peu de ce qui se passerait à l'arrivée : c'est toujours quand une voiture ralentit ou s'arrête que ses occupants sont le plus vulnérable... Tout était prévu pour vous accueillir à la Pointe des Blagueurs! Le tueur savait exactement où vous seriez assis et Kim savait également que, dès qu'il aurait freiné, il devrait se baisser : ce qu'il a fait aussi vite que vous... Si vous pouviez y voir bon ami Jacques, vous

310

constateriez que le pare-brise est absolument intact sur sa moitié gauche, celle qui se trouve devant le conducteur : on a dû choisir un tireur d'élite qui avait l'ordre de ne viser que vous! J'avais pris soin de prévenir également ce matin le commissaire Xi-Dien qui n'a pas hésité à nous déléguer sur place l'aimable lieutenant Dàng-Ngoc-Tuê : je vous ai déjà dit que la police vietnamienne pouvait se montrer très efficace et qu'un jour ou l'autre nous aurions sans doute besoin de ses services...

Après une courte interruption, il reprit :

— Et toi, Kim, qu'est-ce que tu penses de tout cela? Tu dois t'estimer très heureux que je ne t'aie pas livré à la police du commissaire que tu ne dois pas chérir beaucoup et dont tu connais les méthodes pour faire parler les boys de ton acabit? Entre elle et mon revolver, qui t'imposait le silence, tu as choisi! Tu as opté pour cette délicieuse caresse de ton maître qui te fait encore frissonner! Comme tous ceux de ta race, tu es un raffiné : tu aimes les plaisirs silencieux qui durent... Je pense que tu as bien fait! Ce ne sera que tout à l'heure, quand nous nous retrouverons « en famille », tous les trois chez moi, que je verrai si je dois te livrer au commissaire ou, au contraire, lui faire croire que toi aussi, tu as failli être victime de ce nouvel attentat... Tout dépendra de la bonne volonté dont tu feras preuve pour répondre à mes questions... Pour le moment, je vais te donner un ordre : quand nous arriverons à l'entrée de mon jardin, tu t'arrêteras un instant pour que je puisse dire deux mots à ces solides gaillards qui nous escortent. Ensuite tu nous conduiras jusqu'au perron où tu laisseras la voiture dont tu descendras pour entrer avec nous dans la maison. Mon joujou ne cessera pas d'effleurer ta jolie épine dorsale! Après nous verrons...

Les choses se passèrent exactement comme l'avait décidé Serge Martin. Pendant le court temps d'arrêt devant l'entrée du jardin, il avait dit en vietnamien aux policiers :

— Merci, messieurs... Puis-je vous demander de rester ici encore pendant quelque temps?

— Le lieutenant nous en a donné l'ordre, monsieur Martin.

— Ça ne m'étonne pas de sa sollicitude! Bien entendu, si, par hasard, des journalistes ou curieux se présentaient — les nouvelles courent si vite, dans ce pays! — je vous demande de les éconduire poliment, mais fermement!

— Vous pouvez compter sur nous.

— Si vous saviez, messieurs, combien mon cher ami Fernet, ce pauvre Kim qui tremble encore de tous ses membres et moi-même vous sommes reconnaissants de cette protection! Nous nous sentirons tellement plus à l'aise, sachant votre présence toute proche...

La voiture avait pénétré, débarrassée des motards, dans l'allée conduisant au perron. Ses trois occupants en étaient descendus.

Dès qu'ils furent dans le vestibule, l'antiquaire prit soin de verrouiller intérieurement la porte d'entrée, avant d'ordonner au boy :

— Mets-toi debout contre le paravent chinois, les bras en l'air et la face contre la laque. Je n'ai plus envie, pour l'instant, de contempler ta vilaine frimousse! Quant à vous, cher ami, prenez le joujou...

Il tendit le revolver à Jacques.

— ... et maintenez-le contre le dos de ce jeune voyou. S'il esquisse le moindre mouvement, vous tirez! Vous qui vous exerciez cette nuit à tenir une arme à feu, vous serez très à l'aise : inutile de viser quand le canon reste appliqué contre la cible! Je reviens dans quelques minutes...

A son retour, il portait une cordelette longue et fine :

— Maintenez l'arme dans la même position, cher ami, je vais ficeler Kim...

Il le fit avec une rapidité et une dextérité prodigieuses, en commençant par les jambes du boy et en lui ordonnant à un moment :

— Baisse les bras maintenant!

Les bras aussi furent rivés au corps.

Quand tout fut terminé, il jeta Kim sur le sol, comme un paquet, en lui disant :

— Tu ressembles tout à fait à ce pauvre Hô et à Raczinski, attachés par tes amis à une barre de jonque et à un sycomore! La seule petite différence, c'est que tu as encore la chance d'avoir ta tête sur tes épaules... Mais ça peut ne pas durer! Je ne t'ai pas bâillonné pour que tu puisses me répondre... Ceci fait, que diriez-vous, mon cher Fernet, de deux bons whiskies, dégustés à la santé de Kim? Le plateau est là... Profitons-en!

Tranquillement, il remplit les verres, en tendit un à l'aveugle, approcha deux sièges du boy allongé et dit à Jacques :

— Je vous en prie, mon cher, asseyez-vous! Connaissant la tendance qu'ont les naturels de ce pays au mutisme quand on les interroge dans de telles conditions, la séance risque d'être longue...

Dès qu'ils furent assis, le verre en main, il commença :

— Tu vas d'abord nous dire, Kim, pour qui tu travailles?

Le boy ne répondit pas.

— Tu commences déjà à faire la mauvaise tête? C'est une erreur, mon garçon! Je vais te mettre en train en te rafraîchissant d'abord la mémoire : tu te souviens des bontés que j'ai eues à ton égard depuis sept années que tu es à mon service? Je n'ai rien à cacher devant mon ami Fernet·.. Quand je dis « bontés », cela signifie bontés de toutes sortes... Oui, je l'avoue, j'ai toujours eu un petit faible pour toi, Kim! Dans ton genre, tu me plaisais... Tu es de loin le plus beau et le plus réussi de tous les boys que j'ai connus! Aussi n'as-tu pas eu à te plaindre de mes prodigalités! Après tout, je suis un homme seul et chacun a bien le droit de trouver ses joies là où il peut...

L'aveugle écoutait avec effarement la voix douce qui continuait :

— Et c'est pour me remercier de ma tendresse que tu as laissé assassiner sous mon toit Raczinski et conduit mon ami Fernet dans un guet-apens où, normalement, il devait trouver la mort... Note bien que je ne t'accuse pas d'avoir participé directement à celle du sampanier : tu n'aurais pas pu te trouver à deux endroits à la fois, ici et auprès de la jonque. Mais cela ne veut pas dire que tu ne sois pas non plus, indirectement, responsable de son exécution! La troisième, celle de Jacques, a été manquée, mais deux de réussies, c'est déjà trop! Réponds : pour qui travailles-tu? Les Russes? Sûrement pas! Tu les hais comme tous ceux de ta race! Les Vietnamiens? Tu as montré tout à l'heure, en te taisant, que tu avais trop peur de leur police : c'est donc que tu n'es pas de leurs amis... Réponds, Kim! J'attends!

Le boy restait toujours muet.

— Au cas où tu aurais tendance à l'oublier, je vais te rappeler pour qui tu travailles... Bien que tu sois annamite de naissance, j'ai découvert, il y a longtemps déjà, que tu avais une mère chinoise et que tu parlais couramment sa langue. Ce qui ne t'a pas empêché de m'affirmer que tu n'en savais pas un traître mot! En ce moment, pour la commodité de mon ami Fernet qui va te juger avec moi, je m'exprime en français mais je pourrais te dire toutes ces choses aussi bien dans ta langue maternelle : tu les comprendrais très bien! Tes véritables maîtres, Kim, sont à Pékin... Tu ne les connais pas, comme tous ceux qui appartiennent à ton Parti, mais tu leur obéis aveuglément... Et en cela tu n'es qu'un imbécile! Tu avais la chance d'avoir ici une vie agréable, une existence que tu ne pourrais jamais connaître dans ce que tu crois être un paradis : la Chine actuelle! Et même en admettant que tu aies commis l'erreur de t'affilier au Parti, si tu avais eu la franchise de me le dire, tu sais très bien que j'avais la possibilité de te faire filer immédiatement ailleurs pour t'en libérer. Seulement tu n'as pas osé, ou tu n'as pas voulu! Tu as préféré rester là, au service de l'« antiquaire » pour l'épier et rapporter fidèlement à tes maîtres tout ce qu'il manigançait! Seulement voilà : pour surveiller un bonhomme comme moi, il faut une envergure que tu n'as pas! Tu n'es qu'un piètre subalterne, mon pauvre Kim! Pour la dernière fois, parle! Je n'ai plus de temps à perdre! Ma justice peut se montrer tout aussi expéditive que celle qui a décidé les morts de Hô et de Raczinski! Tu comprends?

Les lèvres du boy restèrent serrées.

— C'est bon! dit l'antiquaire en quittant son siège. Comme j'ai quand même devant moi un peu plus de temps que n'en ont eu les assassins de mes amis, je vais utiliser à ton égard la méthode chère à tes vrais maîtres de Chine, la mort lente... Peut-être te décideras-tu alors à parler avant la fin?

Les yeux, si petits d'habitude, de Kim s'agrandirent, exorbités, en même temps qu'un frisson semblait secouer son corps ficelé.

— Je vois que je commence à t'intéresser... Tu sais aussi bien que moi qu'il existe dans le pays que tu vénères mille et une façons de faire mourir... Pour te prouver que je ne les ignore pas, je vais me faire une joie de te citer quelques-uns des supplices auxquels tu as droit comme traître à mon égard...

Et la voix commença, sans passion, sur un ton détaché, l'étrange énumération :

— Je peux briser ta tête à coups de maillet pour que le sang en jaillisse; ensuite j'appliquerai dessus une barre de fer chauffée au rouge qui brûlera tes chairs jusqu'à ce qu'il ne reste plus que les os de ton crâne... Je puis aussi décalotter complètement ta tête pour que ta peau retombe sur ton front et recouvre ta figure que je trouve maintenant hideuse!... Je puis t'obliger, au moyen d'un bâillon, à tenir ta bouche ouverte pour y verser de l'huile que j'enflammerai avec une mèche... Je puis également fendre ta bouche des deux côtés jusqu'aux oreilles puis y mettre un bâillon qui la maintiendra ouverte, pleine de sang... Je puis envelopper tes deux mains dans une toile imprégnée d'huile et y mettre le feu... Je puis taillader tes chairs depuis la nuque susqu'aux chevilles et te frapper jusqu'à ce que tu expires jous mes coups... Je puis t'écorcher le cou jusqu'aux reins, de manière que ta peau en retombant couvre la partie inférieure de ton corps... Je puis passer un trident de fer à travers ton corps et le clouer à terre avec cette arme avant de te brûler à petit feu... Je puis t'arracher des lambeaux de chair avec un coutelas à deux tranchants, de manière à pratiquer dans tout ton corps des trous inégaux et à laisser la mort venir... Je puis taillader tes chairs, puis, avec un peigne de fer, racler les lambeaux jusqu'au décharnement de ta personne...

Le boy poussa un rugissement pendant que son corps était soulevé par un soubresaut.

— Je sens que ça te passionne de plus en plus parce que tu te rends compte que je connais vraiment les bonnes méthodes! Tu ne voudrais tout de même pas que je t'accorde la joie de n'être que décapité par un coup de sabre comme Hô et Raczinski! C'est un moyen beaucoup trop rapide! Mais je vais te montrer jusqu'où peut aller ma clémence... Je te laisse le choix dans les aimables procédés que je viens de t'énumérer... Lequel veux-tu, mon gentil Kim?... Tu ne réponds toujours pas? Alors je te réserve une grande surprise : une autre méthode qui me paraît juste puisque nous sommes en pays viêt... Dès que la nuit sera tombée, ce qui ne saurait tarder maintenant, je la mettrai à exécution... Il te reste à peu près une heure pour réfléchir : elle peut t'être salutaire... Et, même si tu t'obstines, elle te permettra de réaliser que ta plus grande erreur a été de tromper ma confiance... Je n'ai plus rien à te dire, Kim!

Après avoir vidé son verre, il s'adressa à Jacques :

— Venez cher ami... Nous pouvons le laisser là seul avec ses réflexions : boudiné comme il l'est, il ne bougera pas!

Quand Jacques et lui furent dans la pièce voisine, il dit :

— Surtout, n'allez pas croire que j'aime la cruauté! J'en ai horreur mais, hélas! il n'y a qu'elle que ces gens-là comprennent.

— Vous ne pensez pas qu'une balle dans la tempe ferait tout aussi bien l'affaire?

— Non! la seule chance que nous ayons de l'amener à parler sera dans un supplice progressif et lent... S'il n'a pas répondu à ma première question, qui est capitale pour nous, il ne répondra à aucune autre... Ne vous attendrissez pas à son sujet! Il n'en vaut pas la peine! Dites-vous bien que si un jour, nous tombions vivants entre les mains de ses amis, nous pourrions connaître une agonie qui durerait huit jours! D'ailleurs, pratiquement, je n'aurai pas besoin de votre aide pour l'exécution si elle se révélait nécessaire... Je vous demanderai simplement de conserver le revolver en main par prudence pendant que j'opérerai... Vous avez d'ailleurs la chance de ne pas voir! Vous entendrez : ce sera déjà très suffisant pour votre sensibilité qui, je le répète, est beaucoup trop grande!

La nuit était venue.

Ils revinrent dans le salon où l'homme ficelé se tordait sur le sol, essayant vainement de se débarrasser de ses liens.

— Alors, Kim? As-tu réfléchi?

La bouche du boy s'ouvrit pour cracher.

— Et tu m'insultes, moi ton bon maître? Je te pardonnerai encore moins que tout cette dernière injure... C'est ta réponse?

La bave dégoulinait de la bouche du boy.

— C'est bien. Tu vas mourir...

Il alla vers un placard du vestibule d'où il sortit deux pelles-bêches qu'il tendit à Jacques en disant :

— Puis-je vous demander de les porter jusqu'au lieu de l'exécution ?

Et il enfonça dans la bouche du boy un tampon pour l'empêcher de crier en ajoutant :

— Ainsi tout se passera en silence... Mon cher Fernet, votre ouïe délicate ne sera même pas troublée! Maintenant, je me charge du colis!

Sans plus attendre, il souleva le boy de terre et le mit sur son épaule comme s'il portait l'un de ces gros sacs de toile bise qui servent de paquetage aux marins.

— Allons... dit-il en sortant de la maison.

L'étrange marche dans le jardin commença. L'aveugle, qui était à sa droite, demanda à voix basse :

— Vous feriez mieux de le remettre aux policiers qui attendent sur la route...

— Pour que le commissaire Xi-Dien vienne une fois de plus se mêler de nos affaires ? La propre de notre profession, mon cher, c'est que nous devons régler nos comptes entre nous et sans l'aide d'aucune police!

— Mais si les policiers s'apercevaient de quelque chose ?

— Il fait suffisamment noir : ils ne peuvent pas nous voir. De plus comme ceux qui nous protègent en ce moment ne sont que des « flics » motorisés et non pas des détectives, ils resteront bien sagement à leur poste : pour eux comme pour leurs confrères d'Europe un ordre, c'est un ordre!

Quand la marche cessa, l'antiquaire posa son fardeau humain sur le sol en disant :

— Nous sommes arrivés...

— Où sommes-nous? demanda l'aveugle.

— Au pied du sycomore et devant la tombe secrète de Raczinski : je pense que c'est là que Kim doit expier... Mon cher, prenez à nouveau le revolver pour le cas où il aurait

encore des velléités de se libérer de ses liens... Et approchez...
encore... là : ce que votre pied vient de heurter, c'est son
corps ficelé. Comme cela vous l'avez bien repéré pour tirer
éventuellement. L'arme a un silencieux : là-bas où ils sont,
les policiers n'entendront rien. Pendant ce temps je vais
creuser sa tombe... Normalement, si j'appliquais les
méthodes des Viêts, je devrais la lui laisser creuser lui-même,
mais il faudrait pour cela le délivrer de ses liens et il est
agile! Je m'en suis aperçu la nuit dernière quand je l'ai vu
franchir le mur...

Dans le silence de la nuit, Jacques n'entendit plus que les
coups sourds de la pelle-bêche qui creusait avec une régularité constante comme si celui qui l'utilisait était infatigable. Ce martèlement lui sembla une chose atroce.

Enfin les coups cessèrent. Au même moment la voix de
l'antiquaire constata :

— Le trou est suffisant pour sa taille...

L'aveugle comprit qu'il reprenait le corps pour le déposer
dans la fosse. Quand ce fut fait, la voix toujours douce, mais
implacable reprit :

— Comme tu es né de père annamite, Kim, je vais te faire
mourir à la mode de ton pays : t'enterrer vivant... Le bâillon
t'empêche de parler, mais tes yeux de chat qui se faufile la
nuit vont te permettre de voir.

La pelle-bêche reprit son travail, rejetant la terre sur le
corps allongé qui fut enseveli progressivement. Le boy
poussait des gémissements. Une nouvelle fois, la pelle-bêche
s'arrêta et la voix de Serge Martin, qui s'était penché au
bord de la fosse, reprit.

— Maintenant tu es immobilisé, Kim. Mais ton visage
est encore à l'air libre. Tu étouffes déjà parce que tu sens
toute cette terre qui pèse sur ton corps. Il ne tient qu'à toi
que, dans un instant, elle recouvre également ton visage...
et ce serait la fin! Je vais te donner encore une chance en te
retirant pendant quelques secondes le bâillon. Tu n'auras

qu'un mot à dire pour me désigner la nationalité de ceux à qui tu obéis et je te ressortirai de ta tombe...

Jacques aussi s'était penché, espérant de toute son âme entendre le mot prononcé par l'homme presque enterré. Mais, une fois encore, celui-ci resta muet.

— C'est donc que tu préfères la mort? dit l'antiquaire dont la voix s'altéra : Mais qu'est-ce qu'ils vous ont fait à tous, ceux qui vous dirigent, pour vous amener à un tel fanatisme? Ce serait à croire que vous êtes drogués! Si tu parles, Kim, tu pourras vivre, et je te promets que je te ferai échapper à leurs griffes!

Le souffle de Kim, dont la poitrine était comprimée, devenait haletant. Mais il continuait à se taire.

— Je vais te laisser une dernière chance...

Serge Martin avait brusquement allumé une lampe électrique de poche dont le faisceau lumineux, après avoir aveuglé pendant quelques secondes le visage du boy au ras du sol, éclairait maintenant la terre rouge recouvrant jusqu'au niveau du menton le corps enseveli.

— Regarde, Kim, ces petites amies qui ont hâte de venir te rendre visite...

Des nuées de fourmis, sortant de la terre, se dirigeaient vers le visage horrifié.

— Pendant que j'attendais ton retour la nuit dernière sous le sycomore, j'ai constaté qu'il y avait à mes pieds une gigantesque fourmilière. C'est pourquoi j'ai également choisi cet endroit pour t'y enterrer vivant... Nous allons te laisser dans l'exquise compagnie de ces petites bêtes et demain, au lever du jour, nous reviendrons voir si tu n'as pas enfin changé d'avis et décidé d'être plus bavard. Bonsoir Kim!

Pendant qu'il retournait vers la maison en guidant Jacques par le bras, Serge Martin lui dit, après avoir repris le revolver qu'il lui avait confié :

— Si je vous ai mis cette arme en main, ce n'était pas

tellement pour exécuter Kim s'il réussissait à se libérer de ses liens : il n'avait aucune chance d'y parvenir... Je m'y connais en emballages! C'était plutôt pour vous donner la possibilité de m'abattre, pendant que je creusais le trou... Pourquoi ne l'avez-vous pas fait?

L'aveugle restait silencieux, lui aussi. Serge Martin continua :

— Avouez que tout à l'heure ce n'est pas l'envie qui vous en a manqué? Vous avez pensé : « Et si je supprimais cette brute pour libérer ce malheureux boy? » Seulement, pour une fois, vous avez réfléchi intelligemment. Vous vous êtes dit : « Quand je l'aurai tué, qu'est-ce qui se passera? Si je parviens à sortir Kim de son trou, suis-je certain qu'il m'en aura de la reconnaissance? Agira-t-il comme le sampanier Hô qui estimait, lui, avoir une dette humaine à l'égard du premier Blanc qu'il pourrait sauver? S'il me tue à son tour ou me fait assassiner, comme il a tenté de le faire cet après-midi, je disparaîtrai stupidement sans avoir rempli la mission qui m'a été confiée à Paris et que j'ai acceptée. Serge Martin ne sera plus là non plus pour la poursuivre; il n'y aura plus personne! Je serai doublement l'assassin de mon frère de combat secret et un traître vis-à-vis de mon pays : ma mort sans gloire aura quelque chose d'ignominieux. » C'est pour cela que vous n'avez pas appuyé sur la gâchette, Jacques Fernet!

Quand ils furent dans le salon, il demanda :

— Un autre whisky?

— Non.

— Si nous allions nous reposer? La nuit dernière, nous n'avons guère dormi!

— Vous seriez capable de trouver le sommeil quand un homme est en train d'être dévoré par les fourmis à quelques centaines de mètres de vous, dans votre propre jardin?

— Combien de soldats pendant la guerre se sont endormis, assommés de fatigue, à côté des corps de leurs meilleurs camarades morts ? Le combat continue pour nous, Fernet. Ce n'est pas parce qu'il est silencieux et que les journaux n'en parlent pas, qu'il n'est pas meurtrier! C'est peut-être parce que quelques hommes comme nous sauront le gagner qu'une autre guerre infiniment plus meurtrière et « officielle » celle-là, sera évitée! Sincèrement, je me sens très capable de dormir...

— Moi je resterai ici.

— A votre aise! Je rejoins mon lit, l'âme tranquille, sachant que les anges gardiens envoyés par le lieutenant Dàng-Ngoc-Tuê sont suffisants pour empêcher cette nuit toute nouvelle attaque contre votre personne. Bonsoir!

L'aveugle se retrouva seul. Longtemps il demeura prostré dans ce même fauteuil où il avait vu un Raczinski s'affaler, à demi mort de faim et d'épuisement. Ses pensées erraient, confuses et contradictoires. Il en arrivait à ne plus savoir très bien où était son devoir. S'il devait laisser Kim subir un destin hideux ou, au contraire, profiter de ce que Serge Martin dormait pour retourner seul au fond du jardin devant le sycomore qui était devenu l'arbre d'une étrange justice? Mais il n'était pas très certain, bien qu'il l'eût parcouru à l'époque où il voyait encore, de retrouver le chemin exact dans sa nuit qui était beaucoup plus profonde que celle du monde extérieur. Peut-être serait-il guidé par quelques faibles plaintes du boy bâillonné, si seulement celui-ci avait encore la force de les exhaler?

Au bout d'une demi-heure, deux peut-être — le temps ne comptait plus pour lui — il se leva et se dirigea vers le vestibule. Sa conscience se révoltait. Même si les conséquences du geste de clémence devaient être graves, il libérerait Kim et le laisserait s'enfuir. Les pelles-bêches étaient restées là-bas sur place, à quelques centimètres de l'enterré vivant. Il saurait les utiliser pour gratter, pour remuer, pour déplacer la terre de la mort lente...

Dans le jardin, il avança à tâtons, s'arrêtant avec l'espoir d'entendre des plaintes... Mais partout, c'était le silence comme si la mort avait déjà accompli son œuvre. Il continuait à marcher, cherchant, se fiant à des souvenirs visuels très incertains mais surtout à son instinct qui lui disait : « Avance ! C'est toi qui es dans le vrai ! il ne faut pas rendre le mal pour le mal... Tu es dans le bon chemin... »

Alors qu'il commençait à désespérer de retrouver le lieu maudit, son pied heurta un objet dur : c'était l'une des pelles-bêches. Kim était donc tout près... Il s'agenouilla et avança ainsi, les mains en avant, effleurant la terre... Brusquement elles s'immobilisèrent au bord de la fosse. L'homme se pencha pour que ses mains pussent atteindre le visage qui n'était pas encore enseveli... Mais là, elles eurent une répulsion d'horreur : des fourmis grimpaient déjà entre ses propres doigts... Les mains, dirigées par un violent effort de la volonté, revinrent sur le visage pour s'approcher de la bouche d'où il retira le bâillon. Puis le visage de l'aveugle se pencha sur celui de l'homme immobile :

— Kim, c'est moi, le peintre... Je suis revenu seul... Martin ne le sait pas... Je vais te délivrer et tu partiras vite ! Je ne te pose pas de questions comme lui. Dis simplement un mot pour me prouver que tu m'entends ?

Le boy resta muet.

Ne pouvant approcher son oreille du cœur, déjà enfoui sous la terre, Jacques l'appliqua contre la bouche entrouverte et il écouta : aucun souffle n'en sortait.

A cet instant la voix calme de l'antiquaire dit derrière l'homme agenouillé devant la fosse :

— Il est mort...

Elle attendit avant d'ajouter :

— Relevez-vous, Fernet, pour que je puisse terminer le travail... Vous avez beaucoup de chance de ne pas pouvoir contempler, sous l'éclairage de ma lampe électrique, son visage... Il est couvert de boue et de routes de fourmis. Sa bouche n'en est même plus une : c'est déjà de la terre, engluée de bave et d'insectes.

Jacques avait reculé. Presque aussitôt, il entendit la pelle qui remuait à nouveau la terre pour cacher définitivement le visage.

L'antiquaire piétina ensuite le sol, comme il l'avait déjà fait pour le Polonais, tassant la terre sur le corps.

— Je reviendrai demain au petit jour pour effacer toutes traces : c'est indispensable! Venez...

Pendant qu'ils retournaient vers la maison, il murmura à son compagnon :

— Il faut reconnaître qu'il a eu le courage de mourir comme il a toujours vécu : en se taisant... Et c'est bien là ce qu'il y a de plus effrayant dans cette race!

Une fois de plus, ils étaient dans le salon. Jacques avala d'un trait le whisky que lui avait tendu Serge Martin sans rien dire, puis il présenta à nouveau son verre vide que l'antiquaire remplit avant d'expliquer :

— Contrairement à ce que vous pensiez, je n'étais pas remonté dans ma chambre : j'étais retourné auprès de Kim.. Comme vous, j'ai retiré le bâillon pour lui permettre de parler mais j'ai compris tout de suite qu'il ne pourrait plus jamais le faire... Et j'ai attendu, certain que vous viendriez aussi... Seulement, vous, ce serait avec l'intention de le libérer! Je suis très heureux qu'il soit mort avant, Fernet! Une fois débarrassé de la cordelette, il ne vous aurait pas accordé une seconde de vie! Nous, au moins, nous lui avons laissé le temps de la réflexion...

Jacques l'avait écouté sans l'entendre. Il cherchait à imaginer ce qu'avait dû être cet étrange et dernier tête-à-tête entre l'antiquaire et le boy, pendant que lui-même était encore hésitant dans le salon. Il croyait voir Serge Martin debout, gigantesque, adossé contre l'arbre de justice et ne pouvant détacher son regard du visage tuméfié de Kim, rendu encore plus monstrueux sous la lueur de la lampe électrique... Il avait aussi l'impression d'entendre les mots silencieux que le cœur du vieux colonial avait adressés à celui dont il venait de découvrir la mort prématurée, alors qu'il n'était revenu en secret qu'avec l'espoir que le boy se déciderait enfin à parler :

« Pourquoi as-tu cherché à te montrer plus fort que moi, Kim ? M'aurais-tu détesté en secret, pendant ces années où tu as été à mon service, au point de préférer la plus hideuse des morts à ma compagnie ? T'ai-je donc fait tant de mal pour que tu aies cherché à m'atteindre indirectement dans la personne de cet ami peintre que je loge chez moi ? Aurais-tu, par hasard, été jaloux de sa présence ? Pourquoi avoir fait passer ton idéologie communiste avant les raisons de cœur qui nous avaient liés l'un à l'autre ? Tu es arrivé à ce que moi, qui ai été ton plus grand allié, jusqu'à la nuit où j'ai découvert que tu m'avais trahi, je suis devenu ton bourreau ! C'est toi seul qui as voulu tout cela... Adieu, mon petit boy ! »

Jamais, Jacques le savait, un Serge Martin ne confierait à personne les pensées qui l'avaient hanté pendant la veillée funèbre d'un Kim. Jamais, il ne livrerait le secret qui continuerait sans doute à torturer son cœur. Jamais on ne saurait s'il avait regardé le boy autrement qu'en maître indulgent pour son serviteur...

Mais puisqu'il avait fait preuve d'une telle cruauté pour le faire disparaître, n'était-on pas en droit de se demander si, à la nécessité de supprimer un espion dangereux, ne s'était pas ajoutée la haine implacable qui naît quand un être, qui croit avoir été aimé par un autre, s'aperçoit brutalement que celui-ci s'est joué de lui ?

— Eh bien, Fernet ? demanda la voix de l'antiquaire. Vous êtes songeur ? C'est malsain de faire des rêves éveillé... surtout quand on sort d'un cauchemar ! L'important, dans notre métier, c'est d'oublier vite ! Sinon, on risque d'avoir des remords inutiles... Je pense que vous n'avez toujours pas envie de dormir? Alors montons d'abord nous débarrasser de toute cette terre et surtout des fourmis que nous avons rapportées de là-bas... Ensuite que diriez-vous si nous allions nous changer les idées? A défaut de sommeil, les distractions sont encore le meilleur moyen d'oublier! Pourquoi ne pas retourner au *Grand Monde* et retrouver celle grâce à qui vous êtes encore vivant? Ne lui devons-nous pas cette visite, en remerciement?

— Pas ce soir, Martin, je vous en prie!

— Ce soir plus que tout autre, Fernet! Nous n'avons plus une seconde à perdre! Avant quarante-huit heures, ceux qui utilisaient Kim sauront qu'il a disparu : ils ne le retrouveront pas mais ils nous en rendront responsables... Avant qu'ils n'agissent, nous devons les connaître. La seule personne qui puisse nous aider, c'est la gentille Maï. Puisque ses deux avertissements se sont révélés exacts, c'est donc qu'elle est parfaitement renseignée... Oh! pour l'amener à parler, il nous faudra employer une tout autre méthode que celle que nous avons appliquée à Kim et qui n'a guère réussi! Seulement, avec lui, il n'était pas question d'en utiliser une autre... Tandis qu'avec la belle *taxi-girl*, nous essaierons la méthode douce, très douce... Je dirai même : la méthode de charme... Je compte beaucoup sur vous pour cela, cher ami!

— Qu'allez-vous encore me demander?

— Rien que des choses agréables!... De danser par exemple... Peut-être aussi de vous faire aimer?

— Immédiatement?

— Ne cherchons pas l'impossible... N'oublions pas que la jeune Maï, malgré ce qu'elle nous a raconté de ses origines, est elle aussi chinoise : donc elle a le temps pour elle! La Chine n'est-elle pas éternelle? Prenez également pour principe absolu que, dans ce Viêt-Nam, les gens ne sont jamais de la région dont ils affirment être! Ils mentent tous, qu'ils soient hommes ou femmes! C'est leur force! La plus grande faiblesse des Blancs, et particulièrement de nous les Français, a été à un moment de les croire... Ils mentent parce qu'ils nous haïssent!

— Même celle vers qui vous voulez que nous retournions ?

— Même elle!... A moins que le miracle ne se soit produit.

— Quel miracle ?

— Ce serait la seule explication de la franchise assez surprenante dont cette jeune femme semble avoir fait preuve à votre égard... Supposons qu'elle soit réellement amoureuse de vous ?

— Ça lui serait venu comme ça, hier soir, brusquement ? Une fille qui danse toutes les nuits avec des clients différents auxquels elle doit raconter les mêmes histoires pour retirer le meilleur profit de son métier!

— Je serais étonné qu'elle ait annoncé à d'autres qu'à vous qu'ils risquaient d'être assassinés avant une nouvelle lune! Non, vous lui plaisez! C'est très normal, après tout! Je vous ai dit que vous étiez beau garçon et que vous possédiez là votre meilleure arme secrète. Ne nous a-t-elle pas laissé entendre, cette charmante créature, qu'elle pensait à vous depuis longtemps et qu'elle avait même acheté, bien avant votre rencontre d'hier, cette toile du cap Saint-Jacques qui vous a coûté tant de travail sur l'estuaire ? Toile véritablement prédestinée! Rien ne dit qu'elle n'a pas été émue quand elle a vu vos premières photographies publiées dans les journaux au moment de votre arrivée, ni qu'elle n'était pas dans cette charmante cohorte de très jolies femmes qui se bousculaient autour de vous le jour de votre vernissage, et que seule une exquise timidité, ou un véritable sentiment d'admiration, l'ont empêchée — en ce jour de triomphe — de vous adresser la parole. Les jolies filles ont parfois de ces pudeurs!

— Auriez-vous l'intention d'exploiter mes charmes à son

égard comme le faisait Mme Tchang avec ses pensionnaires ?

— Mais oui ! C'est ce que j'appelle la méthode douce... Montons vite nous faire très beaux !

Au moment où la Chevrolet franchissait le portail toujours gardé par les policiers, son conducteur stoppa pendant quelques instants pour leur dire :

— Surtout ne vous inquiétez pas à notre sujet, messieurs ! Après les émotions que nous avons connues pendant cette journée, mon ami et moi ressentons le besoin impérieux de nous distraire... Nous allons faire un petit tour du côté de Cholon...

— Mais nous avons reçu l'ordre d'assurer votre protection, monsieur Martin ! répondit l'un des motocyclistes. Nous devons vous accompagner.

— Vous n'y songez pas, messieurs ! Votre présence, avec vos machines dotées de ces sirènes bruyantes, risquerait non seulement d'apporter une certaine consternation dans des endroits de plaisir mais aussi d'attirer l'attention d'ennemis éventuels, si nous en avons encore ! Sincèrement, je crois que l'incognito est préférable et je serais beaucou p plus tranquille si vous continuiez à monter la garde devant ma demeure. D'ailleurs n'est-ce pas l'ordre que vous avez reçu ?

— En effet.

— Vos chefs ne vous ont pas dit que nous avions interdiction de circuler... Alors ?

Les deux policiers semblaient perplexes.

— Je comprends très bien, poursuivit l'antiquaire, votre hésitation qui prouve chez vous un souci de nous protéger qui vous honore... Comme je ne veux pas que vous ayez la moindre inquiétude, j'aimerais que vous disiez au lieutenant Dàng-Ngoc-Tuê, si par hasard il venait ici entre-temps, que nous sommes au *Grand Monde* et que nous serons de retour au plus tard dans deux heures.

— Vous ne voulez pas que l'un de nous vous accompagne et que l'autre reste ici?

— Je vous assure que c'est inutile! Nous ne comptons que des amis là-bas... Et il ne faut jamais dissocier une brigade de police! Vous n'êtes pas trop de deux ici... A tout à l'heure, messieurs!

Dès que la voiture fut repartie, Jacques demanda :

— Vous ne craignez pas qu'ils aient l'idée de faire un tour dans la maison?

— Ils sont beaucoup trop respectueux des consignes pour se permettre de pénétrer dans un domicile privé sans en avoir reçu l'ordre! De plus, ils croient que la maison est bien gardée par mon « fidèle » boy...

— Et s'il leur prenait envie d'aller fouiner dans le fond du jardin?

— N'accordez jamais à un agent motocycliste plus d'imagination qu'il n'en a!

Comme la veille, comme toujours, il y avait foule au *Grand Monde*. Foule dans la salle, foule sur la piste de danse. Comme la veille, les deux amis surent faire une entrée discrète qui n'échappa cependant pas à l'attention du directeur, le trop aimable M. Sun, qui se précipita pour les accompagner jusqu'à une table en disant :

— C'est charmant à vous, messieurs, de revenir! Du whisky naturellement?

— Du whisky, répondit Serge Martin. Vous voyez : nous devenons des habitués...

— Aimeriez-vous que je fasse venir une *taxi-girl* à votre table?

— J'ai déjà pris un lot de tickets pour le N° 7.

— Mlle Maï?... Oh! Je suis désolé... Vous teniez absolument à elle ce soir?

— Oui, pourquoi?

— Elle n'a pas pu venir travailler : elle est souffrante... Vous n'en voulez vraiment pas une autre?

— Quel dommage! s'exclama l'antiquaire. Dire que nous n'étions venus que pour elle!

— Je sais, dit M. Sun en soupirant. Maï est charmante!

— Que faisons-nous, Fernet? Nous partons?

— Vous ne pouvez pas me faire cela, monsieur Martin!... Écoutez : je vais vous envoyer la *taï-pan* avec qui vous vous arrangerez... Elle vous présentera d'autres demoiselles... Il y en a qui sont tout aussi jolies et intelligentes que notre petite malade.

— Ce n'est pas grave, au moins, ce qu'elle a?

— Oh, non! Une légère indisposition...

— Tant mieux!

— Et quand vous en aurez vu une ou deux qui vous plaisent, la *taï-pan* vous échangera les tickets... Ils sont stupides à l'entrée, quand vous avez acheté les tickets Nº 7, de ne pas vous avoir prévenu! Je vais immédiatement le leur dire!

— Ne soyez pas trop sévère, cher monsieur Sun! On sait que vous êtes un grand patron mais, dans un établissement qui groupe un tel personnel, de petites erreurs peuvent se produire... Envoyez-nous la *taï-pan* : nous finirons sûrement par nous entendre avec elle!

Dès que M. Sun se fut éloigné, Serge Martin confia à Jacques :

— J'ai l'impression que notre belle amie a une maladie diplomatique... J'ai beau regarder en effet : elle n'est ni sur la piste, ni à une table, ni au bar!... Voici l'abominable *taï-pan*... Il y a des arguments auxquels cette femme-là ne doit pas résister!

Sèche et anguleuse, la *taï-pan* s'était approchée de la table, le sourire forcé sur les lèvres et le carnet de tickets à la main. Comme M. Sun, elle s'exprima en français :

— Si ces messieurs voulaient jeter un regard sur les

Nᵒˢ 25 et 32, qui sont actuellement libres au bar, j'ose espérer qu'ils ne seraient pas déçus.

— Gardez tous vos numéros! répondit Serge Martin avant d'ajouter, pendant qu'il lui glissait un gros billet : Il n'y a que le Nᵒ 7 à nous intéresser. Pouvez-vous nous donner son adresse?

— Nous n'avons pas le droit de le faire, monsieur. C'est formellement interdit par la direction sous peine de renvoi.

— Par la direction? Par mon vieil ami Sun? Vous me surprenez! Je suis convaincu que s'il connaissait l'adresse de cette fille, il me la donnerait! Mais, dans ce cas, je reprendrai le cadeau très amical que je viens de vous faire... C'est ce que vous voulez?

La *taï-pan* eut un nouveau sourire, se rapprochant de la grimace, avant de répondre à mi-voix et en se penchant vers son interlocuteur comme si elle craignait que le précieux renseignement ne fût divulgué :

— Maï habite au *Piccadilly Hotel*...

— Voyez-vous ça : au *Piccadilly!* Vous entendez, Fernet? Cette charmante enfant ne se refuse rien! C'est un hôtel d'excellente réputation... Merci, chère *taï-pan!* J'étais certain que vous sauriez vous montrer compréhensive...

Après une légère inclinaison de la tête, la femme aux tickets se dirigea rapidement vers d'autres tables pour y vanter les qualités de son cheptel.

— Filons au *Piccadilly!* dit simplement l'antiquaire à Jacques.

Avant d'arriver à l'hôtel, il déclara :

— Décidément, c'est une nuit à surprises... Ne trouvez-vous pas assez curieux que la belle Maï habite chez M. Jojo?

— Plutôt!

— Ne nous étonnons plus qu'elle ait été aussi bien renseignée... Ceci me confirme aussi dans mon idée que ce M. Jojo est au centre de l'affaire.

— N'est-ce pas une erreur d'aller relancer la fille chez lui?

— Il y a des moments, mon cher, où il faut savoir se jeter sciemment dans la gueule du loup, parce que c'est la seule façon d'y voir clair! De deux choses l'une : ou Maï travaille pour M. Jojo et j'entends par là qu'elle aussi est affiliée au communisme chinois, ou elle n'est vraiment qu'une *taxi-girl* qui a choisi cet hôtel parce qu'il est encore l'un de ceux qui a la moins mauvaise réputation. J'opinerais plutôt pour cette seconde hypothèse, sinon je ne comprendrais pas très bien pourquoi la jolie fille vous aurait rendu hier un tel service. De toute façon c'est au *Piccadilly* même qu'elle a tout appris.

— Par qui?

— Dans un établissement de ce genre, il y a toujours des indiscrétions bien que je considère le sieur Jojo comme le plus habile des dissimulateurs... A moins — après tout rien n'est impossible! — qu'il ne soit, lui, amoureux de la *taxi-girl* et qu'il ne lui confie ses secrets les plus intimes?

— D'après ce que vous m'avez dit ou montré des hommes chinois, ceci n'est guère dans leurs manières.

— Je vous répète qu'ils n'ont jamais rien à dire à leurs épouses, mais qu'en échange ils se confient volontiers à leurs maîtresses, qui sont pour eux de véritables confidentes : ce qui, d'ailleurs, arrive souvent aussi en Europe! Et les Chinoises savent être des maîtresses!

— Vous n'allez pas me faire croire qu'une fille aussi fine se soit acoquinée avec un tel bonhomme?

— Seriez-vous déjà jaloux? Ne craignez rien! Bien que, dans son genre, M. Jojo ne soit pas dépourvu d'un certain charme spécial... Comme Maï, il est loin d'être inculte; comme elle, il parle plusieurs langues; comme elle enfin, il aime le Beau : je l'ai jugé dans les marchés que j'ai passés avec lui pour l'achat d'objets rares... Je pense que, dans tous ces domaines, peuvent naître des affinités... Par contre, la belle enfant ne m'a pas donné l'impression d'être une femme passionnée de politique ou de bouleversements sociaux! Je la vois plutôt, dans la vie intime de M. Jojo — qui, lui, est un authentique agent communiste — comme n'étant qu'un très bel objet de luxe qu'il chérit en cachette, qu'il loge sans doute gratuitement dans son propre hôtel... Disons qu'elle est son péché mignon! Et il est très possible que les chefs occultes de celui sur qui elle règne ne voient pas d'un très bon œil une telle emprise. Peut-être même ont-ils déjà essayé de briser cette liaison? S'il en était ainsi la belle Maï — qui ne déteste certainement pas les prodigalités du riche directeur du *Piccadilly* — pourrait être devenue la pire ennemie du communisme! C'est une fille faite pour le capitalisme! Dès lors on comprend très bien qu'elle n'ait pas hésité à vous prévenir de ce qui vous attendait à nouveau... Et je parierais mille piastres que M. Jojo est loin de se douter que, si l'attentat de la Pointe des Blagueurs a échoué, c'est uniquement par la faute de sa belle amie! Ce qui me ramène à la conclusion que Maï utilise M. Jojo mais ne l'aime pas et qu'elle est mûre pour tomber dans les bras d'un homme qui lui plairait!... Cet homme, ce sera vous, Fernet!

— Avec tous vos savants raisonnements et vos subtiles déductions, vous arriveriez à convaincre aussi bien Dieu que le Diable!

— C'est très possible... A condition cependant qu'aucun de ces deux personnages ne prenne la physionomie de Bouddha! Devant lui, je me suis toujours senti perdu... A chaque fois que je le contemple, j'ai l'impression désagréable qu'il se moque de moi! Il sourit, il me montre son nombril insolent au milieu de son gros ventre et il écarte les deux bras dans un geste, non pas d'accueil, mais de contentement béat qui semble dire : « Tout ce que tu fais ne m'intéresse pas... Tu te donnes beaucoup de mal pour aboutir au néant alors que tu ferais mieux d'aboutir en moi qui suis la vie... » Mais trêve de philosophie! Voici l'hôtel...

— Vous allez demander directement Maï?

— Nous allons commencer par faire des grâces à M. Jojo... Ensuite fiez-vous à mon inspiration...

M. Jojo était dans le hall : c'était à croire qu'il y passait son existence. Dès qu'il aperçut ses visiteurs, il se précipita, encore plus obséquieux que le M. Sun du *Grand Monde* :

— Quelle agréable surprise, messieurs! A une heure aussi tardive, désireriez-vous des chambres?

— Non, mon cher directeur! répondit Serge Martin. Nous recherchons quelque chose d'infiniment mieux... Mon ami et moi n'avons pas oublié la charmante offre que vous nous fîtes, voici quelques semaines déjà, de nous envoyer « à domicile » une ou deux de ces adorables créatures qui apportent sourire et joie dans votre merveilleux hôtel. Jacques Fernet a été particulièrement sensible à une telle marque de sympathie de votre part... Il est évident, étant donné son état, qu'il est très délicat pour lui de rencontrer des jeunes femmes un peu au hasard comme le fait n'importe quel homme qui voit... Il faut une certaine discrétion et que cela se passe dans un lieu très privé : ma maison isolée, que vous connaissez, offre le cadre rêvé... N'est-ce pas d'ailleurs ce que vous aviez très bien compris, avec l'extrême délicatesse qui vous honore, quand vous nous avez fait cette offre? Nous avons réfléchi... Et nous sommes arrivés à la conclusion très simple que, même privé de la vue, un homme est toujours un homme!

— Hélas, messieurs! approuva M. Jojo dans un soupir. C'est d'ailleurs heureux qu'il en soit ainsi, sinon la vie perdrait beaucoup de ses attraits!

— Vous devez donc nous aider à trouver pour ce cher ami la « confidente » nécessaire... Je ne vous cacherai pas que nous avons cherché pendant les nombreuses promenades que nous venons de faire quotidiennement un peu partout... Mais ce n'est qu'hier soir que Jacques a ressenti une véritable attirance pour une jeune personne tout à fait charmante, découverte par hasard au *Grand Monde*.

— Au *Grand Monde*! s'exclama M. Jojo. Ils y ont, en effet, de très jolies filles mais je suis persuadé que vous pourriez trouver tout aussi bien ici!

— Non, parce que Jacques a maintenant son idée... Pourquoi le contrarier? Hier soir, il a dansé avec la personne en question et je dois dire que lorsque nous sommes rentrés chez moi, il était tout énamouré! Je ne l'avais jamais connu ainsi! J'en ai été à la fois ému et heureux... Il s'agit d'une *taxi-girl*... Ce soir nous sommes retournés au *Grand Monde* avec le désir de pousser un peu plus loin les choses mais, à notre plus grande désillusion, nous avons appris que la femme de rêve n'était pas venue travailler, étant légèrement souffrante. Ne voulant pas nous avouer vaincus — vous connaissez, cher monsieur Jojo, ma ténacité en affaires! — nous nous sommes renseignés très discrètement et on nous a affirmé, coïncidence prodigieuse, que cette jeune beauté habitait dans votre hôtel!

— Le monde est petit! dit le directeur. Savez-vous le nom de cette personne?

— Elle nous a dit s'appeler Maï...

— Vous voulez dire Ngô-Thi-Maï-Khanh?

— J'ai toujours pensé, répondit l'antiquaire, que Maï n'était qu'un diminutif et que son vrai nom se composait de quatre syllabes... Ngô c'est le nom de famille paternelle, de la lignée naturelle qui doit être d'origine chinoise!... Thi, cela indique que c'est une jeune femme... Maï, c'est la lignée maternelle qui se cache sous « l'abricot tendre »... Khanh enfin, c'est la sérénité... Oui, elle nous a semblé tellement sereine, cette ravissante créature! Elle habite donc bien votre hôtel?

— Mais oui!

— Pensez-vous que nous pourrions non seulement la

voir, mais l'emmener passer quelques heures agréables chez moi ? Naturellement nous la ramènerions demain matin.

M. Jojo eut une courte hésitation avant de répondre :

— Peut-être sera-ce possible si elle n'est pas trop souffrante ? J'ignorais d'ailleurs qu'elle le fût et je pensais qu'elle était partie travailler au *Grand Monde* comme les autres nuits.

— Bien entendu aussi, continua Serge Martin, nous serions tout disposés à reconnaître par un don pratique le service très réel que vous nous rendriez en l'autorisant à venir avec nous.

— Mais, messieurs, cette jeune femme n'est nullement sous contrat avec moi ! Elle ne fait pas partie de mon personnel. Elle n'est dans mon hôtel qu'à titre de cliente et elle peut bien faire tout ce qu'elle veut ! La seule condition que j'ai mise à sa présence ici est justement qu'elle ne m'y amène aucun client ! Ce serait une concurrence déloyale à l'égard des jeunes femmes qui travaillent en exclusivité chez moi.

— Évidemment !

— Et il ne saurait être question pour moi de prélever la moindre piastre dans cette affaire, si elle aboutissait ! D'ailleurs, cher monsieur Martin, nous sommes depuis trop longtemps des amis pour que vous n'ignoriez pas qu'il n'a jamais été dans mes intentions — quand j'ai offert de rendre service à votre ami Fernet — de gagner de l'argent ! Ne faisons-nous pas suffisamment d'affaires ensemble, vous et moi, avec notre commerce d'antiquités ?

— J'ai déjà dit à Jacques que vous étiez un homme capable des gestes les plus désintéressés !

— En ce qui le concerne, c'est plus que normal. J'estime que ce n'est là qu'une très modeste contribution de ma part à la réparation que tous, dans ce pays, nous devons à un grand artiste qui a été si odieusement mutilé ! Croyez bien que je suis très heureux de pouvoir enfin vous rendre service! Je vais aller moi-même chercher la jeune femme... J'essaierai de me faire convaincant!

Au moment de gravir la première marche de l'escalier, il se ravisa et revint sur ses pas en disant :

— Attendez-moi au bar... Il y a cependant un point sur lequel j'attire votre attention : Ngô-Thi-Maï-Khanh a un contrat de *taxi-girl* avec la direction du *Grand Monde*. En principe, elle n'a pas le droit d'aller avec des clients qu'elle rencontre en dehors de l'établissement. C'est une règle absolue, la même que celle que j'applique aux femmes qui travaillent chez moi... M. Sun, que vous connaissez sans doute, est l'un de mes bons amis et, pour rien au monde, je ne voudrais qu'il crût que je fais des affaires sur son dos! Il existe entre nous une sorte de code d'honneur que nous respectons scrupuleusement ; sinon personne ne pourrait plus gagner sa vie! Je sais que la jeune femme qui vous intéresse est discrète : elle ne dira rien... Je vous demande de l'être autant qu'elle. Sinon j'aurais de sérieux ennuis et notre jeune amie risquerait d'être renvoyée d'un établissement où elle est très bien payée.

— Tout cela est normal, dit Serge Martin. Nous saurons rester muets.

Rassuré, M. Jojo repartit vers l'escalier.

Quand il eut disparu, l'antiquaire dit à Jacques :

— Allons au bar...

Puis il ajouta plus bas :

— Curieux bonhomme! Il est malin! Ce ne sera que quand nous serons chez moi avec la fille que nous parviendrons peut-être à savoir ce qu'il est exactement pour elle. Et quand je dis « nous » je me vante! Ce sera vous seul qui pourrez la faire parler : vous lui plaisez.

Jacques hocha la tête, dubitatif.

L'attente au bar dura un bon quart d'heure.

— Les choses ne m'ont pas l'air d'aller toutes seules! remarqua Serge Martin.

Enfin, M. Jojo reparut, souriant.

— Ça y est, messieurs! J'avoue que ça n'a pas été sans mal! Elle était effectivement allongée, souffrante... Ce qui l'a finalement décidée, c'est la tentation de vous revoir, monsieur Fernet... Elle vous trouve follement sympathique et m'a dit avoir passé hier soir, en votre compagnie à tous deux, l'une des soirées les plus agréables de sa vie.

— Espérons dit l'antiquaire, que celle qui se prépare lui semblera encore meilleure!

— Seulement il vous faudra attendre un peu... Elle est en train de se préparer. Et comme elle est coquette!... Un petit whisky?

— Avec plaisir.

Quand Maï arriva au bar, elle était éblouissante, non plus habillée à l'européenne comme au *Grand Monde* mais vêtue d'une écharpe tissée en fil de soie d'argent qui couvrait son épaule gauche. Sa jupe, ou *sinh,* était également de soie, bordée d'une large bande de lamé or. Sa coiffure enfin était ornée de perles d'or rouge, superposées sur plusieurs rangées et reliées par une chaînette à une épingle d'or plantée dans le gros chignon.

Ses premiers mots furent :

— Vous voyez, monsieur Martin... Je me suis souvenue de ce que vous m'avez dit hier : que vous aimeriez me voir vêtue comme ces jeunes filles qui émergent par enchantement des ténèbres pour s'asseoir en ligne devant une pagode.

— Merci! répondit l'antiquaire. Merci pour moi et surtout pour mon ami Jacques! Je vous avais déjà décrite à lui mais je crains que ce soir les mots ne me manquent, tellement vous êtes belle! Merci aussi d'avoir accepté notre invitation, bien que vous soyez souffrante.

— Je ne sais si M. Fernet ou vous êtes des guérisseurs, mais je me sens beaucoup mieux... Nous partons?

Elle se dirigea vers la sortie de l'hôtel sans même prendre

la peine de dire un mot au directeur, comme si celui-ci n'était qu'une personnalité négligeable.

M. Jojo ne parut nullement offensé de cette attitude et se contenta de dire aux deux hommes, avec un sourire complice :

— Je vous souhaite une excellente nuit... Et toujours à votre service!

Un quart d'heure plus tard, la Chevrolet atteignait le portail devant lequel les policiers étaient en faction. Quand il avait fait monter la jeune femme dans la voiture, Serge Martin lui avait conseillé :

— Vous serez plus confortable à l'arrière. A l'avant mon pare-brise troué laisse passer un vent terrible! C'est un souvenir de la Pointe des Blagueurs...

— Je sais, répondit simplement Maï.

— C'est d'abord pour vous remercier que mon ami Fernet a tenu à vous retrouver dès ce soir...

Assis à côté de Maï, Jacques restait silencieux.

— Ce n'est pas parce qu'il se tait qu'il n'a pas été ému par la preuve de grande sympathie que vous lui avez donnée.

— Si j'ai agi ainsi, c'est uniquement parce que ça me plaisait. Il n'y a donc pas à me remercier!

Lorsqu'elle aperçut les policiers, à l'entrée du jardin, elle demanda :

— Ils redoutent encore quelque chose?

— Et vous? répondit l'antiquaire. Ne pensez-vous pas que vous seriez peut-être mieux placée qu'eux pour nous renseigner?

Elle demeura muette et ne recommença à parler que lorsqu'ils eurent pénétré dans le salon. Mais ce fut pour dire :

— J'ai souvent entendu vanter vos collections, monsieur Martin... J'étais curieuse de les connaître... Je n'aurais cependant jamais cru qu'elles fussent d'une telle qualité!

Elle s'était arrêtée dans la pièce, le regard fixé sur le paravent. Un long moment, elle demeura comme figée, dans une contemplation extatique des panneaux aux personnages ivoirés, avant de psalmodier — en chinois cette fois et non pas en français — comme si elle se parlait à elle-même et qu'elle fût seule dans la pièce :

— *Toutes les danseuses, celles qui miment les Dieux,*
Celles qui miment les rois, celles qui miment les oiseaux,
Celles qui miment les singes, celles qui miment les ogres,
Tous les joueurs de gong, de cymbales, de flûtes, de tam-
bours en peau de buffle et de tympanons en forme de
pirogues...
Voilà le peuple d'Asie
Qui s'est levé pour ressusciter la Parole du Bouddha...

La voix légère s'était brusquement tue et la jeune femme se retourna, surprise de se trouver en présence d'Européens, comme si elle sortait d'un rêve...

— Je ne connaissais pas ce poème, dit l'antiquaire. Il s'accorde parfaitement à l'histoire que raconte ce paravent.

— C'est un Chant de Paix, dit-elle. Si seulement tous les hommes du monde essayaient de le comprendre!

Jacques l'avait écoutée avec surprise, se demandant si un tel souhait ne dissimulait pas les aspirations véritables du communisme : un Chant de Paix?

— Je regrette, déclara Serge Martin, que notre ami Fernet ne comprenne qu'imparfaitement le chinois... Sinon il aurait découvert comme moi les beautés du poème...

— Qu'importe ce qu'il chante! répondit Jacques. C'est la voix qui fait l'enchantement... J'aime vous entendre parler chinois, Maï! Mais où avez-vous appris cette langue, parce qu'enfin vous êtes vietnamienne?

— Du Nord, je vous l'ai dit! Dans toutes les familles cultivées de nos régions, on sait le chinois...

Elle demanda vivement à l'antiquaire, comme si elle cherchait à éviter ce sujet de conversation :

— Vraiment, monsieur Martin, vous avez compris tout le poème ?

— Je crois...

— C'est signe que, vous aussi, vous parlez très bien le chinois... Puis-je vous demander, à mon tour, où vous l'avez appris ?

— En Chine ! répondit-il froidement.

— Tiens ! s'exclama Jacques. Voilà une chose que vous ne m'aviez pas encore dite : j'ignorais que vous aviez été en Chine ?

— Mon cher Fernet, si l'on veut conserver ses amis, il faut savoir leur ménager de temps en temps des surprises qui apportent un regain de vitalité à l'amitié... Et vous ne voudriez tout de même pas que je me sois lancé dans le commerce des antiquités d'un pays sans avoir eu la curiosité de connaître les lieux d'où elles viennent ?

— Ce paravent, demanda doucement Maï, comment avez-vous pu vous le procurer, monsieur Martin ?

— Je sens que ce paravent vous fascine, belle enfant ! Mais si je livrais, à tous ceux et à toutes celles qui me le demandent, le secret de mes sources d'approvisionnement, je n'aurais plus qu'à fermer boutique ou à changer de métier ! Laissez-moi profiter du merveilleux mystère de mes trouvailles...

— Celle-ci est grandiose ! dit-elle.

— Que peut-on vous offrir ? demanda sans attendre Serge Martin. Du whisky comme au *Grand Monde ?*

— Si vous voulez...

— C'est un excellent remède pour toutes les maladies ! Parce que je n'oublie pas que vous avez été souffrante aujourd'hui... Sincèrement, vous avez toujours l'impression que notre présence équivaut à celle de guérisseurs ?

— Je me sens très bien ici...

— Tant mieux! Mais j'espère que vous ne m'en voudrez pas trop si je vous quitte pendant quelques instants : j'ai un travail urgent à terminer ...

— A une heure pareille? demanda-t-elle avec étonnement.

— C'est toujours la nuit que mes idées sont les plus claires, jeune femme! Je vous laisse dans la compagnie de Jacques... A tout à l'heure!

— Où allez-vous? dit Jacques.

— Au fond du jardin, répondit-il cynique. C'est là où s'épanouissent mes plus beaux rêves...

Elle attendit que la porte du vestibule se fût refermée pour dire à l'aveugle :

— N'allez surtout pas croire que je sois dupe d'une telle sortie! Il est intelligent, votre ami... Il sait très bien que si je suis ici, ce n'est que parce que je voulais vous revoir...

— Vraiment, Maï? Alors pourquoi ne m'avez-vous pas attendu ce soir au *Grand Monde?*

— J'ai cru que vous n'y retourneriez pas...

— Vous me connaissez mal! Je me devais de remercier quelqu'un qui m'a sauvé la vie. Pourquoi l'avez-vous fait?

— Parce que tu me plais, répondit-elle en le tutoyant pour la première fois.

Et, pendant qu'il l'écoutait, étonné, elle continua :

— ... Parce que toi aussi tu m'es destiné de toute éternité...

— Moi?

— ... Par la volonté de Bouddha...

— C'est Bouddha qui t'a conseillé de jouer les femmes souffrantes ce soir et de rester dans ta chambre d'hôtel?

— Non : c'est la méchanceté des hommes...

— Tu as donc des ennemis au *Grand Monde?*

— Qui n'en a pas? Mais j'en ai moins que toi... Ça ne te suffit pas qu'ils t'aient rendu aveugle?

— C'est un accident dû au hasard. Ce n'était sûrement

pas moi qui étais visé. Pourquoi s'en prendrait-on à un peintre?

— Parce que ce peintre se mêle de ce qui ne le regarde pas...

— Tu sais cela aussi?

— Oui.

— Puisque tu sais tout, dis-moi comment tu as appris que l'on voulait me tuer avant la nouvelle lune?

— Je ne peux pas te répondre mais je le savais depuis longtemps déjà.

— Et si nous ne nous étions pas rencontrés hier soir?

— Tu serais mort cet après-midi.

— Pourquoi, puisque tu sembles me manifester tant d'intérêt, ne m'as-tu pas averti plus tôt? Pourquoi n'as-tu par cherché à me joindre?

— C'était inutile: ce n'est pas toi, ni moi, qui conduisons nos destinées, c'est Bouddha.

— Toujours Bouddha!

— Toujours lui... Je savais, quand j'ai vu ta photographie dans les journaux, que je te rencontrerais au jour et à l'heure voulus par Bouddha... C'est pour cela que j'ai acheté une de tes toiles. Elle est dans ma chambre, à l'hôtel, signée par toi.

— Tu en es bien sûre?

— Oui... Et je la regardais tous les jours avec confiance en me disant que bientôt je te verrais...

— Cette certitude, tu l'avais acquise avant que je ne perde la vue?

— Oui...

— Et quand « l'accident » est arrivé, tu as conservé la certitude?

— Oui...

— Tu ne t'es pas dit: « Maintenant qu'il n'y voit plus, il va rentrer dans son pays? »

— Bouddha ne le voulait pas.

— Mais enfin, il te parle, Bouddha ?

— Je suis sa fille... Il me dirige comme un Père doit le faire pour son enfant.

Elle avait prononcé ces dernières paroles avec une conviction étrange. Le ton était d'une telle sincérité qu'il se demanda s'il ne se trouvait pas en présence de l'une de ces illuminées qui croient avoir des visions ou entendre des voix. A moins qu'elle n'appartînt réellement à la cohorte de ces êtres d'élite, parfois très simples, qui ont en eux le pouvoir surnaturel de communiquer avec l'au-delà ou de recevoir des messages divins ? Les manifestations mystiques ne sont pas l'apanage d'une seule religion, d'une seule croyance... Pourquoi n'y aurait-il pas des miracles dans la religion bouddhique ?

Et il se sentit envahir par une sorte de respect pour celle qui se disait la Fille du Dieu. Comme il aurait voulu la voir à ce moment ! C'était ce miracle-là que Bouddha aurait dû accomplir !

— Je crois tout ce que tu me dis, petite Maï... Mais je n'arrive toujours pas à comprendre que tu aies continué à vouloir me rencontrer alors que moi je ne pouvais plus contempler ton visage.

La fille se taisait.

— Comment est-il, après tout, ton visage ? Je connais ta voix qui est douce et bienfaisante pour moi, j'ai enlacé ton corps admirable en dansant... Mais tes yeux ? Ton nez ? Tes cheveux ?

Sans rien dire, Maï lui prit les deux mains et les approcha lentement de son propre visage pour qu'il pût en découvrir les contours. Dans cette première caresse, les doigts de l'aveugle recueillirent des larmes silencieuses qui coulaient le long des joues. Bouleversé, il ne put que murmurer :

— Vraiment, tu m'aimerais ?

Comme elle ne répondait pas, il demanda encore :

— Tel que je suis maintenant ?

Pour toute réponse, elle blottit ses deux petites mains dans les siennes. Ils restèrent ainsi, perdus dans le rêve qui venait de commencer...

Celui-ci fut interrompu par le retour de l'antiquaire, dont la voix dit, joyeuse :

— On a fait plus ample connaissance?... Je suis navré de troubler ce charmant tête-à-tête mais la nuit s'avance.

— Vous avez raison, dit-elle. Je dois rentrer...

— Nous allons vous reconduire au *Piccadilly*...

— Ce n'est pas la peine de vous déranger, monsieur Martin... Votre boy pourra très bien le faire puisqu'il sait conduire?

— Kim? dit Serge Martin surpris. Mais n'avez-vous pas dit hier soir à Jacques qu'il fallait s'en méfier? Malgré cela, vous auriez confiance en lui?

— A moi, il ne peut rien me faire.

— Vous le connaissez personnellement?

— Je l'ai aperçu à Saigon un jour où il conduisait M. Fernet.

— Et ce fut suffisant pour que vous puissiez vous faire une telle opinion sur lui?

— Nous savons lire sur les visages, répondit-elle très calme. Je n'aime pas celui de Kim...

— Raison de plus pour qu'il ne vous reconduise pas! dit l'antiquaire. En ce moment il dort du plus profond des sommeils : laissons-le là où il est...

Ils reprirent les mêmes places dans la voiture : Serge Martin au volant, Maï et Jacques sur la banquette arrière. Pas une parole ne fut échangée pendant le parcours. Ce ne fut qu'au moment où la voiture s'arrêtait devant l'hôtel que son conducteur demanda à la jeune femme :

— Quand nous ferez-vous le plaisir de revenir?

— Sincèrement, monsieur Martin, ce serait pour vous un tel plaisir?

— Mais... bien sûr! Votre personne s'harmonise tellement avec le cadre de ma demeure que ce serait dommage que vous n'y veniez pas très souvent... J'aimerais que vous vous y sentiez chez vous... Ce ne sera pas l'ami Jacques qui me contredira !

— Je vous promets que nous nous reverrons bientôt, dit-elle en descendant de la voiture. (Puis elle ajouta :) Surtout, continuez à être prudents ! Il le faut... pour M. Fernet !

— En somme, dit l'antiquaire, vous me le confiez ?

— C'est un peu cela, répondit-elle avec un sourire avant de rentrer dans l'hôtel.

Jacques resta à l'arrière pendant le retour. Assis devant son volant, Serge Martin l'observait dans le rétroviseur : l'aveugle semblait être très loin, songeur... Ce ne fut qu'au bout d'un certain temps que son compagnon demanda doucement :

— Peut-on savoir quelle a été votre conversation ?

Jacques parut faire un effort pour répondre :

— Banale...

— Serait-ce possible ? Avec une créature aussi fine et aussi séduisante ? Êtes-vous parvenu quand même à savoir pourquoi elle vous avait rendu un si grand service ?

— Oui... Parce que Bouddha l'a voulu et qu'elle est la Fille de Bouddha !

— Voilà qui est excessivement intéressant... Parlez...

— Elle m'a dit aussi que je lui étais destiné de toute éternité !

— Cela ne me surprend pas !

— Vous continuez à vous moquer de moi ?

— Je suis très sérieux au contraire. Quand nous serons à la maison, je vous expliquerai ce que peut être dans la pensée d'une Ngô-Thi-Maï-Khanh l'homme qu'elle croit lui être destiné !

Dès qu'ils furent dans le salon, il commença :

— Cette jeune personne nous a dit, hier, qu'elle adorait la danse... Si vous aviez pu voir comme son regard devenait brillant et passionné quand je lui ai décrit le costume que j'aimerais lui voir porter lorsqu'elle danse... ceci, à condition que cette danse eût lieu, non pas dans un dancing de Cholon, mais sur les marches d'une pagode! J'ai tout de suite ressenti la curieuse impression que la belle Maï était dévorée par un feu intérieur devenu assez rare aujourd'hui en Extrême-Orient mais qui existe quand même : le feu de la Danse Sacrée... Le fait que, tout à l'heure, quand elle nous est apparue dans le hall du *Piccadilly*, exactement habillée comme ces danseuses que j'avais évoquées la veille, prouve non seulement qu'elle connaît parfaitement leurs costumes mais qu'elle les possédait dans sa garde-robe... Il est impossible de trouver ces gracieux atours et ces écharpes brodées, dont les prix d'achat sont devenus exorbitants, en quelques heures dans une boutique chinoise de Cholon ou même chez un couturier de Saigon. Ce sont des vêtements qui ne sont faits que sur commande et dont la confection demande parfois plusieurs mois. Les ouvrières ou brodeuses, spécialisées dans ce genre de travail très délicat, disparaissent elles aussi... Aussi, le plus souvent, se transmet-on ces vêtements à caractère sacré de grand-mère en mère et de mère en fille...

» Je pense que c'est ainsi que notre jeune amie a pu satisfaire aussi vite nos désirs! Mais vous pouvez être assuré que jamais elle n'irait faire son métier de *taxi-girl* au *Grand Monde* ainsi vêtue! La clientèle de ce dancing, comme d'ailleurs celle de tout le Sud-Viêt-Nam, a évolué : les hommes portent des smokings et les femmes des tailleurs de shantung ou des robes à la toute dernière mode de Paris ou de New York... Mais je serais assez enclin à croire qu'une Ngô-Thi-Maï-Khanh, dont le nom complet révèle à lui seul les origines chinoises, n'aime pas tellement se vêtir à l'européenne! La preuve en est que, pour nous séduire cette nuit, elle a su retrouver toute la poésie vestimentaire de ses ancêtres. Car elle est poète : nous nous en sommes aperçus quand elle s'est trouvée devant ce paravent...

» Son âme, son cœur, son cerveau doivent être comme imprégnés d'une nostalgie de la beauté raffinée de la vieille Chine. A cela peut s'ajouter une croyance absolue dans la toute-puissance et l'omnipotence de Bouddha. Elle est un peu comme moi, Maï : elle a foi en ce Dieu.

— Vous n'allez pas me dire que vous vous êtes converti au bouddhisme ?

— Je m'en sentirais très capable! C'est une religion qui apporte plus que toute autre — et je les ai étudiées! — une sorte d'apaisement absolu... Mais peu importent mes croyances! Ce sont celles de notre belle amie qui nous intéressent... Si elles sont vraiment solides et sincères, je comprends très bien qu'elle puisse vous considérer comme lui étant destiné de toute éternité. Souvenez-vous de cette légende que je vous avais racontée, quand vous étiez encore à l'hôpital, et où il était question de la fille d'un roi, enfermée dans un gong à peau de buffle, puis délivrée par un étranger « qui venait d'au-delà des mers... »... Ce jour-là, alors que je vous sentais désespéré, je vous ai dit : « N'êtes-vous pas l'étranger blanc d'au-delà des mers ? Bientôt peut-être rencontrerez-vous la fille aux-cheveux-qui-sentent-bon ? N'étais-je pas un peu prophète ? Dites-vous bien qu'il existe en Asie d'innombrables vierges, comme celle de la légende, qui vivent encore dans l'attente passive de celui qui leur est destiné. Leur patience, qui ferait sourire les Européennes, vient de ce qu'elles ont confiance en Bouddha. Et elles n'ont cette confiance que parce qu'elles se considèrent, telle Maï, Filles du Dieu.

» Comment peut-on devenir Fille de Bouddha ? En lui étant consacrée! Si vous parveniez, au cours d'entretiens futurs, à savoir comment et surtout pourquoi Maï a été consacrée au Dieu, nous trouverions peut-être la raison pour laquelle — tout en exerçant la profession de *taxi-girl* des temps modernes qui, je le répète, ne saurait lui convenir — cette jeune femme se croit appelée à remplir une mission pendant son passage sur cette terre. Seulement il existe toutes sortes de missions : charitables, rédemptrices, vengeresses ou même destructrices!

» Charitable? Je ne pense pas que la belle Maï vous ait averti dans l'unique but de rendre service à son prochain... Rédemptrice? Pourquoi rachèterait-elle les fautes des autres?... Vengeresse? Il est possible qu'en cherchant à vous éviter le pire, elle n'ait agi en réalité que pour nous permettre d'atteindre ceux qui vous en veulent et qu'elle hait pour des raisons personnelles... Et je vois, je ne sais trop pourquoi, se profiler la silhouette trouble de M. Jojo : si vraiment il est son amant, peut-être cherche-t-elle à se débarrasser de lui avant qu'il ne se débarrasse d'elle?... Destructrice? Cette jolie fille n'est pas une anarchiste : elle aime trop les avantages du luxe capitaliste. Pourquoi détruit-on les êtres ou les choses? Presque toujours dans un but politique, par idéologie... Quelle idéologie veut tout détruire pour pouvoir tout reconstruire sur d'autres bases : le communisme! Et pas celui de Moscou... celui de Pékin qui est intransigeant, totalitaire, sans pitié!

» Vous comprenez mieux, cher ami, pourquoi il est indispensable que vous arrachiez à celle dont vous avez fait la conquête le secret de sa « mission »?

— Je n'ai pas fait sa conquête!

— Aurait-elle fait la vôtre? Vous aurait-elle laissé entendre que, réellement, vous lui plaisiez?

Jacques ne répondit pas. Sans qu'il pût s'en rendre compte, l'antiquaire l'observait curieusement : le visage de l'aveugle restait impassible mais son compagnon avait déjà la certitude que la jolie fille lui avait fait plus de confidences qu'il ne le disait. Si Jacques prenait soin de cacher la partie plus intime de son entretien avec Maï, ce ne pouvait être que parce qu'il était déjà un peu amoureux. Et Serge Martin eut un sourire : c'était très bien qu'il fût dans cet état. Cela faciliterait les choses...

Ne voulant pas paraître trop indiscret, il dit, changeant de conversation :

— Pendant que vous étiez avec cette charmante Maï, je n'ai pas perdu de temps : j'ai achevé le travail de camouflage de la tombe de Kim. Maintenant, elle a la même discrétion que celle de son voisin, Raczinski... Je pense qu'il serait grand temps d'aller prendre un peu de repos.

Ils rejoignirent chacun leur chambre mais, pour la première fois depuis son arrivée dans la demeure de l'antiquaire, Jacques ne lui dit pas bonsoir. Avant de s'endormir, harassé par les deux nuits d'insomnie précédentes, il eut encore une pensée pour Maï dont la voix lui avait semblé d'une sincérité absolue lorsqu'elle avait prononcé ces trois mots :

— Tu me plais...

Quand il fut réveillé par le bruit d'une voiture, s'arrêtant devant le perron, il faisait déjà jour depuis longtemps. Quelques instants plus tard, après avoir entrouvert la porte de sa chambre donnant sur le couloir, il entendit une conversation dans le salon. Et il la reconnut sans peine, alternant avec celle de Serge Martin, la voix gutturale du commissaire Xi-Dien et, de temps en temps, celle plus nuancée du lieutenant Dàng-Ngoc-Tuê. Après avoir fait une toilette rapide, il descendit.

— Mon cher ami, dit l'antiquaire, en l'accueillant, vous arrivez à point! Ces messieurs désiraient vous interroger mais je les ai fait patienter le plus possible pour vous permettre de vous reposer. Ils ont d'ailleurs eu l'obligeance d'attendre votre réveil, sachant combien les émotions que vous avez connues hier à la Pointe des Blagueurs étaient capables de briser un homme! D'abord dites-nous si vous avez pu dormir?

— Pas longtemps mais je l'avoue : très bien!

— Nous en sommes heureux, monsieur Fernet, dit le commissaire Xi-Dien. C'était indispensable pour vous! Quand on l'esprit dispos, on est plus apte à se souvenir des détails... Puis-je commencer mon interrogatoire?

— Messieurs, je suis à votre disposition...

— Monsieur Fernet, je dois vous poser une première question dont l'importance ne saurait vous échapper et à laquelle je vous demande de me répondre en toute franchise : vous connaissez-vous des ennemis dans notre pays?

— Aucun! Pourquoi en aurais-je? Je n'ai fait de tort à personne et je n'ai jamais eu d'autre activité que ma peinture... Depuis qu'il ne m'est plus possible de travailler, je n'ai fait que me promener pour continuer à faire mieux connaissance, malgré le lourd handicap de ma vue, avec ce Viêt-Nam que j'aime et dont j'aurais tant voulu peindre tous les aspects!

— Vous n'êtes vraiment resté parmi nous que dans cette pensée?

— Oui...

— Croyez bien qu'elle ne vous rend que plus sympathique à nos yeux. Cependant des gens, qui sont peut-être incapables de comprendre la noblesse de sentiment qui vous anime à l'égard de notre pays, commencent à se demander si réellement il n'y aurait pas une autre raison, plus occulte, à cette prolongation volontaire de votre séjour parmi nous?

— Qui peut se poser une pareille question?

— Notre gouvernement, monsieur Fernet!

— Il s'intéresse donc à moi à ce point?

— Il s'est toujours interessé à vous et il vous en a donné maintes preuves... Ne serait-ce qu'en faisant venir de Paris à ses frais un illustre spécialiste dont le diagnostic fut, hélas! négatif... En vous assurant aussi une protection discrète, mais qui s'est tout de même révélée très efficace hier après-midi, quand vous vous déplacez... Notez bien que, cette fois, des ordres sévères ont été donnés pour que la presse n'ébruite pas la nouvelle affaire de la Pointe des Blagueurs. Aucun journal de ce matin n'en a parlé. Nous pensons que la discrétion est préférable. Mais cela ne veut pas dire que nous ne soyons pas inquiets! Deux attentats contre vous à quelques mois de distance, cela porte à réfléchir... Et nous en sommes à rechercher les raisons véritables pour lesquelles on vous en voudrait tellement? J'avoue que nous n'avons encore trouvé aucune réponse satisfaisante. C'est pourquoi nous avons pensé que vous pourriez peut-être nous aider?

— Messieurs, je suis encore plus étonné que vous de tout ce qui m'arrive!

— Ne pensez-vous pas que vous seriez poursuivi à distance par des ennemis que vous auriez connus en France et qui auraient donné des ordres à des tueurs professionnels de vous abattre?

— Certainement pas! Pas plus qu'ici, je ne me connais d'ennemis en France où j'ai toujours vécu paisiblement ma vie d'artiste. Mais, monsieur le commissaire, vous venez de parler de « tueurs professionnels »? Serait-ce le résultat de votre nouvelle enquête?

— Le lieutenant Dàng-Ngoc-Tuê, qui l'a commencée aussitôt après l'attentat et sur place, vous dira qu'elle n'a rien donné : l'homme abattu ne portait aucun papier. Son visage et sa fiche anthropométrique sont inconnus dans nos archives criminelles. C'est la raison pour laquelle nous envisageons l'hypothèse d'un tueur nouveau payé spécialement...

— En somme, vous piétinez tout autant que la première fois?

— Je l'avoue... Véritablement, vous n'avez pas la moindre idée?

— Pas la moindre!

— C'est dommage... Si nous avons fait taire la presse, c'est surtout pour éviter que vos amis et admirateurs — ils sont nombreux chez nous — ne finissent par se demander, eux aussi, si cet acharnement dont vous semblez être l'innocente victime est vraiment dû au seul hasard ou à de regrettables méprises. Ne pensez-vous pas qu'il serait très ennuyeux que l'on murmurât à l'avenir, quand vous passerez ou entrerez quelque part : « N'y aurait-il pas une autre raison pour que l'on s'attaque à ce Jacques Fernet ? Qui nous dit que ce n'est qu'un peintre ? Peut-être a-t-il une autre activité ?... » Si j'exprime ce point de vue, croyez bien qu'il m'est strictement personnel et n'allez surtout pas vous en formaliser. Seulement, je suis comme vous, les Français : je finis par croire à votre vieux dicton : « Il n'y a jamais de fumée sans feu ! »

Ces dernières paroles, où perçait la menace, furent accueillies par un silence que Serge Martin finit par rompre, en disant avec une conviction merveilleusement simulée :

— Je vous avais bien dit, monsieur le commissaire, que mon ami Fernet était aussi perplexe que moi... Depuis le premier attentat nous nous sommes perdus, lui et moi, en conjectures de toutes sortes... Nous avons élaboré des dizaines d'hypothèses mais aucune n'a pu nous satisfaire pour la raison essentielle que nous sommes incapables de répondre à cette simple interrogation : pourquoi ? D'ailleurs si une police aussi bien organisée que la vôtre n'est arrivée à rien après des mois, comment voudriez-vous que deux artistes, qui vivent dans un monde tellement éloigné de celui des terroristes ou des criminels, puissent arriver à un résultat ? Ce serait par trop paradoxal !

— Nous mettrons le temps, monsieur Martin, répondit froidement le commissaire. Mais je vous garantis que nous finirons par découvrir la vérité ! Souhaitons que ce ne soit pas trop tard pour votre ami... et même pour vous ! Vous reconnaîtrez alors que nous vous aurons prévenus !...

Parlons de quelqu'un d'autre, si vous le voulez bien... Cette fois, c'est à vous, monsieur Martin, que je m'adresse : ne pensez-vous pas que votre boy serait pour quelque chose dans l'attentat d'hier ? C'était lui qui conduisait la voiture : il savait donc très bien où vous vous rendiez ?

— C'est très exact, monsieur le commissaire. Jusqu'à cette deuxième tentative d'assassinat, je vous aurais répondu que je mettais Kim — qui était à mon service depuis sept années déjà et dont je n'avais eu qu'à me louer — au-dessus de tout soupçon... M. Fernet, qui avait déjà émis le même doute que vous après le premier attentat, pourra vous confirmer cette confiance absolue que j'avais en Kim.

— Monsieur Fernet, qu'est-ce qui a bien pu vous faire soupçonner ce Kim après l'incident de la bouteille explosive dans une maison de rendez-vous de Cholon ? Je ne vois pas très bien la connexion qui aurait pu exister entre ce boy et la dame Tchang ?

— Je reconnais que ce n'était alors de ma part qu'une idée assez saugrenue ! répondit Jacques. Je la livrai cependant à Martin en lui demandant : « Ne pensez-vous pas que Kim aurait su, par une indiscrétion naturelle de serviteur, que nous avions décidé de nous rendre dans cette maison trop accueillante ? Et dans ce cas, ne serait-ce pas lui qui aurait averti la tenancière ou mes assassins en puissance ? »

— C'était bien raisonné, reconnut le commissaire.

— Admirablement ! surenchérit l'antiquaire. Si j'avais eu l'intelligence d'ajouter la moindre créance à cette remarquable suggestion de Jacques, sans doute aurions-nous progressé et peut-être évité le deuxième attentat ! Mais je le reconnais : j'ai été stupide ! J'ai persisté à croire dans le dévouement de mon boy... Seulement, j'ai eu tort ! Je m'en suis aperçu ce matin, une heure environ avant votre arrivée, monsieur le commissaire...

— Ce matin ?

— Oui... Alors que je venais, selon mon habitude, de frapper sur ce gong pour que Kim m'apporte mon petit déjeuner, je ne le vis pas apparaître avec la célérité qui était sa plus grande qualité... Je m'impatientais car je n'aime pas attendre! Un deuxième coup sur le gong étant resté sans résultat, je me rendis à l'office, puis à la cuisine, enfin dans sa chambre... Il n'était dans aucune de ces pièces! Il n'était nulle part, ni dans la maison ni dans le jardin! J'ai été obligé d'en conclure qu'il m'avait faussé compagnie...

— A-t-il emporté ses affaires personnelles?

— Il n'a même pas pris cette peine. Elles sont restées dans sa chambre.

— Peut-être est-il sorti faire des courses?

— A une heure aussi matinale, ça n'est pas dans ses habitudes...

— Voilà, évidemment, messieurs, un élément nouveau... D'autant plus qu'il n'a certainement pas utilisé la sortie normale, sinon les hommes qui y montent la garde m'en auraient informé.

— S'il m'a réellement quitté, dit Serge Martin, il ne peut l'avoir fait qu'en sautant au-dessus du mur de clôture : ce qui évoque nettement la fuite!

— Et vous êtes certain qu'il était là hier soir?

— Absolument! Mon ami Fernet peut vous jurer, comme moi, que nous l'avons encore vu en chair et en os vers 10 heures du soir...

Le commissaire s'adressa en vietnamien au lieutenant et lui donna l'ordre de faire le tour intérieur, puis extérieur du mur de clôture pour voir s'il ne relevait pas de traces. Après le départ de l'officier, il reprit :

— Évidemment, si ce Kim s'est enfui, c'est signe qu'il a quelque chose à se reprocher ou qu'il a peur... Vous avez ses papiers?

— Hélas! Je n'en ai aucun! dit Serge Martin navré. Je l'avais engagé, voici sept années, sur sa bonne mine! J'avoue que c'est assez stupide mais je me fie toujours à ma première impression...

— Vous feriez un détestable policier, monsieur Martin!

— Tout ce que je sais de lui, c'est qu'il était d'origine annamite...

— Avait-il de la famille ?

— Il ne m'en a jamais parlé... Il n'était guère bavard : ce que j'appréciais vivement en lui...

— A propos, messieurs, vous êtes sortis en voiture cette nuit ?

— En effet : nous nous sommes rendus au *Grand Monde* de Cholon. Mon ami avait été très secoué et une détente était indispensable...

— Je vous approuve, monsieur Martin. Vous avez bien fait... Vous êtes revenus, m'a-t-on dit, au bout d'une heure ?

— Oui.

— Vous n'étiez pas seuls, je crois ? Une jeune femme ne vous accompagnait-elle pas ?

— Une créature exquise! Une *taxi-girl* du *Grand Monde*. J'ai pensé qu'elle serait pour Jacques le meilleur dérivatif... Vous pouvez d'ailleurs constater le résultat : il a bien dormi! Ce qui est proprement inouï après ce qu'il a connu hier...

— Ce fut presque une *taxi-girl* miraculeuse ?

— Vous avez dit le mot exact, monsieur le commissaire! Il fallait ce genre de femme...

— Et vous l'avez reconduite ? Au bout de combien de temps ?

— Deux heures tout au plus...

— A Cholon ?

— A son hôtel.

— Quel hôtel ?

— Le *Piccadilly*...

— Chez M. Jojo ?

— Chez M. Jojo...

— Vous le connaissez particulièrement, ce directeur d'hôtel ?

— Je le connais doublement, en tant que vieux Saigonnais et en tant qu'antiquaire. Il est comme moi : il aime les belles choses...

— Je sais. Son établissement a une certaine réputation... Et ensuite, vous êtes rentrés ?

— Et nous nous sommes couchés...

— Jusqu'à ce que vous découvriez ce matin la disparition de votre boy ?

— Exactement! Vous avez tout notre emploi du temps.

— Je vous remercie, messieurs...

Le lieutenant Dàng-Ngoc-Tuê était revenu. Dans un rapide colloque avec le commissaire, il expliqua n'avoir relevé aucune trace sur la clôture.

— Messieurs, dit ce dernier, nous allons vous quitter en nous excusant de vous avoir dérangés à cette heure aussi matinale et en vous remerciant de l'extrême obligeance dont vous avez tous deux fait preuve pour nous aider dans nos recherches... Monsieur Martin, puis-je vous demander, au cas où votre boy rentrerait à l'improviste, de ne lui faire que les remontrances normales d'un maître à l'égard d'un serviteur mais de ne lui poser aucune question sur les raisons de sa... fugue?

— Je vous promets de ne lui poser aucune question! Je ne lui ferai même pas de remontrances car j'ai trop besoin de ses services!

— C'est à ce degré?

— Les serviteurs modèles sont de plus en plus rares, même au Viêt-Nam!

— Et soyez aimable de me téléphoner aussitôt... Je me réserve de l'interroger moi-même.

— J'ai très bien compris, monsieur le commissaire.

— Désirez-vous, messieurs, que je laisse des hommes à l'entrée?

— Franchement, dit l'antiquaire, je n'en vois guère l'utilité! Leur présence risque d'attirer l'attention. Cette nuit nous avons été nous distraire sans aucune escorte et il ne nous est rien arrivé de fâcheux... Si l'on en veut réellement à M. Fernet, je ne pense pas que ses ennemis se gêneraient pour sauter par-dessus la clôture comme a dû le faire Kim!

— Ce qui m'ennuie, c'est que vous êtes très isolés, ici.

— Mais je suis là, monsieur le commissaire!

— C'est heureux! Soyez quand même aimable de me passer un coup de fil quand vous décidez de faire un déplacement avec votre ami!...

— Ceci signifie-t-il que nous devions nous considérer comme étant sous votre surveillance?

— Nullement, messieurs! Nous n'avons rien à vous reprocher! C'est plutôt vous qui seriez en droit de nous accuser de ne pas être capables d'assurer votre protection... Ne nous en veuillez pas si nous la continuons pendant quelques jours. Elle sera discrète! Au revoir, messieurs.

Après son départ et celui du lieutenant, Serge Martin alla s'assurer de ce qui se passait à l'entrée du jardin. Il revint en disant :

— Tout va bien : les motards sont repartis... Ce qui ne veut pas dire qu'ils soient très loin! Je connais les méthodes « discrètes » de la police vietnamienne. C'est quand on ne remarque plus sa présence qu'elle devient dangereuse... comme toutes les polices!

— Le commissaire Xi-Dien me paraît, lui aussi, assez inquiétant, remarqua Jacques.

— Et il le sera de plus en plus! Il y a un certain nombre de pilules — telles que le départ du *N. 625* et de tous les renfloueurs de l'estuaire — qu'il n'a pu encore digérer! Ajoutez-y les ennuis que lui a apportés le premier attentat contre un personnage aussi sympathique et aussi populaire que vous... C'est la raison pour laquelle il ne tient nullement à ce qu'on ébruite l'affaire de la Pointe des Blagueurs : ça pourrait lui coûter sa place! De ce côté-là, nous le tenons... mais d'un autre, il me gêne...

— Kim?

— C'est toujours très difficile de faire disparaître quelqu'un... Le bonhomme va s'acharner! Peu à peu il faudra que nous lui mettions en tête que là encore il s'agit d'un attentat terroriste du Viêt-Minh... C'est assez commode, ce pays divisé en deux zones de chaque côté d'un parallèle, pour attribuer alternativement la responsabilité des disparitions à l'un ou à l'autre camp! Souvenez-vous de ce qui se passait en France à l'époque où les Allemands l'occupaient et où il y avait une ligne de démarcation... Que de crimes ont été commis en son nom! La seule chose que nous puissions faire, pendant les jours qui vont venir, pour avoir une paix relative, est de téléphoner matin et soir au commissaire en l'informant que nous sommes toujours en excellente santé...

— C'est extraordinaire! Tel que je vous connais, vous n'avez pas en vue une nouvelle petite promenade pour cet après-midi?

— Pour moi, mais pas pour vous qui resterez, tel un enfant sage, à la maison...

— Tout seul?

— Auriez-vous peur?

— Je n'ai jamais peur, Martin!

— Je m'en suis aperçu... Étant donné votre état, je ne vous en admire que davantage! C'est pourquoi je suis certain que vous réussirez...

— A quoi?

— A retrouver le document!

— Vous êtes têtu!

— Je suis tenace : c'est très différent! Mais vous ne réussirez que si vous continuez à suivre exactement la nouvelle ligne que je vous ai tracée : la ligne de charme...

— La *taxi-girl?*

— Pourquoi ne pas l'appeler Ngô-Thi-Maï-Khanh? Ça lui va tellement mieux! Cette adorable enfant n'est qu'une *taxi-girl* d'occasion comme vous êtes peintre!

— Existe-t-il vraiment dans ce pays des gens qui exercent la profession qu'ils affichent?

— Peut-être les conducteurs d'autocars chinois, mais à part eux, c'est rare!

— Curieux pays!

— Étrange pays! Je vous ai dit que tout y était faux!

— Et où comptez-vous aller vous promener seul cet après-midi?

— A Cholon...

— Ce capharnaüm vous fascine encore? J'espère au moins que vous n'allez pas aller ennuyer à nouveau Maï?

— Je m'en garderais bien! Si elle veut vous revoir, elle reviendra d'elle-même... Et si cela se produisait, ce serait la preuve que vous êtes le plus bel artiste de charme de la région... Avec les femmes, bon ami, il existe un grand principe dont l'universalité n'a pas fini de me surprendre : qu'elles soient latines, anglo-saxonnes, peaux-rouges ou chinoises, il ne faut jamais courir après elles! On commence par semer, comme nous l'avons fait en nous rendant au *Grand Monde,* pour éveiller leur curiosité qui se transforme vite, si la dame mord à l'hameçon, en intérêt... De l'intérêt au désir, il n'y a qu'un pas... ou un faux-pas, vite franchi! Ensuite on est le roi de la situation : elles deviennent de plus en plus bavardes, elles se confient, elles disent tout... et on apprend une foule de choses intéressantes! Mais si, au contraire, on a le malheur de les pister avec trop d'insistance, elles se métamorphosent en créatures méfiantes ou arrogantes... Elles se croient tout permis et vous n'êtes plus qu'un pauvre homme! Tout autant que vous, j'ignore quel est le véritable Dieu. Se nomme-t-il Bouddha, Allah, Vichnou ou Trinité chrétienne? Mais il existe sûrement! La meilleure preuve en est qu'il a toujours su créer la femme, sous toutes les latitudes et sous tous les climats, avec les mêmes défauts et les mêmes qualités! Nous devons lui en être infiniment reconnaissants! Cela ne permet-il pas aux hommes lucides de s'y retrouver? Il y a un Dieu pour vous et moi, Fernet, ne l'oubliez pas!

Vers 15 heures, la Chevrolet, conduite par son propriétaire, partait de la maison. Jacques s'était installé dans le salon avec, dans la poche de son veston, un revolver chargé que l'antiquaire lui avait laissé en disant : « Si vous entendez le moindre visiteur, n'hésitez pas à tirer... Cette arme n'a pas de silencieux : elle fera du bruit... Comme vous ne pouvez pas viser avec précision, ce sera ce bruit qui vous sauvera! Mais ce n'est qu'une précaution : il ne se passera rien! » Une fois de plus, l'aveugle réfléchissait... Qu'aurait-il pu faire d'autre?

Il se demandait où Serge Martin avait bien pu aller? Malgré toutes les questions qu'il avait posées, il n'était pas parvenu à le faire parler. Son unique crainte était qu'en dépit de ses déclarations sur la manière dont il estimait qu'il fallait se conduire à l'égard des femmes, il ne se fût rendu à nouveau au *Piccadilly* pour essayer de faire parler Maï. Avec l'antiquaire, il ne fallait jamais s'attendre à la vérité absolue. Son principe — l'aveugle l'avait décelé une fois pour toutes — était de faire le contraire de ce qu'il disait... A moins qu'il ne s'agisse de supprimer un ennemi. Dans ce cas, il le tuait vraiment.

Pourquoi ne serait-il pas retourné voir Maï? Pensée qui rendait Jacques à demi fou. Il n'osait encore se l'avouer, mais, obscurément, d'une façon encore assez confuse, sans même qu'il l'eût voulu, il était presque devenu jaloux du vieil homme à cheveux blancs, à l'âge indéfini, mais dont le charme était indéniable! Il écrasait tout! Si réellement il devinait un rival, il devait pouvoir se montrer aussi cruel que dans une exécution! L'adversaire était assassiné sous un flot de politesses et de compliments... Féroce, l'antiquaire! Le plus inquiétant, c'était que Maï — pendant l'heure que Jacques avait passé avec elle — ne lui avait pas dit un seul mot de Serge Martin! Quand une femme ne parle pas d'un homme fascinant, c'est qu'il l'intéresse, qu'il la passionne même!

Le pire dans ce personnage trouble était qu'au fond il devait détester la femme. Pour lui elle ne pouvait être qu'un instrument docile dont il ne se servait que pour faire réussir ses projets et même pas pour combler ses désirs. Les quelques paroles, qu'il n'avait pas craint de dire dans ce salon devant un Kim prisonnier, prouvaient que ses tendances véritables étaient tout autres... En admettant même qu'il réussisse à se faire aimer de Maï, ce ne serait que pour devenir ensuite son plus grand ennemi!

— Tu m'attendais? dit brusquement dans le silence de la pièce la voix déjà aimée.

L'aveugle avait tressailli et ne put que balbutier :

— Toi?... Comment as-tu fait pour entrer ici et t'approcher de moi sans que je t'aie entendue venir?

La voix de Maï répondit rieuse :

— Tu crois que rien ne peut plus échapper à ton ouïe? Peut-être est-ce vrai pour tous les autres mais pas pour moi qui sais me rendre plus discrète que la petite souris! Comment suis-je entrée? Mais par le grand portail du jardin et ensuite par la porte du vestibule : tu ne m'aurais pas plus entendue faire crisser le gravier de l'allée que glisser sur les tapis de cette demeure.

— Tu es extraordinaire, petite Maï!

— J'ai pensé que tu serais seul cet après-midi. Aussi suis-je venue te tenir compagnie. Pourquoi restes-tu enfermé? Ignores-tu la parole de Bouddha : « *C'est un étroit assujettissement que la vie dans la maison. La liberté est dans l'abandon de la maison.* »

— Que pourrais-je faire d'une pareille liberté dans l'état où je me trouve?

— Tu pourrais tout faire si je restais auprès de toi.

— Tu le voudrais?

— Même si ce n'était pas mon désir, il le faudra! Tu es, de toute éternité et de par la volonté du Dieu, mon protecteur... C'est toi que j'attendais depuis des années...

Instinctivement Jacques pensa à ce que lui avait dit l'antiquaire et à la légende de la fille-aux-cheveux-qui-sentent-bon délivrée par un étranger venu d'au-delà des mers, pendant que la voix tendre continuait :

— Si tu as quitté ton lointain pays, ce n'est pas — contrairement à ce que tu pourrais croire — pour peindre dans le nôtre ou même pour y faire autre chose... Tu n'as accompli ce grand voyage que pour me rejoindre : Bouddha l'a décidé... Tous les jours je le priais... Je savais qu'il m'exaucerait : j'avais confiance!

— Tu déraisonnes! Je ne puis être pour toi rien d'autre qu'un ami de passage!

— Tous nous vivons notre passage sur terre. Il peut être plus ou moins long mais nous ne pouvons l'accomplir seul... Même étant la Fille de Bouddha, je ne puis échapper à cette loi.

— Tu dis des choses tellement étranges...

— Je ne dis que la vérité. Tu devrais être joyeux de l'entendre pour la première fois de ta vie.

— Crois-tu vraiment que, dans ton pays, on soit capable de ne pas mentir?

— Nous ne mentons que quand c'est nécessaire. Avec toi, ça ne l'est pas! Et toi, m'as-tu toujours dit la vérité?

Il resta silencieux.

— Je sais que tu ne me l'as pas dite mais je sais aussi que tu ne pouvais pas agir autrement! Je n'ai donc pas le droit de t'en vouloir.

— C'est donc que tu es mon alliée?

— Oui...

— Alors réponds-moi avec cette franchise dont tu te prétends capable à mon égard : tu l'as revu ?

— Qui cela ?

— Celui qui se dit mon ami ?

— Serge Martin ? Pourquoi aurais-je cherché à le revoir en cachette de toi ? Il ne m'intéresse pas ! C'est déjà beaucoup pour moi de supporter sa présence quand il est avec toi ! Je n'aime pas cet homme... Contrairement à ce que tu crois, il n'est pas ton ami.

— Serait-il mon ennemi comme l'était le boy ?

— Comme le boy, il trompera toujours ses amis parce qu'il travaille pour d'autres auxquels il obéit aveuglément.

— Quels autres ?

— Tu les connais aussi bien que moi ! Puisque tu m'as demandé si je l'avais revu, c'est donc que tu es jaloux de lui ?

— Je crois que je pourrais l'être...

— La jalousie est une preuve d'inintelligence. Elle ne conduit qu'au désespoir et à la destruction... Je suis sûre que tu ne connais pas la triste histoire des maris jaloux que l'on raconte en Chine ?

— Mais je ne suis pas ton mari, Maï !

— Tu es plus qu'un mari pour moi : tu es mon protecteur.

— Sais-tu qu'en France cette appellation n'est pas très flatteuse ?

— Chez nous, elle l'est...

— Chez toi ? Où est-ce chez toi ? Au Viêt-Nam ?... Au Viêt-Minh ?... Au Laos ?... En Chine ?...

— Tu es comme tous ceux de ta race : tu veux tout savoir trop vite !

— Je suis sûr que tu viens de Chine, Ngô-Thi-Maï-Khanh !

— Tu sais même mon nom complet ?

— Oui.

364

— Et tu aimes le prononcer ?

— Je préfère Maï : c'est plus gentil et c'est plus doux ! La preuve que je ne me trompe pas sur tes origines, c'est que je t'ai déjà entendue hier soir réciter ici, devant le paravent, un poème chinois et que tu viens de me dire que cette triste histoire des maris jaloux se racontait en Chine.

— Aimerais-tu l'entendre ?

— Dite par toi, oui...

Elle s'était agenouillée près du fauteuil, puis elle commença de sa voix très douce :

— Il y a bien longtemps, dans le nord de la Chine, existait un mari très jaloux... Il emmena sa femme sur une montagne couverte de forêts, débroussailla un espace qu'il mit en culture et vécut complètement isolé des autres hommes pour conserver sa femme pour lui seul. Au bout d'un certain temps, celle-ci mit au monde une fille. Quand l'enfant fut devenue jeune fille, elle fut un jour aperçue par un homme qui passait par la forêt et qui se prit d'amour pour elle. Il la courtisa en secret et finit par en faire sa maîtresse. Il réussit aussi à devenir l'amant de la mère.

» La mère et la fille savaient l'une et l'autre qu'elles étaient toutes deux maîtresses de cet homme, mais elles avaient trop de torts réciproques pour oser se le reprocher mutuellement. Le mari jaloux ignorait tout. Il commença à être pris de soupçons lorsqu'un jour il s'aperçut que sa fille était enceinte, mais il ne savait que penser. Le cœur agité, il ne pouvait tenir en place et préférait aller chasser tout le jour à l'aventure dans la forêt...

» A la même époque, il y avait dans la région un autre mari extrêmement jaloux. Celui-là était allé apprendre d'un sorcier des incantations qui lui donnaient le pouvoir d'avaler un être humain et, quand il le voulait, il pouvait avaler sa femme pour que personne ne pût la séduire. Un jour sa femme lui demanda comment il pouvait l'avaler ainsi. Comme il l'aimait, il finit par lui apprendre la formule magique. Dès qu'elle l'eut exactement retenue, la femme prit un amant qu'elle avalait à l'approche de son mari qui ne se doutait de rien.

» Un jour le mari dit à sa femme :

» — Demain au lever du jour, tu feras cuire du riz que j'emporterai dans un paquet, car je te mènerai rendre visite à ma mère qui ne te connaît pas encore.

» Le lendemain, il prit en bandoulière les provisions préparées, avala sa femme et se mit en toute hâte en chemin. Au milieu du jour, il atteignit un étang situé au milieu d'une forêt inhabitée. Il s'arrêta, fit sortir sa femme de son estomac et se disposa à faire avec elle son repas. Mais, avant de manger, il alla se baigner dans l'étang. L'eau étant très basse, il dut s'éloigner du rivage pour trouver de la profondeur. Sa femme en profita pour faire remonter de son estomac son amant, se donna à lui, puis le fit rapidement manger avant de l'avaler à nouveau dès qu'elle entendit revenir son mari. Celui-ci mangea en compagnie de sa femme, puis il l'avala et se mit en route.

» La chasse avait amené en cet endroit l'autre jaloux qui soupçonnait sa fille : il s'était caché dans un fourré et avait vu le mari cracher sa femme et aller se baigner, puis la femme cracher son amant, se livrer à lui et l'avaler de nouveau. Il se dit : « Voici un mari qui sait avaler sa femme, et malgré cela elle a un amant ! Moi qui abandonne tout le jour ma femme et ma fille, comment puis-je penser qu'elles sont chastes ? »

» Il courut pour rejoindre le mari qui continuait sa route après le repas et après avoir avalé sa femme. Et il l'invita à venir se reposer un moment chez lui. Dès qu'ils y furent, le chasseur dit à sa fille :

» — Mets vite du riz sur le feu, car j'amène un ami. Nous mangerons tous ensemble...

» La femme et la fille du chasseur préparèrent le repas et

mirent quatre couverts pour l'ami, pour le chasseur et pour elles-mêmes. Mais le chasseur dit :

» — Le couvert n'est pas complet : il faut le compléter pour qui est dans l'estomac de mon ami! Crachez, mon ami, pour que nous puissions tous manger ensemble!

» Le mari fut très étonné. Comment cet homme pouvait-il savoir qu'il avalait sa femme? Il la fit sortir de son estomac; la fille du chasseur apporta un bol de plus. Mais le chasseur dit :

» — Il manque encore un couvert, car la femme de mon ami a un homme dans l'estomac! Crachez-le, je vous prie, pour qu'il déjeune avec nous!

» La femme fut couverte de confusion. Mais elle ne pouvait nier : elle cracha son amant sous les yeux de son mari. Celui-ci se voyant trompé, ne voulut plus vivre : il se priva de respirer et mourut. Sa femme, prise de remords et de pitié pour son mari, ne voulut plus vivre, se priva de respirer et mourut. L'amant, se reprochant d'être cause de deux morts, ne voulut plus vivre, se priva de respirer et mourut. Le chasseur, sa femme et sa fille, l'amant de ces deux femmes survenu au même moment, se privèrent de respirer et moururent les uns après les autres, car chacun s'accusait des malheurs qui étaient arrivés. Le chasseur se reprochait d'avoir dévoilé le secret qu'il venait de découvrir; la femme et la fille se désolaient d'avoir préparé le repas qui avait retenu l'étranger; l'amant de la jeune fille et de sa mère pensait qu'en faisant de ces deux femmes ses maîtresses il avait aigri le cœur du chasseur. La moralité, c'est que la jalousie détruit tout!

La voix tendre s'était tue.

— Elle est étonnante, ton histoire! dit l'aveugle.

— Tu aimes que je te raconte nos légendes?

— Oui, petite Maï...

— Je viendrai toujours t'en raconter qnand tu seras seul... Ainsi tu ne pourras plus te passer de moi!

— Véritablement, tu es la plus surprenante des femmes...

— Veux-tu que je prépare le thé?

— Je n'ai pas envie de thé!

— C'est cependant une boisson qui te serait plus salutaire que le whisky!

— Si je voulais du thé, je n'aurais qu'à frapper sur le gong et Kim me l'apporterait...

— Kim ne pourra plus te servir!

— Et pourquoi donc?

— Kim est mort... Tu le sais très bien!

— Comment pourrais-je le savoir? La seule chose qu'ait dite Serge Martin ce matin aux policiers est qu'il a disparu depuis hier soir.

— Pourquoi m'avoir joué la comédie inutile de celui qui n'a qu'à frapper sur le gong pour le voir apparaître? Tu n'as donc pas encore confiance en moi?

Ne sachant que répondre, il préféra demander :

— Qu'est-ce qui te fait penser qu'il est mort?

— Il n'a pas été retrouvé par cette police dont tu parles.

— Elle le retrouva peut-être : les recherches viennent seulement de commencer...

— Et il n'a pas été rejoindre ceux qui lui avaient donné l'ordre de te conduire vers ton assassin.

— Tu les connais donc?

— Je les connais...

— C'est ce qui t'a permis de me prévenir du sort qui m'attendait?

— Je devais le faire puisque tu m'es destiné par la volonté de Bouddha. Je n'avais pas le droit de laisser tuer mon protecteur... Tu dois vivre la durée de mon passage sur terre et tu ne pourras disparaître qu'en même temps que moi!

— Puisque tu es si bien renseignée, Maï, tu devrais savoir que ce sont presque sûrement ceux qui commandaient Kim qui l'ont fait mourir... J'ai entendu dire que ces gens-là ne pardonnaient pas l'échec!

— Ils auraient certainement agi ainsi, s'ils l'avaient retrouvé! Mais Kim n'a pas reparu chez eux...

— Tu sais cela également?

— Je sais beaucoup de choses...

— Et tu n'as pas peur de me les confier?

— Je ne te confie que celles qui sont nécessaires pour t'aider à vivre.

— Auprès de toi?

— Oui. On ne peut pas désobéir à la loi du Dieu! Tu n'es pas d'une essence différente des autres hommes.

— Le Dieu! Toujours le Dieu! Puisque tu parais être en d'aussi bons termes avec lui et que tu prétends même être sa Fille, il doit te faire des confidences!

— Je ne lui demande rien! J'attends ses ordres...

— C'est peut-être quand même lui qui t'a dit que Kim était mort?

— Bouddha ne donne jamais de mauvaises nouvelles et il n'autorise pas le crime...

— Parce que tu es bien sûre que Kim a été tué?

— Il l'a été...

— Par qui?

— Par ceux qu'il a trahis.

— Tu veux dire que c'est moi le coupable?

— Tu n'es pas plus coupable que ceux qui se disent tes amis...

— Serge Martin?

Elle ne répondit pas.

— Mais enfin, Maï, pourquoi voudrais-tu que nous ayons supprimé ce pauvre Kim?

— Il n'était pas le pauvre Kim, mais ton ennemi et celui de tous ceux de ta race... Je ne le plains pas, moi! Il a eu le sort qu'il méritait... C'est toi que je plains maintenant d'avoir du sang sur tes mains! Je n'aurais jamais souhaité que celui auquel je suis destinée fût un assassin!

— Je n'ai pas assassiné Kim!

— Je te crois mais peut-être l'as-tu laissé mourir devant toi sans venir à son aide?

— Va-t'en, Maï!

— Tu le veux sincèrement?

— Je... Je ne sais plus...

— Je préfère te savoir ainsi... Même si tu le voulais, je ne pourrais plus te quitter! Nous sommes rivés l'un à l'autre de toute éternité... Ce sera à moi d'essayer de te faire oublier les remords qui t'ont déjà envahi le cœur... Rassure-toi : ce que je viens de te dire au sujet de la mort du boy ne vient que de moi... J'ai compris quand j'ai su qu'il avait disparu...

— Par qui l'as-tu appris? Par M. Jojo?

— Serais-tu également jaloux de lui? Pourquoi parler de cet homme ignoble? Peut-être un jour te confierai-je comment j'ai tout su, mais aujourd'hui cela ne servirait à rien... Il n'y a que vous, les chrétiens, à prétendre que les morts ressuscitent!

— Je finis par me demander si toi aussi tu n'appartiens pas à la police et si tu ne m'as pas été envoyée par le commissaire Dien pour me faire parler?

— Je ne suis qu'une danseuse...

— Une *taxi-girl* qui se mêle d'une foule de choses qui ne la regardent pas!

— Pourquoi es-tu si dur avec moi?... Selon ton désir, je vais te quitter... Mais je reviendrai parce que, toi aussi, tu as besoin de moi!

Avec une douceur infinie, elle s'était relevée, s'éloignant du fauteuil où il restait prostré. Après un moment de silence, il se redressa, criant :

— Maï! Qu'est-ce que tu fais?... Maï, où es-tu?

Il avança dans la pièce, les bras tendus en avant, répétant :

— Pourquoi te caches-tu?... Réponds, petite Maï!

Mais une brise légère, provenant du jardin, par la porte

du vestibule restée entrouverte lui fit comprendre qu'elle s'était enfuie.

Désemparé, il erra dans le salon, le cerveau et le cœur torturés, se demandant comment elle avait pu partir avec cette même discrétion silencieuse qu'elle avait eue pour venir. C'était à croire qu'elle se fût volatilisée, évanouie comme ces sylphides qui possèdent le pouvoir merveilleux d'apparaître et de disparaître... N'était-ce pas une fée d'Asie ? A cette minute il comprit qu'elle avait eu raison de dire : « Tu as besoin de moi. » Déjà, il ne pouvait plus se passer d'elle.

FIN DU TOME PREMIER

ROMANS-TEXTE INTÉGRAL

ARNOTHY Christine
343**   Le jardin noir
368*   Jouer à l'été
377**   Aviva
431***   Le cardinal prisonnier

ASIMOV Isaac
404**   Les cavernes d'acier

BARBIER Elisabeth
436**   Ni le jour ni l'heure

BARCLAY Florence L.
287**   Le Rosaire

BIBESCO Princesse
77*   Katia

BODIN Paul
332*   Une jeune femme

BORY Jean-Louis
81**   Mon village à l'heure allemande

BRESSY Nicole
374*   Sauvagine

BUCHARD Robert
393**   30 secondes sur New York

BUCK Pearl
29**   Fils de dragon
127**   Promesse

CARRIERE Anne-Marie
291*   Dictionnaire des hommes

CARS Guy des
47**   La brute
97**   Le château de la juive
125**   La tricheuse
173**   L'impure

229**   La corruptrice
246**   La demoiselle d'Opéra
265**   Les filles de joie
295**   La dame du cirque
303**   Cette étrange tendresse
322**   La cathédrale de haine
331**   L'officier sans nom
347**   Les sept femmes
361**   La maudite
376**   L'habitude d'amour
     Sang d'Afrique :
399**   I. L'Africain
400**   II. L'amoureuse
     Le grand monde :
447**   I. L'alliée

448**   II. La trahison

CASTILLO Michel del
105*   Tanguy

CESBRON Gilbert
6**   Chiens perdus sans collier
38*   La tradition Fontquernie
65**   Vous verrez le ciel ouvert
131**   Il est plus tard que tu ne penses
365*   Ce siècle appelle au secours
379**   C'est Mozart qu'on assassine

CHABRIER Agnès
406**   Noire est la couleur

CHEVALLIER Gabriel
383***   Clochemerle-les-Bains

CLARKE Arthur C.
349**   2001 - L'odyssée de l'espace

CLAVEL Bernard
290*   Le tonnerre de Dieu
300*   Le voyage du père

309**   L'Espagnol
324*   Malataverne
333**   L'hercule sur la place

CLIFFORD Francis
359**   Chantage au meurtre
388**   Trahison sur parole

COLETTE
2*   Le blé en herbe
68*   La fin de Chéri
106*   L'entrave
153*   La naissance du jour

COURTELINE Georges
59*   Messieurs les Ronds de cuir
142*   Les gaîtés de l'escadron

CRESSANGES Jeanne
363*   La feuille de bétel
387**   La chambre interdite
409*   La part du soleil

CURTIS Jean-Louis
312**   La parade

320**   Cygne sauvage
321**   Un jeune couple
348*   L'échelle de soie
366***   Les justes causes
413**   Le thé sous les cyprès

DAUDET Alphonse
34*   Tartarin de Tarascon
414*   Tartarin sur les Alpes

DHOTEL André
61*   Le pays où l'on n'arrive jamais

FAURE Lucie
341**   L'autre personne
398*   Les passions indécises

FLAUBERT Gustave
103**   Madame Bovary

FLORIOT René
408**   Les erreurs judiciaires

FRANCE Claire
169*   Les enfants qui s'aiment

GENEVOIX Maurice
76*   La dernière harde

GILBRETH F. et E.
45*   Treize à la douzaine

GREENE Graham
4*   Un Américain bien tranquille
55**   L'agent secret
135*   Notre agent à La Havane

GUARESCHI Giovanni
1**   Le petit monde de don Camillo
52*   Don Camillo et ses ouailles
130*   Don Camillo et Peppone
426**   Don Camillo à Moscou

HAMILTON Edmond
432**   Les rois des étoiles

HOUDYER Paulette
358**   L'affaire des sœurs Papin

HURST Fanny
261**   Back Street

KEYES Daniel
427**   Des fleurs pour Algernon

KIRST H.H.
31**   08/15. La révolte du caporal Asch
121**   08/15. Les étranges aventures de guerre de l'adjudant Asch
139**   08/15. Le lieutenant Asch dans la débâcle
188***   La fabrique des officiers
224**   La nuit des généraux
304***   Kameraden
357***   Terminus camp 7
386**   Il n'y a plus de patrie

KOSINSKY Jerzy
270**   L'oiseau bariolé

LABORDE Jean
421**   L'héritage de violence

LANCELOT Michel
396**   Je veux regarder Dieu en face

LENORMAND H.-R.
257*   Une fille est une fille

LEVIN Ira
324**   Un bébé pour Rosemary
434**   Un bonheur insoutenable
449**   La couronne de cuivre

LEVIS MIREPOIX Duc de
43*   Montségur les cathares

L'HOTE Jean
53*   La communale
260*   Confessions d'un enfant de chœur

LOVECRAFT Howard P.
410*   L'affaire Charles Dexter Ward

LOWERY Bruce
165*   La cicatrice

MALLET-JORIS Françoise
87**   Les mensonges
301**   La chambre rouge
311**   L'Empire Céleste

317**   Les personnages
370**   Lettre à moi-même

MALPASS Eric
340**   Le matin est servi
380**   Au clair de la lune, mon ami Gaylord

MARGUERITTE Victor
423**   La garçonne

MARKANDAYA Kamala
117*   Le riz et la mousson

435**   Quelque secrète fureur

MASSON René
44*   Les jeux dangereux

MAURIAC François
35*   L'agneau
93*   Galigaï
129*   Préséances
425**   Un adolescent d'autrefois

MAUROIS André
71**   Terre promise
192**   Les roses de septembre

MERREL Concordia
336**   Le collier brisé
394**   Etrange mariage

MONNIER Thyde
      Les Desmichels :
206*   I. Grand-Cap
210**   II. Le pain des pauvres
218**   III. Nans le berger
222**   IV. La demoiselle
231**   V. Travaux
237**   VI. Le figuier stérile

MOORE Catherine L.
415**   Shambleau

MORAVIA Alberto
115**   La Ciociara
175**   Les indifférents
298***   La belle Romaine
319***   Le conformiste
334*   Agostino
390**   L'attention
403**   Nouvelles romaines
422**   L'ennui

MORRIS Edita
141*   Les fleurs d'Hiroshima

MORTON Anthony
352*   Larmes pour le Baron
356*   Le Baron cambriole
360*   L'ombre du Baron
364*   Le Baron voyage
367*   Le Baron passe la Manche

371*   Le Baron est prévenu
375*   Le Baron les croque
382*   Le Baron chez les fourgues
385*   Noces pour le Baron
389*   Le Baron et le fantôme
395*   Le Baron est bon prince
401*   Le Baron se dévoue
411*   Une sultane pour le Baron
420*   Le Baron et le poignard
429*   Une corde pour le Baron
437*   Piège pour le Baron
450*   Le Baron aux abois

MOUSTIERS Pierre
384**   La mort du pantin

NATHANSON E.M.
308***   Douze salopards

NORD Pierre
378**   Le 13e suicidé
428**   Provocations à Prague

ORIEUX Jean
433*   Petit sérail

PEREC Georges
259*   Les choses

PEYREFITTE Roger
17**   Les amitiés particulières
86*   Mademoiselle de Murville
107**   Les ambassades
325***   Les Juifs
335***   Les Américains
405*   Les amours singulières
416**   Notre amour
430**   Les clés de Saint Pierre
438**   La fin des ambassades

RAYER Francis G.
424**   Le lendemain de la machine

RENARD Jules
11*   Poil de carotte

ROBLES Emmanuel
9*   Cela s'appelle l'aurore

ROMAINS Jules
     Les hommes de bonne volonté
     (14 volumes triples)

ROY Jules
100*   La vallée heureuse

SAINT-ALBAN Dominique
     Noële aux Quatre Vents :
441**   I. Les Quatre Vents
442**   II. Noële autour au monde

SAINT PHALLE Thérèse de
353*   La chandelle

SALMINEN Sally
263**   Katrina

SEGAL Erich
412*   Love Story

SIMAK Clifford D.
313**   Demain les chiens

SIMON Pierre-Henri
82*   Les raisins verts

SMITH Wilbur A.
326**   Le dernier train du Katanga

STURGEON Théodore
355**   Les plus qu'humains
369**   Cristal qui songe

407**   Killdozer — Le viol cosmique

TROYAT Henri
10*   La neige en deuil
     La lumière des justes :
272**   I. Les compagnons du coquelicot
274**   II. La Barynia
276**   III. La gloire des vaincus
278**   IV. Les dames de Sibérie
280**   V. Sophie ou la fin des combats
323*   Le geste d'Ève
     Les Eygletière :
344**   I. Les Eygletière
345**   II. La faim des lionceaux
346**   III. La malandre

VAN VOGT A.-E.
362**   Le monde des Ā
381**   A la poursuite des Slans
392**   La faune de l'espace
397**   Les joueurs du A
418**   L'empire de l'atome
419**   Le sorcier de Linn
439**   Les armureries d'Isher
440**   Les fabricants d'armes

VIALAR Paul
57**   L'éperon d'argent
299**   Le bon Dieu sans confession
337**   L'homme de chasse
350**   Cinq hommes de ce monde T.I
351**   Cinq hommes de ce monde T. II
372**   La cravache d'or
402**   Les invités de la chasse
417*   La maison sous la mer

WEBB Mary
63**   La renarde

L'AVENTURE MYSTÉRIEUSE
du cosmos et des
civilisations disparues

ANTEBI Elisabeth
A. 279**   Ave **Lucifer**
Aujourd'hui, bien des sectes fanatisées adorent un dieu plus
proche de Satan que de la divinité; pensons à la disparition des
enfants du Mage de Marsal ou au meurtre rituel de Sharon Tate.
Mais le démon a pris à l'heure actuelle des dehors technolo-
giques plus effrayants encore que ces manifestations passées.

BARBARIN Georges
A. 216*   **Le secret de la Grande Pyramide**
Cette construction colossale qui défiait les techniques de l'époque
représente la science d'une grande civilisation pré-biblique et
porte en elle la marque d'un savoir surhumain qui sut prédire
les dates les plus importantes de notre Histoire.

BARBARIN Georges
A. 229*   **L'énigme du Grand Sphinx**
L'obélisque de Louksor, depuis qu'il a été transporté à Paris,
exerce une influence occulte sur la vie politique de notre pays.
De même, le grand Sphinx joue un rôle secret dans l'histoire
des civilisations.

BARBAULT Armand
A. 242*   **L'or du millième matin**
Cet alchimiste du XXᵉ siècle vient de retrouver l'Or Potable de
Paracelse, premier degré de l'élixir de longue vie. Il nous
raconte lui-même l'histoire de cette découverte.

BERGIER Jacques
A. 250*   **Les extra-terrestres dans l'Histoire**
Par l'étude de cas précis et indubitables, Jacques Bergier prouve
qu'il subsiste sur Terre des traces du passage et des actions
d'êtres pensants venus d'autres planètes.

BERGIER Jacques
A. 271* **Les livres maudits**
Il existe une conspiration contre un certain type de savoir dit occulte, qui a fait détruire systématiquement tout au long de l'Histoire des livres au contenu prodigieux.

BERNSTEIN Morey
A. 212** **A la recherche de Bridey Murphy**
Sous hypnose, une jeune femme se souvient de sa vie antérieure en Irlande et aussi du « temps » qui sépare son décès de sa renaissance. Voici une fantastique incursion dans le mystère de la mort et de l'au-delà.

BIRAUD F. et RIBES J.-C.
A. 281** **Le dossier des civilisations extra-terrestres**
La vie existe-t-elle sur d'autres planètes? Des civilisations fondées sur une vie artificielle sont-elles concevables? Des contacts avec des êtres extra-terrestres sont-ils prévisibles dans un proche avenir? Voici enfin des réponses claires par deux astronomes professionnels.

BROWN Rosemary
A. 293* **En communication avec l'au-delà**
Depuis l'âge de sept ans, Rosemary Brown est en communication avec les morts. Plusieurs compositeurs célèbres lui ont dicté leur musique « posthume » et elle a pu s'entretenir avec des personnalités telles qu'Albert Schweitzer et Albert Einstein.

CHARROUX Robert
A. 190** **Trésors du monde**
Trésors des Templiers et des Incas. Trésors du culte enfouis lors des persécutions religieuses. Trésors des pirates et des corsaires, enterrés dans les îles des Antilles. L'auteur raconte leur histoire et en localise 250 encore à découvrir.

CHEVALLEY Abel
A. 200* **La bête du Gévaudan**
Les centaines d'adolescents dont les cadavres, durant des années, jonchèrent les hauteurs de la Margeride, furent-ils les victimes d'une bête infernale, de quelque sinistre Jack l'Eventreur ou d'une atroce conjuration?

CHURCHWARD James
A. 223** **Mu, le continent perdu**
Mu, l'Atlantide du Pacifique, était un vaste continent qui s'abîma dans les eaux avant les temps historiques. Le colonel Churchward prouve par des documents archéologiques irréfutables qu'il s'agissait là du berceau de l'humanité.

CHURCHWARD James
A. 241** **L'univers secret de Mu**
La vie humaine est apparue et s'est développée sur le continent de Mu. Les colonies de la mère-patrie de l'homme furent ainsi à l'origine de toutes les civilisations.

CHURCHWARD James
A. 291** **Le monde occulte de Mu**
C'est la révélation de toutes les doctrines ésotériques, et de tout l'enseignement occulte des prêtres de Mu, que le colonel Churchward entreprend de révéler ici tout en poursuivant la relation de ses découvertes sur la mère-patrie de l'homme.

DARAUL Arkon
A. 283** **Les sociétés secrètes**
Un grand voyageur fait le point sur les principales sociétés se-
crètes actuelles, ou du passé, tels les disciples du Vieux de la
Montagne, des Thugs indiens, des Castrateurs de Russie, des
Tongs chinois et des étranges Maîtres de l'Himalaya.

DEMAIX Georges J.
A. 262** **Les esclaves du diable**
Depuis l'assassinat rituel de Sharon Tate jusqu'aux messes noires
de la région parisienne, l'auteur brosse le panorama de la sor-
cellerie et de la magie depuis l'antiquité jusqu'à nos jours.

FLAMMARION Camille
A. 247** **Les maisons hantées**
Le grand savant Camille Flammarion a réuni ici des phénomènes de hantise rigoureusement certains prouvant qu'il existe
au-delà de la mort une certaine forme d'existence.

GERSON Werner
A. 267** **Le nazisme société secrète**
Les origines du nazisme sont millénaires et plongent dans les
pratiques des sociétés secrètes, tels que la Sainte Vehme, les
Illuminés de Bavière ou le groupe Thulé. Nous découvrons ici
leurs ramifications actuelles et leurs liens avec l'antique sorcel-
lerie.

HUTIN Serge
A. 238* **Hommes et civilisations fantastiques**
Nous voici entraînés dans un voyage fantastique parmi des lieux
ou des êtres de légende : l'Atlantide, l'Eldorado, la Lémurie, la
cité secrète de Zimbabwé ou la race guerrière des Amazones.
Chaque escale offre son lot de révélations stupéfiantes.

HUTIN Serge
A. 269** **Gouvernants invisibles et sociétés secrètes**
Les hommes qui tiennent le devant de la scène publique dis-
posent-ils du pouvoir réel? Le sort des nations ne dépend-il pas
plutôt de groupes d'hommes, n'ayant aucune fonction officielle,
mais affiliés en puissantes sociétés secrètes?

LARGUIER Léo
A. 220* **Le faiseur d'or, Nicolas Flamel**
Nicolas Flamel nous introduit dans le monde fascinant de l'al-
chimie où le métal vil se transmute en or et où la vie se pro-
longe grâce à la Pierre philosophale.

LE POER TRENCH Brinsley
A. 252* **Le Peuple du ciel**
« Les occupants des vaisseaux de l'espace ont toujours été avec
nous », écrit l'auteur. « Ils y sont en cet instant, bien que vous
les croisiez dans la rue sans les reconnaître. Ce sont vos amis,
le Peuple du ciel. »

LESLIE et ADAMSKI
A. 260** **Les soucoupes volantes ont atterri**
Le 20 novembre 1952, George Adamski fut emmené à bord d'une
soucoupe volante. C'est ainsi qu'il put nous décrire la ceinture
de radiations Van Allen découverte ensuite par les cosmonautes.

MILLARD Joseph
A. 232** **L'homme du mystère, Edgar Cayce**
Edgar Cayce, simple photographe, devient, sous hypnose, un grand médecin au diagnostic infaillible. Bientôt, dans cet état second, il apprend à discerner la vie antérieure des hommes et découvre les derniers secrets de la nature humaine.

MOURA J. et LOUVET P.
A. 204** **Saint-Germain, le Rose-Croix immortel**
Le comte de Saint-Germain traversa tout le XVIII° siècle sans paraître vieillir. Il affirmait avoir déjeuné en compagnie de Jules César et avoir bien connu le Christ. Un charlatan? Ou le détenteur des très anciens secrets des seuls initiés de la Rose-Croix?

OSSENDOWSKI Ferdinand
A. 202** **Bêtes, hommes et dieux**
Fuyant la révolution russe, l'auteur nous rapporte sa traversée de la Mongolie, où un hasard le mit en présence d'un des plus importants mystères de l'histoire humaine : l'énigme du Roi du Monde : « L'homme à qui appartient le monde entier, qui a pénétré tous les mystères de la nature. »

PIKE James A.
A. 285** **Dialogue avec l'au-delà**
Lors de la mort de son fils, l'évêque Pike eut son attention attirée par une série de faits étranges. Comprenant que son fils cherchait à lui parler depuis l'au-delà, il parvint à s'entretenir avec lui grâce à des médiums.

RAMPA T. Lobsang
A. 11** **Le troisième œil**
Voici l'histoire de l'initiation d'un jeune garçon dans une lamaserie tibétaine. En particulier, L. Rampa raconte l'extraordinaire épreuve qu'il subit pour permettre à son « troisième œil » de s'ouvrir, l'œil qui lit à l'intérieur des êtres.

RAMPA T. Lobsang
A. 210** **Histoire de Rampa**
L'auteur du « Troisième œil » entraîne le lecteur plus loin dans son univers ésotérique et lui dévoile d'importants mystères occultes : c'est un voyage dans l'au-delà qu'il lui fait faire, une évasion totale hors des frontières du quotidien.

RAMPA T. Lobsang
A. 226** **La caverne des Anciens**
C'est dans cette caverne, lieu de l'initiation du jeune L. Rampa, que sont conservées les plus importantes connaissances des civilisations préhistoriques aujourd'hui oubliées et que l'auteur nous révèle enfin.

RAMPA T Lobsang
A. 256** **Les secrets de l'aura**
Pour la première fois, Lobsang Rampa donne un cours d'ésotérisme lamaïste. Ainsi, il apprend à voyager sur le plan astral et à discerner l'aura de chacun d'entre nous. Tout ceci est expliqué clairement et d'un point de vue pratique.

RAMPA T. Lobsang
A. 277** **La robe de sagesse**
T. L. Rampa fait le récit de ses épreuves d'initiation et de ses

premiers voyages dans l'Astral. Il explique longuement l'usage
de la boule de cristal et les vérités qui permettent de découvrir
la Voie du Milieu et de gagner le Nirvâna.

SADOUL Jacques
A. 258** **Le trésor des alchimistes**
L'auteur prouve par des documents historiques irréfutables que
les alchimistes ont réellement transformé les métaux vils en
or. Puis il révèle, pour la première fois en langage clair, l'identité chimique de la Matière Première, du Feu Secret et du Mer-
cure Philosophique.

SAURAT Denis
A. 187* **L'Atlantide et le règne des géants**
Le cataclysme qui engloutit l'Atlantide porta un coup fatal à la
civilisation des géants dont les traces impérissables subsistent
dans la Bible, chez Platon, et dans les monumentales statues
des Andes et de l'Île de Pâques, antérieures au Déluge.

SAURAT Denis
A. 206* **La religion des géants et la civilisation des insectes**
Avant le Déluge, avant l'Atlantide, avant les géants du ter-
tiaire, les premières civilisations d'insectes, à travers d'étranges
filiations, ont modelé les civilisations humaines, même les plus
modernes.

SEABROOK William
A. 264** **L'île magique**
Haïti et le culte vaudou ont suscité bien des légendes, mais
l'auteur a réussi à vivre parmi les indigènes et à assister aux
cérémonies secrètes. C'est ainsi qu'il put constater l'effroyable
efficacité de la magie vaudou et qu'il eut même l'occasion de
rencontrer un zombi.

SÈDE Gérard de
A. 185** **Les Templiers sont parmi nous**
C'est une tradition vieille de 40 siècles qui a donné aux Templiers leur prodigieuse puissance. Mais leur trésor et leur
connaissance des secrets des cathédrales provoquèrent la convoi-
tise des rois, et ce fut la fin de l'Ordre du Temple.

SÈDE Gérard de
A. 196** **Le trésor maudit de Rennes-le-Château**
Quel fut le secret de Béranger Saunière, curé du petit village de
Rennes-le-Château, qui, entre 1891 et 1917, dépensa plus de un
milliard et demi de francs? Mais surtout comment expliquer
que tous ceux qui frôlent la vérité — aujourd'hui comme hier —
le fassent au péril de leur vie?

SENDY Jean
A. 208* **La lune, clé de la Bible**
L'Ancien Testament n'est pas un récit légendaire, mais un texte
historique décrivant la colonisation de la Terre par des cosmonautes venus d'une autre planète (les Anges). Des traces de leur
passage nous attendent sur la Lune qui sera alors la « clé de la
Bible ».

SENDY Jean
A. 245** **Les cahiers de cours de Moïse**
A travers l'influence « astrologique » du zodiaque, la prophétie

de saint Malachie et le texte biblique, Jean Sendy nous montre les traces évidentes de la colonisation de la Terre par des cosmonautes dans un lointain passé.

TARADE Guy
A. 214** **Soucoupes volantes et civilisations d'outre-espace**
Des descriptions très précises de soucoupes volantes ont été faites au XIXᵉ siècle, au Moyen Age et dans l'Antiquité. La Bible en fait expressément mention. Une seule conclusion possible : les « soucoupes » sont les astronefs d'une civilisation d'outre-espace qui surveille la Terre depuis l'aube des temps.

TOCQUET Robert
A. 273** **Les pouvoirs secrets de l'homme**
L'occultisme étudié pour la première fois par un homme de science. Ses conclusions aboutissent à la reconnaissance de phénomènes para-normaux : télépathie, voyance, hypnose, formation d'auras, etc.

TOCQUET Robert
A. 275** **Les mystères du surnaturel**
Suite du précédent ouvrage, ce livre étudie les grands médiums, les cas prouvés de hantise, les phénomènes de stigmatisation et de guérison para-normale. Ces deux volumes forment une véritable réhabilitation scientifique de l'occulte.

VILLENEUVE Roland
A. 235* **Loups-garous et vampires**
L'auteur traque ces êtres monstrueux depuis l'antiquité jusqu'à nos jours et illustre d'exemples stupéfiants leurs étranges manifestations, leurs mœurs, et leurs amours interdites. Mieux, il les débusque jusqu'au fond des repaires secrets qui les abritent encore.

WILLIAMSON G. Hunt
A. 289** **Les gîtes secrets du lion**
Le savoir des anciens maîtres de la Terre n'est pas totalement perdu. Dans certains lieux connus de très rares initiés, les gîtes du lion, des archives secrètes attendent encore d'être révélées.

J'AI LU LEUR AVENTURE

AMORT et JEDLICKA
A. 290** On l'appelait A. 54

BEKKER Cajus
A. 201*** Altitude 4 000

BERBEN P. et ISELIN B.
A. 274** Remagen, le pont de la chance

BERGIER Jacques
A. 101* Agents secrets contre armes secrètes

BOLDT Gerhard
A. 26* La fin de Hitler

CARTIER Raymond
A. 207** Hitler et ses généraux

CLOSTERMANN Pierre
A. 6* Feux du ciel

GALLO Max
A. 280*** La nuit des longs couteaux

GOLIAKOV et PONIZOVSKY
A. 233** Le vrai Sorge

HANFSTAENGL Ernst
A. 284** Hitler, les années obscures

HERLIN Hans
A. 248** Ernst Udet, pilote du diable
A. 257** Les damnés de l'Atlantique

HEYDECKER et LEEB
A. 138** Le procès de Nuremberg

KNOKE Heinz
A. 81* La grande chasse

LORD Walter
A. 45* La nuit du Titanic
A. 261** Midway, l'incroyable victoire

MARTELLI George
A. 17** L'homme qui a sauvé Londres

MILLINGTON-DRAKE Sir Eugen
A. 236** La fin du Graf Spee

MILLOT Bernard
A. 270*** L'épopée Kamikaze

MONTAGU Ewen
A. 34* L'homme qui n'existait pas

MUSARD François
A. 193* Les Glières

NOGUERES Henri
A. 191*** Munich ou la drôle de paix

NYISZLI Miklos
A. 266* Médecin à Auschwitz

PHILLIPS C.E. Lucas
A. 175** Opération coque de noix

PLIEVIER Theodor
A. 132** Moscou
A. 179*** Stalingrad

ROBICHON Jacques
A. 53*** Le débarquement de Provence

SAUVAGE Roger
A. 23**   Un du Normandie-Nié-
           men

SKORZENY Otto
A. 142*   Les missions secrètes de
           Skorzeny

THORWALD Jürgen
A. 167*** La débâcle allemande

YOUNG Gordon
A. 60*   L'espionne nº 1. La
           Chatte

ÉDITIONS J'AI LU
31, rue de Tournon, Paris-VIe

Exclusivité de vente en librairie
FLAMMARION

IMPRIMÉ EN FRANCE PAR BRODARD ET TAUPIN
6, place d'Alleray - Paris.
Usine de La Flèche, le 20-09-1972.
1816-5 - Dépôt légal, 3e trimestre 1972.